CASUS CONSCIENTIAE

VOL. II.

De praecipuis huius aetatis vitiis
eorumque remediis

FRANCISCUS TER HAAR C. SS. R.

CASUS CONSCIENTIAE

VOL. II.

De praecipuis huius aetatis vitiis eorumque remediis

Editio III recognita.

DOMUS EDITORIALIS MARIETTI
Sanctae Sedis Apostolicae et Sacrae RR. Congregationis Typographi

APPROBATIO

—

Permissu Superiorum Congr. SS. Redempt.

NIHIL OBSTAT

Augustæ Taurinorum, die 30 Aprilis 1944.

Sac. Aloysius Carnino, *Censor Deleg.*

IMPRIMATUR

Can. ALOISIUS COCCOLO, *Vic. Gen.*

Printed in Italy — ius proprietatis vindicabitur (21-vi-44).

Copyright (1944) by Casa Editrice Marietti - Torino (Italy).

PROOEMIUM
ad primam editionem.

Quod opus maius ante aliquot annos « De Occasionariis et Recidivis » publici iuris fecimus, iam ab initio illustrare statuimus « casibus conscientiae » seu exemplis ex vita quotidiana sumptis; nam, ut ait Seneca: « Longum iter est per praecepta, breve et efficax per exempla » (*Epist.* 6). Quapropter duobus abhinc annis evulgavimus huius minoris operis partem p r i m a m, quae spectat ad occasionarios, sub titulo: « Casus conscientiae de praecipuis huius aetatis peccandi occasionibus »; quod quidem opusculum communi quasi peritorum plausu acceptum est. — Accedit nunc eiusdem minoris operis pars a l t e r a, quae praesertim tractat de recidivis, iisque potissimum consideratis relate ad « praecipua huius aetatis vitia ». Nam praeter vitia omnibus temporibus communia, sunt nostrae aetati aliqua vitia magis propria, quae innumeris catholicis praecipua sunt aeternae damnationis causa, utputa incredulitas, onanismus coniugalis, aliaque.

Atvero, non voluimus solum casus conscientiae de hac materia proponere et solvere; sed, quemadmodum in praecedenti opusculo quae de occasionibus agit, sic quoque in hac altera parte maximae nobis curae fuit, tum confessariis tum parochis aliisque animarum pastoribus quamplurima indicare *remedia* quibus haec vitia vitari vel curari possint, quae proinde ab Ecclesiae ministris adhibenda sunt vel praescribenda, ut quam maximum animarum numerum ab his vitiis liberent et ab aeterna damnatione eripiant.

Uti praecedens opusculum de occasionibus, ita quoque haec altera pars duas complectitur sectiones. Quia videlicet vitia seu pravi habitus praesertim recto sacramenti Poenitentiae usu delenda et curanda sunt, in *prima* sectione, quae est quasi praevia, agemus *de dispositionibus ad hoc sacramentum requisitis*, ut a poenitentibus valide et fructuose recipiatur. Ad has dispositiones confessarii nostra ignorantiae religiosae collapsaeque fidei aetate ante omnia attendant oportet, ne secus habitus vitiosi semper crescant, et sacramenti receptio potius in animarum damnum cedat. Quod sapienter advertit Concilium Provinciale Mechliniense anni 1920 dicens: « Perpensis hodiernis adiunctis, advertere opportunum censetur: ad Dei honorem, christianae fidei dilatationem et animarum salutem non tanti referre ut omnes absolutionem sacramentalem recipiant, quam ut merito ac proin efficaciter absolvantur » (d. 283). Sunt utique « sacramenta propter homines » instituta, ut nimirum homines, variis implicati vitiis, per eorum validam et fructuosam receptionem a peccatis commissis liberentur et a futuris praemuniantur, non vero ut per eorum abusum homines falsa quiete in vitiis pravisque consuetudinibus obdormiscant et ita damnentur, sicut contingeret, si plane omnes dubie dispositi vel ipsi non dispositi statim absolverentur.

Ne ergo confessarii in huius sacramenti administratione sive ad dextram sive ad sinistram declinent, sed media inter rigidiorem et laxiorem praxim via incedant, in hoc quoque opere secuti sumus tutam S. Alphonsi doctrinam, saepius a Summis Pontificibus commendatam, quam merito celeber quidam recens auctor vocavit « traditionalem Ecclesiae doctrinam de consuetudinariis et recidivis »[1]. Quapropter in hac praesertim prima sectione saepe lectorem remisimus ad alteram maioris nostri operis partem quae *de Recidivis* agit, eiusque doctrinam haud raro brevi compendio contraximus, aliquando tamen novis quibusdam additis magis explicavimus et confirmavimus.

In sectione *altera*, eaque praecipua et longiore, varios proposuimus et solvimus casus *de vitiis in particulari*, quae nostra prae-

---

[1] Ita M. Claeys Bouüaert S. I.: « Les principes de Saint Alphonse de Liguori ont toujours été, et sont encore la vraie tradition de l'Eglise pour les consuétudinaires et les récidivistes. Voir le livre récent du P. Ter Haar *De Occasionariis et recidivis* » (*Nouv. Revue Theol.*, tome 57me, 1930, p. 862).

sertim aetate magis communia sunt. Hic praecipue sategimus fusiore sermone indicare *media aptiora*, naturalia et supernaturalia, generalia et specialia, quibus sive confessarii sive parochi aliique animarum pastores pro suo zelo vitia ista efficaciter impugnare animasque ab eis liberare possint.

Opportunum iudicavimus duas addere *Digressiones* ad vitia contra castitatem pertinentes; alteram « de candidato sacerdotii, vitio turpi dedito », alteram « de continentia periodica iuxta novissimam methodum »; ambas, ut videbit lector, nostra aetate admodum practicas et confessariis in primis perutiles.

Faxit Deus, ut etiam haec altera pars operis « Casus conscientiae » plurimum conducat ad maiorem Eius gloriam, ad bonum Ecclesiae animarumque aeternam salutem.

Romae, in Collegio S. Alphonsi, die 25 Februarii 1936.

Nota. — Ubi in hoc libro lectorem remittimus ad *Opus*, semper intelligimus opus nostrum maius cui titulus: « De Occasionariis et Recidivis iuxta doctrinam S. Alphonsi aliorumque probatorum Auctorum », pp. XVI-450 (Marietti, Taurini-Romae; pr. 35 lib. it.). — Per *Casus* I indicatur prima horum casuum pars seu « Casus Conscientiae de praecipuis huius aetatis peccandi occasionibus », pp. VIII-212 (Marietti, Taurini-Romae; pr. 25 lib. it.).

SECTIO PRIMA

DE DISPOSITIONE REQUISITA AD SACRAMENTUM POENITENTIAE

ARTICULUS I.

De natura huius dispositionis.

Casus 1.

De Contritione.

1. — 1° Caius confessionem excipit Antonii, viri in materia religionis satis rudis, qui quaedam peccata gravia accusat. Confessarius, ex indifferenti se accusandi modo aliisque adiunctis graviter dubitans de vera Antonii contritione, ipsum interrogat num de peccatis vere doleat; cui poenitens affirmativum dat responsum. Quare Caius, censens ipsum saltem existimare se habere dolorem, absolutionem concedit.

2° Ad ipsum quoque accedit eius uxor Antonia, pia mulier, quae, cum audisset concionem de vera contritione cuilibet confessioni necessario praemittenda, dicit se existimare verum dolorem in suis vitae anteactae confessionibus saepe defuisse, tum quia dolorem vix umquam sentit et semper in eadem peccata venialia recidit, tum quia saepe labiis dumtaxat actum contritionis elicuit, non cogitans de verborum sensu, tum quia aliquando ob festinationem accessit ad confessionale, non praemisso actu doloris. Quam ob rem confessionem generalem instituere desiderat. Cui Caius morem gerit.

3° Denique confessum venit etiam eorum filius Antoninus, puer octo circiter annorum, qui quaedam peccata tantum venialia accusat. Quia Caius, etiam postquam ipsum adhortatus est ad contritionem, adhuc serio dubitat de vero eius dolore, timens ne sacramentum invalide administret, ipsum sine absolutione cum sola benedictione dimittit.

Quaeritur I. Quid est contritio, et quae sunt dotes contritionis necessariae ad sacramentum Poenitentiae recipiendum?
II. Quid dicendum de Caii agendi ratione cum tribus hisce poenitentibus?

I. Contritio eiusque dotes.

2. — « Contritio, ut ait Concilium Tridentinum (sess. 14, c. 4 de Poen.), qui primum locum inter dictos poenitentiae actus habet, animi dolor ac detestatio est de peccato commisso, cum proposito non peccandi de cetero ». Consistit praecipue in actu odii et detestationis, quo voluntas immutatur et a peccato ad Deum convertitur. (Cfr. *Opus*, n. 226 sq.). Sufficit autem in sacramento Poenitentiae contritio imperfecta, quae attritio dicitur, orta ex motivo inferiore, v. g. ex consideratione turpitudinis peccati, vel ex spe veniae aut timore gehennae et poenarum temporalium, modo voluntatem peccandi excludat (ib. n. 228).

3. — Dotes huiusmodi contritionis vel attritionis hae sunt:

1° Sit *vera* seu in intimo animo re ipsa existens, et non mere putativa et a poenitente solum vera existimata. Ita auctores communiter contra aliquos aequo remissiores (ib. n. 227).

2° Sit *formalis* seu *explicita*, quia ille actus est pars sacramenti. Unde actus implicitus contentus in proposito vel in actu caritatis erga Deum probabilius per se non sufficit. Practice tamen, qui cogitans de peccato commisso actum caritatis elicit, etiam explicitum actum doloris vix non eliciet, etsi de eo animum non reflectat.

3° Sit *supernaturalis*, id est elicita ope gratiae Dei et orta ex motivo supernaturali, quia quum iustificatio sit opus supernaturale, eius motivum etiam eiusdem ordinis sit oportet. Practice ita erit, si actus doloris refertur ad Deum offensum, quia christianus sistere non solet in Deo naturaliter tantum cognito.

4° Sit *universalis*, seu virtualiter saltem se extendens ad omnia peccata mortalia; nam, quum remissio peccati restitutionem amicitiae Dei importet, unum sine altero non remittitur. In praxi ita erit, si motivum est universale, etiamsi poenitens de singulis peccatis non cogitet.

5° Sit *appretiative* seu *aestimative summa*, qua quis peccatum detestatur super omnia alia mala; quia poenitens dolere debet, quod offendit Deum qui est summum bonum, ac proinde omnem voluntatem Deum iterum offendendi quacumque in conditione excludere debet. Sufficit autem, ut ille dolor sit summus super omnia mala, *in genere* vel *in confuso* considerata; nam imprudens esset comparationem instituere cum aliis magnis malis sensibilibus in particulari (ib. n. 227, 242). Neque etiam requiritur dolor *intensive* summus, seu quod quis hunc dolorem summopere sentiat, quia contritio in sola voluntate consistit.

II. Casuum solutio.

4. — 1° Generatim quidem confessarius poenitenti asserenti se dolere fidem habere debet, quia praesumptio stat pro illo; nisi tamen quid obstet, i. e. nisi haec praesumptio aliis indiciis elidatur vel ita infirmetur ut dispositio fiat dubia. (Cf. *Opus*, n. 285 sqq.). Ast in casu male Caius ratiocinatus est, concedens Antonio absolutionem idcirco tantum, quia ipse poenitens existimat se verum habere dolorem. Nam ut absolutio licite dari possit, non sufficit poenitentem contritionem suam existimare veram, sed oportet, ut ipse confessarius, qui solus est iudex, eam veram esse seu ex intimo animo re ipsa profectam prudenti iudicio existimet. Huiusmodi autem prudens existimatio ac iudicium nititur non solo testimonio poenitentis, qui ex ignorantia vel inconsiderantia facile seipsum fallere ac decipere potest, sed etiam aliis indiciis et circumstantiis. Multi enim poenitentes,

praesertim recidivi, ad confessionem accedunt non satis contriti nec serio de vera contritione cogitantes, sed ex mera consuetudine, puta tempore paschali aut alia solemnitate, vel solum ut parentum vel uxoris precibus indulgeant. Hi utique a confessario aptis motivis ad veram contritionem excitandi sunt. Si postea non magis contriti apparent, sed eodem frigido et indifferenti modo responsum dant affirmativum, confessarius prudens iudicium ferre nequit, sed dubius manere debet. Plerumque tamen post ferventem huiusmodi exhortationem poenitentes meliora praebebunt contritionis signa, ita ut confessarius merito eos satis dispositos esse iudicare possit. Apposite Gury ita confessarium monet: « Ad circumstantias poenitentium attendere debes, sed non statim interrogandi sunt an doleant. Multi enim, praesertim rudiores, prompte respondebunt: Ita Pater. Sed saepe nesciunt quidem cur dolendum sit. Quot confessiones, defectu doloris, sacrilegae, aut saltem nullae evadunt. Caute igitur, Confessarie, caute tibi procedendum est cum poenitentibus qui raro confitentur, praesertim cum rudibus et pueris » (*Casus consc.* II, n. 415). Nota autem cum eodem Gury, haud raro rudes esse in materia religionis qui in aliis scientiis versati sunt.

5. — 2° Antonia ex illis personis piis esse videtur, quae saepe de vera contritione in praeteritis confessionibus elicita nimis anguntur. — Certe quod dolorem non sentit nullum est argumentum, quia dolor in sola voluntate consistit. Quare maior dolor sentiri potest de malo temporali quam de offensa Dei. Neque quod in eadem peccata venialia semper relapsa est, quidquam probat, modo tamen verum habuerit dolorem et propositum de peccatis gravioribus antea iam remissis et in posteris confessionibus generatim iterum inclusis, vel etiam de multitudine peccatorum venialium quam imminuere velit; quod ut faciat, confessarius sedulo curare debet, ne poenitens confessionem obiective sacrilegam faciat (*Opus*, n. 330 sqq.). Quod consuetam contritionis formulam solis labiis protulit, non attendens ad verborum sensum, nondum demonstrat, defuisse quoque actum internum et explicitum: hic enim haberi potest, etiamsi verbis non exprimatur vel etiamsi quis ad eum non positive reflectatur aut eius non recordetur. — Denique quod dicit, se aliquando ad confessionale accessisse et absolutionem accepisse non praemisso actu doloris, distinguendum est. Profecto actus doloris absolutionem praecedere debet; quia sententia ferri nequit nisi post cognitam causam, adeoque post confessionem dolorosam. Debet etiam moraliter absolutioni uniri,

quia est pars sacramenti, ac proinde adhuc virtualiter persistere dum profertur sententia. Si ergo Antonia certa est, actum doloris absolutionem non praecessisse, vel nullatenus per voluntatis directionem cum confessione fuisse coniunctum, utique absolutio valida non fuit, ac proinde, si agitur de mortalibus, horum confessio repetenda foret. Sin autem ea de re certa non est, ut plerumque erit, confessio repetenda non est, quia factum praesumitur recte factum; neque obligatio novae confessionis imponenda est, nisi de ea certo constet. Eius peccata saltem indirecte remissa sunt per absolutionem postea saepe receptam. Quare Caius eius animum bonis verbis confirmet et tranquillum reddat. Si Antonia ad maiorem animi tranquillitatem confessionem generalem instituere desiderat, confessarius hoc data occasione ei permittere potest, praesertim si numquam eam adhuc peregit. Si vero scrupulosa est et iam prius generalem confessionem instituit, Caius hanc iterari non permittat, sed eius animo inculcet Deum prorsus velle ut obediat et sententiae confessarii acquiescat.

6. — 3° Caius recte egit curando, ut Antoninus actum doloris eliciat, proponendo ipsi aptis verbis Patris caelestis cui displicuit bonitatem, amorem et passionem Iesu Christi. Saepe enim huiusmodi pueri innocentes, etsi indole satis leves, Dei gratia adiuti, ad verum dolorem supernaturalem excitari possunt. Si nihilominus Caius postea adhuc vere dubitabat de dolore et proposito, recte quoque egit non absolvendo Antoninum, ne sacramentum periculo nullitatis exponeret, quod per se sacrilegium est. Qua in re facilius peccare potest confessarius sacramentum administrans, quam puer id recipiens, utpote hanc malitiam ignorans. Attamen quando pueri, de quorum dolore iure dubitatur, confitentur peccata dubie mortalia, *sub conditione* absolvendi sunt; adest enim gravis causa, scilicet ne forte diu in Dei inimicitia permaneant. Eodem etiam modo aliquando absolvi possunt, si sola peccata venialia accusant, puta tempore paschali vel post intervallum duorum triumve mensium, ut gratiam sacramentalem accipiant, vel etiam gratiam sanctificantem, si forte commiserint peccatum mortale, cuius non recordantur (S. Alph., *Praxis*, n. 91). — Idem responsum valet de semifatuis.

Casus 2.

De contritione supernaturali et aestimative summa.

7. — Augustus, iuvenis 25 annorum, propter vitam luxuriosam in gravem incidit infirmitatem; quapropter de praeterita vita valde dolet, eamque, si sanitatem recuperaverit, emendare firmiter proponit, ne postea in eumdem morbum recidat. Ita dispositus Titium confessarium arcessit, qui, quum eius confessionem audisset ipsumque de doloris motivo interrogasset, censet hoc esse mere naturale ac temporale, ex perdita sanitate unice profectum. Quare ipsum excitat ad dolorem saltem ob aeternas inferni poenas concipiendum. Quo facto Titius, licet adhuc dubitet, num illa contritio sit etiam aestimative seu appretiative summa, absolutionem impertit.

Quaeritur I. Quandonam habetur contritio tum supernaturalis, tum aestimative summa?
II. Rectene egit Titius?

I. Quandonam habeatur.

8. — Contritio, ut supra (n. 3) diximus, debet esse *supernaturalis*, ita ut non solum ex Dei gratia procedat, sed etiam nitatur motivo supernaturali, i. e. motivo quod voluntatem dirigat ad Deum offensum, fide cognitum. Hinc non sufficit dolendo sistere in malo poenae temporalis aut aeternae, ita ut terminus doloris sit poena, et poenitens affectu adhuc peccato adhaereat sitque dispositus illud iterum committere si poena non esset. Huiusmodi dolor est, ut theologi loquuntur, serviliter servilis. Oportet igitur ut per contritionem voluntas mutetur, i. e. avertatur a peccato et ad Deum convertatur, ac propterea ut peccatum odio habeat et detestetur, in quantum est culpa seu offensa Dei. Potest tamen poena esse *motivum* doloris, sed hoc motivum referri debet ad Deum, iustum peccati vindicem, ita ut dolor incipiat quidem suumque impulsum accipiat a poena, sed

desinat in Deum offensum. Unde *obiectum* seu ultimus doloris terminus debet esse peccatum quatenus est culpa seu offensa Dei. Qua de re ita S. Alphonsus: « Advertendum hic est, non fieri actum contritionis, si quis diceret, se poenitere peccati commissi quia meruit infernum, sed opus habet ut dicat, se poenitere offendisse Deum propterea quod meruit infernum » (*Praxis*, n. 10). Huiusmodi dolor est imperfectus et etiam simpliciter servilis vocatur, ut distinguatur a dolore perfecto, qui ex perfecta caritate erga Deum procedit.

9. — Contritio debet etiam esse *appretiative* seu *aestimative summa* (supra n. 3). Ast si quis habet contritionem supernaturalem supra descriptam, ordinarie supponi potest eum habere etiam contritionem appretiative summam. Nam qui serio dolet quod offendit Deum, quem scit esse summum bonum et infinite iustum, adeoque graviter punientem peccatum, generatim, implicite saltem et quasi psychologice, licet non reflexe, gravem huius summi Entis offensam aestimabit etiam ut maximum sibi malum, eamque voluntate detestabitur super omnia mala, in genere et in confuso spectata, etsi de singulis non cogitat. Proinde omnem quoque voluntatem in posterum offendendi Deum, in omnibus circumstantiis in genere consideratis, excludet (*Opus*, n. 228, 242).

II. Casus solutio.

10. — Quia Titius haud immerito suspicatur, Augustum de vita anteacta dolere ob solam sanitatem perditam et non ob offensam Deo allatam, ac proinde eius dolorem esse mere naturalem, sedulo poenitentem ad dolorem supernaturalem excitare debuit, proponendo ipsi infinitam Dei maiestatem, sanctitatem et iustitiam, qui tantis poenis peccatorem divina mandata parvi pendentem plectit. Optime autem fecit Titius loquendo de poenis aeternis. Licet enim dolor de peccato ob solas poenas temporales iuxta communiorem et probabiliorem theologorum sententiam in sacramento Poenitentiae sufficiat, hoc tamen non est plane certum; ac propterea, quum de valore sacramenti agatur, motivum poenae gehennae addere oportet. Audito hoc motivo, poenitens certe vel facilius supernaturalem contritionem concipiet. Quo facto, non est quod Titius angatur de contritione appretiative summa, ut ex iis quae supra diximus satis patet.

Quia in casu Augustus ipsemet confessarium arcessit, iam bonam ostendit voluntatem, et Titio non erit difficile ipsum ad illam contritionem supernaturalem et summam adducere. Difficilius id certe erit, si poenitens hactenus habitui vitioso fuit valde addictus et in rebus religiosis satis indifferens, neque ipsemet confitendi desiderium monstravit. Sed bonus confessarius, caritate et prudenti zelo animatus, Deique gratia adiutus, saepe etiam talis miseri peccatoris veram conversionem obtinebit. Quidquid id est, si poenitens aliquod sacramenti recipiendi desiderium ostendit, confessarius ipsi in gravi infirmitate constituto, etsi dubie tantum disposito, absolutionem saltem sub conditione impertire potest, imo et debet.

CASUS 3.

Confessio valida, sed informis.

11. — Nicolaus Titio confessario plura peccata mortalia confitetur. Elicit actum doloris, et bona fide credit se esse rite dispositum. Confessarius vero, qui probabilem habet sententiam de confessione valida sed informi, ulterius eum interrogando ob varia adiuncta censet, Nicolai contritionem (i. e. attritionem)[1] esse quidem sufficientem ad validam sacramenti receptionem, sed graviter dubitat, num sit etiam appretiative summa, ac proinde sufficiens ad fructum sacramenti seu peccatorum remissionem hic et nunc per absolutionem obtinendam. Quapropter postquam illum in vanum ad perfectiorem attritionem exhortatus est, ipsi dat absolutionem sub conditione: « si es capax », ut, si Nicolaus postea extra confessionem actum attritionis appretiative summae eliceret, sacramentum revivisceret.

Brevi post Nicolaus, audiens concionem de vero dolore deque firmo proposito, certus est, se ex ignorantia vel inconsiderantia in prima illa confessione requisitam dispositionem non habuisse. Do-

---

[1] In hoc casu per contritionem passim intelligitur illa imperfecta, quae attritio vocatur.

lebat quidem de peccato, ut de quodam malo, sed non ut de summo malo. Neque etiam eius propositum erat sufficiens, quia proponebat quidem non amplius peccatum committere, sed hoc propositum neque formaliter neque implicite se extendebat ad omnem casum futurum, neque omnem peccandi voluntatem pro omnibus circumstantiis in genere spectatis excludebat. Unde nunc, serio de peccati mortalis gravitate et malitia recogitans, actum verae contritionis et firmi propositi elicit; et ita dispositus iterum redit ad Titium, dicens se in mox praeterita confessione verum dolorem et propositum non habuisse, et petens ut confessionem repetere possit. Titius ipsi respondet, novam peccatorum accusationem necessariam non esse, neque etiam novam absolutionem, quia prima illa absolutio revixit et iam peccatorum remissionem operata erat. — Atque ita Titius facere solet cum omnibus illis multis poenitentibus, quorum dispositio ad remissionem peccatorum nunc statim recipiendam ipsi graviter dubia videtur.

Quaeritur I. Potestne confessio, prout est peccatorum accusatio, esse valida, sed informis, i. e. ita ut sit vera pars sacramenti, etsi eius fructum seu remissionem peccatorum non producat?
II. Potestne confessio, prout includit etiam contritionem, esse valida, sed informis?
III. Quid de Titii agendi ratione dicendum?

I. CONFESSIO, UT ACCUSATIO PECCATORUM, VALIDA SED INFORMIS.

12. — Hanc quaestionem tractat S. Thomas in celebri art. 1, q. 9, *Suppl.* agens de confessione, ut est accusatio, quae est altera pars materiae sacramenti. Quaerit: « Utrum confessio possit esse informis? ». Respondet autem: affirmative. Confessio, inquit, « secundum quod est pars sacramenti, sic ordinat confitentem ad sacerdotem qui habet claves Ecclesiae, qui per confessionem conscientiam confitentis cognoscit; et secundum hoc confessio potest esse etiam in eo

qui non est contritus, quia potest peccata sua pandere sacerdoti et clavibus Ecclesiae se subiicere; et quamvis tunc non percipiat absolutionis fructum, tamen recedente fictione percipere incipiet, sicut etiam in aliis sacramentis est. Unde non tenetur iterare confessionem qui fictus (i. e. non contritus) accedit, sed tenetur postmodum fictionem suam confiteri». — Itaque confessio seu accusatio, qui est alter actus poenitentis, potest esse valida, etiamsi contritio, quae est primus eius actus, desit, ideoque sit informis. Idem cum aliis auctoribus docet S. Alphonsus (VI, n. 502). Cfr. infra (n. 15).

II. Confessio informis
et invalida propter defectum sufficientis contritionis.

13. — Aliqui recentiores post Billot censent, sacramentum Poenitentiae etiam quoad contritionem seu attritionem posse esse validum sed informe. Admittunt videlicet, ad *validam* sacramenti acceptionem non requiri dolorem appretiative summum seu detestationem peccati ut summi mali, sed inferiorem quemdam doloris gradum sufficere; neque etiam requiri, aiunt, propositum quod omnem peccandi voluntatem pro omnibus circumstantiis futuris, in genere consideratis, excludat. Concedunt tamen superiorem illum gradum illudque firmum propositum requiri ad sacramenti *fructum* seu gratiam et remissionem peccatorum percipiendam. Hoc igitur sensu sacramentum, etiam quoad contritionem, potest esse validum, et simul informe. Fructum tamen produceret et revivisceret sacramentum, si poenitens postea, etiam extra sacramentum, actum contritionis appretiative summae eliceret.

Haec sententia de diverso gradu doloris ad valorem et ad fructum sacramenti requisiti, cui etiam quidam antiquiores favebant, post Concilium Tridentinum in scholis paulatim derelicta est, neque hodie multis probatur; idque, nostro iudicio, iure quidem, ut fuse ostendimus in *Opere* (n. 236-245).

Certe immerito pro illa adducitur S. Thomas, qui in articulo supra laudato per vocem «confessionis» non intelligit sacramentum Poenitentiae, quatenus etiam actum *contritionis* includit, sed solum peccatorum *accusationem*, uti manifestum est tum ex contextu, tum ex eo quod in tota hac parte (a q. 6^a usque ad 11^{am}) semper illam vocem hoc ultimo sensu accipit. Ergo in hoc loco ne loquitur quidem de nostra quaestione, scilicet de contritione valida. (Cfr. *Opus*, n. 238 sq.). Imo alibi S. Thomas praefatae sententiae adversatur. Nam in eodem *Suppl*. q. 29, art. 8 expresse docet quod, ceteris suppositis, «remissio peccatorum, existente *contritione*, quae est de *essentia* sacramenti Poenitentiae», *semper* sequitur ex opere operato. Ergo reiicit hic S. Doctor contritionem validam sed informem; quia contritio, quae ad essentiam seu valorem sacramenti sufficit, accedente absolutione, *semper* etiam eius fructum seu remissionem peccatorum operatur (*Opus*, n. 240). Et iure quidem meritoque.

14. — Etenim ille inferior gradus doloris, de quo Billot, non est *verus dolor* de peccato *qua tali*, seu quatenus est offensa illius Dei, quem quivis christianus cognoscit ut Summum Ens, superans omnia alia entia creata. Si enim ita esset, eo ipso poenitens psychologica quadam necessitate huius entis offensam aestimaret ut summum malum in genere, ut malum super omnia alia mala. Inferior ergo ille gradus erit dolor de peccato ut de quocumque malo finito, cuius terminus non est Deus, supremus Legislator; non igitur erit dolor de peccato ut est offensa Dei. Idcirco pro sacramento Poenitentiae non erit dolor verus, sed solum existimatus, ac proinde nullus, sicut aqua mere existimata est nulla pro sacramento Baptismi (*Opus*, n. 227, 241 sq.; supra n. 3).

Deest quoque *verum propositum* non peccandi de cetero, quod Tridentinum pariter ad valorem seu essentiam sacramenti postulat, quia talis poenitens non omnem voluntatem peccandi excludit, nec peccatum commissum absolute et pro omnibus circumstantiis forte occurrentibus vitare vult. Sane filius qui iniuriosa sua agendi ratione graviter offendit patrem ab eoque veniam peteret, non haberet verum firmumque propositum non amplius eum offendendi, si non omnem voluntatem ipsum in posterum ita iniuriose offendendi, implicite saltem, excluderet, nec talem offensam pro omnibus circumstantiis futuris vitare vellet. — Hinc Suarez simpliciter dicit: «Illud principium, quod haec opinio supponit, videlicet minorem dolorem de peccatis confessis sufficere in re ipsa ad valorem sacramenti quam ad fructum eius, falsum est» (*De Poen.*, diss. 20, sect. 5). Neque illa opinio conformis videtur Concilio Tridentino, quod (sess. 14, cap. 3 et 4), ut idem ait Suarez, «indistincte unum et eumdem dolorem constituit ut partem sacramenti et ut dispositionem ad effectum eius» (l. c.).

Praeterea etiam pro praxi haec sententia periculosa et improbabilis videtur, quia confessarii, censentes minorem dolorem ad sacramenti valorem sufficere, facilius dabunt absolutionem iis permultis qui non habent dolorem ad eius fructum seu remissionem peccatorum necessarium. Hi vero omnes qui in ipsa confessione per absolutionem hanc gratiam non accipiunt, multo difficilius postea extra confessionem talem dolorem appretiative summum elicient, et idcirco diu, forte per menses et annos, in inimicitia cum Deo permanebunt.

Alia argumenta et responsa ad obiectiones vide in *Opere* n. 241-245.

III. CASUUM SOLUTIO.

15. — Ut ex responsione ad I^m patet, Nicolaus confessionem seu peccatorum accusationem repetere non tenetur, modo confessarius in confuso adhuc recordetur eius peccatorum aut status animae, vel saltem poenitentiae iniunctae. Fuit enim illa accusatio valida pars sacramenti, quae reviviscit, si postea poenitens vere contritus absolutionem accipit. Ita quoque S. Alphonsus dicens, confessionem in qua defuit dispositio seu contritio, non necessario esse repetendam, « quia talis confessio, cum facta fuerit in ordine ad absolutionem recipiendam, sufficienter dicitur etiam sacramentalis, quatenus ipsa etiam ad sigillum sacramentale obstringit » (VI, 502, dub. 1).

Ast, ut in resp. ad II^m vidimus, iuxta sententiam multo communiorem et veriorem, prima illa Nicolai confessio quoad *contritionem* non fuit valida: deerat enim pars sacramenti *essentialis*, videlicet dolor seu detestatio peccati ut summi mali; deerat idcirco etiam firmum propositum, excludens omnem voluntatem peccandi in posterum. Nicolaus versabatur in illa animi dispositione de qua S. Thomas in supra laudato articulo dicit: « non est contritus » (in corp.), « adhuc manet in affectu peccati », « corde peccatum tenet » (Obi. 3). Ergo pars *altera* materiae sacramenti, scilicet accusatio, quidem reviviscere potuit, non autem pars *prima*, i. e. contritio, quippe quae numquam valida exstiterit. Quapropter Titius Nicolao redeunti novam absolutionem omnino dare debuit, etiamsi suam sententiam vere probabilem habeat: agitur enim de valore sacramenti seu de periculo eius nullitatis; et saltem valde probabile etiam est, primam absolutionem validam non fuisse.

16. — Sed praeterea Titius recte non egit dando iam in prima confessione absolutionem sub conditione. Nam iuxta regulam generalem dubie disposito absolutio differenda est. (Cfr. infra n. 20 sqq. et *Opus*, n. 400 sqq.). Titius autem dando iuxta suam sententiam ita facile absolutionem sub conditione illis poenitentibus, quos probabiliter vel etiam certo credit non esse dispositos ad remissionem peccatorum per absolutionem hic et nunc percipiendam, causa est cur permulti, etsi inscii, in statu peccati mortalis ad S. Communionem accedant, in eodemque statu diu permaneant. Solum ergo, quando alia gravis causa adest, v. g. prudens timor ne secus poenitens in peccatis tabescat et a sacramentis alienetur, absolutionem sub conditione impertire potuit, vel etiam debuit. (Cfr. n. 31 sq.). Et in hoc casu Titius pro sua sententia bene fecit adhibendo formulam: « si es capax ». Potuit tamen etiam uti solita formula: « si es dispositus », intendens: si es dispositus ad sacramentum accipiendum sive valide sive fructuose, ita ut, si forte eius sententia esset vera, sacramentum revivisceret, quando poenitens postea actum attritionis appretiative summae eliceret.

ARTICULUS II.

De iudicio confessarii circa poenitentis dispositionem.

17. — Duo sacerdotes amice inter se disputant de iudicio quod confessarius habere debet circa dispositionem poenitentis, ut eum absolvere possit.

Caius censet, probabilitatem gravem et solidam sufficere, ac proinde confessarium quemlibet poenitentem qui illam praebeat sine conditione absolvere posse, etiamsi iudicet eum probabiliter vel etiam probabilius non esse dispositum, a, v. etiamsi in gravi et prudenti dubio positivo versetur circa debitam eius dispositionem. Praecipua eius ratio est, quod alias raro tantum absolutio concedi posset. Etenim ut quis per absolutionem peccatorum remissionem recipiat, ab omnibus theologis requiritur dolor appretiative seu aestimative summus. Atqui, inquit, huiusmodi dolorem plurimi peccatores in confessione non afferunt, vel saltem de hac interna et difficili dispositione confessarius plerumque graviter et positive dubitare debet. Quapropter si in tali gravi prudentique dubio absolutio impertiri non posset, plurimi peccatores, iique imprimis pro quibus hoc sacramentum ante omnia institutum est, differendi essent, et sic ab hoc sacramento cum magno animarum damno averterentur.

Titius contra tuetur, probabilitatem non sufficere, sed certitudinem moralem de poenitentis dispositione requiri. Eius ratio est, quod secus sacramentum Poenitentiae sine iusta causa periculo nullitatis exponeretur; quod illicitum est iuxta propositionem I^{am} ab Innocentio XI proscriptam. Praeterea, inquit, si pro norma practica admittitur, iis qui probabiliter sunt dispositi sed aeque probabiliter non dispositi passim impertire absolutionem, permulti peccatores per absolutionem remissionem peccatorum non recipient, neque in posteris confessionibus de meliore dispositione curabunt, et ita per annos forte in iisdem peccatis vivere continuabunt. Unde concludit, ordinarie hisce dubie dispositis absolutionem esse differendam, ut primum orando, serius recogitando vimque sibi faciendo meliorem dispositionem afferant, et confessarius moraliter certus esse possit sacramentum valide et fructuose recipi.

Quum Caius et Titius inter se convenire non possint, adeunt Sempronium, in seminario Theologiae moralis professorem, qui utroque audito hanc quaestionem, utpote valde practicam, in conferentiis moralibus clero dioecesano solvendam esse ducit. Quapropter pro proximo conventu hunc casum proponit.

Casus propositus

18. — Alfridus, in sua paroecia bonus habetur catholicus, praecepta Ecclesiae externe rite servat et saepius per annum sacramenta frequentat. Ast coram Deo plurimorum peccatorum reus est, iisque valde adhaeret. Quum quadam solemnitate iterum ad confessionem accedit, confessarius, etiam post ferventem exhortationem, propter gravia hinc inde indicia praesentia et praeterita, serio et prudenter adhuc dubitat de vera poenitentis contritione firmoque proposito. Censet quidem Alfridum, si bonis verbis ei ad breve tempus differatur absolutio ut melius se disponat, ad confessionem rediturum; sed anceps haeret, num in hoc statu dubii positivi et utrinque probabilis ipsi absolutionem statim concedere possit aut debeat.

Quaeritur I. Quodnam iudicium confessarius de poenitentis dispositione habere debet, ut ipsi absolutionem concedere possit?
II. Quid dicendum de rationibus quae contra solutionem primi quaesiti afferuntur?
III. Quid confessarius in casu proposito facere debet?

I. Quale iudicium requiratur.

19. — Apprime hic notandum est, in hoc articulo non agi de absolutione *sub conditione* danda poenitenti, quem confessarius graviter timet sacramenta relicturum, nisi statim absolvatur; de hoc casu infra (n. 31 sq.) sermo erit. Quaestio igitur est de poenitente qui firmus stat in fide et sacramenta accipere vult, sed quem confessarius hic et nunc vere dubie dispositum iudicat, i. e. probabiliter quidem dispositum, sed probabiliter etiam non dispositum. Verbo, agitur de principio theologiae moralis, de regula ordinarie et per se cum poenitentibus sequenda, non de exceptione per accidens plus minusve saepe pro variis circumstantiis facienda. Statu quaestionis ita distincte posito, ad primum sic respondemus.

Ad conferendam absolutionem simpliciter et sine adiecta conditione opus est, ut confessarius habeat saltem iudicium *opinativum* de debita poenitentis dispositione, ita ut non quidem requiratur illa certitudo moralis stricte et proprie dicta quae omnem prudentem erroris formidinem excludat, neque tamen sufficiat probabilitas de eius dispositione cui opponitur aequalis fere probabilitas de dispositionis defectu. Requiritur ergo et sufficit certitudo moralis *late et improprie dicta*, quae a S. Thoma vocatur « certitudo probabilis », « certitudo opinionis », « certitudo prudentiae » (cfr. *Opus*, n. 394), quae scilicet excludit quidem veram et prudentem dubitationem positivam, non autem prudentem formidinem. Talis autem certitudo late dicta, vel tale iudicium opinativum [1] adest, quando confessarius habet opinionem sive unice probabilem sive certe ac notabiliter probabiliorem circa illam dispositionem.

Hanc propositionem in *Opere* (thesi 19) fuse explicavimus iuxta doctrinam psychologicam S. Thomae, probavimus argumentis tum internis tum externis, et denique a contrariis rationibus vindicavimus (n. 390-425).

20. — Quod non requiritur certitudo moralis *stricta* vel *perfecta*, communiter docent theologi, quia haec ordinarie de actibus poeni-

---

[1] Huiusmodi iudicium opinativum a S. Alphonso, Suarezio aliisque vocatur etiam « iudicium probabile », probe distinguendum a « iudicio de probabilitate » (*Opus*, n. 392, 395, nota 1, 410).

De iudicio confessarii circa poenitentis dispositionem

tentis internis haberi nequit. Unde si haec requireretur, ut ait S. Alphonsus (VI, n. 461), « vix ullus posset absolvi », et « administratio sacramenti fieret obnoxia nimiis scrupulis et difficultatibus »; id quod certe esset contra intentionem Christi.

Requiritur itaque et sufficit « certitudo respectiva » ad hoc sacramentum Poenitentiae, id est illa quam supra verbis S. Thomae explicavimus; est hoc iudicium opinativum, seu « iudicium probabile et prudens absque prudenti iudicio in contrarium », ut ait S. Alphonsus. Minime itaque sufficit opinio probabilis de dispositione cui obstat alia opinio etiam vere probabilis de dispositionis defectu, ita ut haberetur grave et prudens dubium positivum.

Praecipua *ratio intrinseca* huius sententiae est, quod sacerdos sine ulla necessitate ministrans sacramentum Poenitentiae in gravi et prudenti de eius dispositione dubio, graviter committit contra reverentiam sacramento debitam; namque illud gravi exponit periculo frustrationis, tum ex parte materiae, scilicet actus contritionis, de cuius praesentia positive dubitat, tum ex parte formae, quam sacerdos in actione adeo sancta temere periculo falsitatis committit, si nomine Christi illum in terris absolvit, quem ipse Christus in caelis probabiliter non absolvit. (Cfr. *Opus*, n. 400 sqq.). Hanc ob rationem proscripta est ab Innocentio XI illa propositio 1ª : « Non est illicitum in sacramentis conferendis sequi opinionem probabilem de valore sacramenti » (ib. n. 404 sq.). Cui consonat norma a S. Congr. de Prop. Fide in Instructione mensis Augusti 1827 confessariis praescripta: « Confessarii illis differant (absolutionem) quorum poenitentia incerta et suspecta merito habetur », qualis profecto est illa de qua, ob aequalem hinc inde probabilitatem, prudenter dubitatur (ib. n. 406).

De consectariis periculosis oppositae sententiae vide etiam in *Opere*, n. 407 et 490.

Haec denique sententia *communis est inter theologos*, saltem inde a damnata anno 1679 propositione 1ª ab Innocentio XI, ut verbis plurimorum auctorum adductis probavimus in *Opere* (n. 408 sqq., 418 sq.). Recte Lehmkuhl: « De dispositione poenitentis sufficit et *communiter requiritur* prudens iudicium, quod alii certitudinem moralem vocant, alii veram probabilitatem simul cum exclusione gravis rationis contrariae » (*Th. Mor.*, II, n. 547).

Merito igitur S. Alphonsus suam sententiam dicit « certam » (VI, n. 461), ideoque oppositam habet falsam et improbabilem.

21. — Adversatur tantum unus alterve auctor recens, praecipue Génicot. Hic enim docet absolutionem regulariter a confessario concedi posse « in dubio positivo », id est « si (serio, solide) probabile est poenitentem esse dispositum, quamvis ex altera parte ratio detur, ob quam de eius dispositione prudenter dubitetur. Quare, inquit, sententiam oppositam deserendam censemus, quam S. Alphonsus tuetur et plurimi recentiores ab eo mutuantur » (*Theol. Mor.*, II, n. 367). Citat quidem Génicot pro sua sententia unum alterumve auctorem; sed fallitur. Rei veritas est, ipsum ne unum quidem theologum adducere potuisse qui post propositionem ab Innocentio XI damnatam docuerit, sufficere probabilitatem de dispositione poenitentis, quando ex altera parte datur probabilitas, ob quam de eius dispositione prudenter dubitetur. Suarez e. g. idem sentit quod S. Alphonsus aliique. (Cfr. *Opus*, n. 410, 418). — Doctrina igitur, quam proponit et tuetur Génicot, dicenda videtur nova, quippe cui adversentur theologi post proscriptam illam propositionem communiter, tum S. Alphonso antiquiores, tum recentiores, praesertim e Societate Iesu, ut in *Opere* (n. 408-418) videre est.

Quam ob rem merito egregius Salsmans thesim Génicot in nova editione anni 1931 mutavit. Primo omisit illud: « in dubio *positivo* ». Tum praecipue ultimum incisum auctoris ita emendavit: « ... quamvis etiam ex altera parte ratio detur, ob quam de eius dispositione *prudens formido habeatur* » (II, p. 322). Hoc libenter admittimus, quia sic editor thesim Génicot optime correxit, imo plane immutavit. Ubi enim ab auctore dicebatur: « prudenter *dubitetur* », nunc ab editore dicitur: « prudens *formido habeatur* ». Prudens autem dubitatio et prudens formido omnino inter se differunt; quia dubitatio, utpote orta ex aequali fere utriusque partis probabilitate, omnem assensum excludit et iudicium circa veritatem dispositionis suspendit; formido vero assensum ac iudicium opinativum de ea admittit. Ita S. Thomas, Suarez, Vasquez, Lugo aliique passim (*Opus*, n. 391 sqq.). Huiusmodi ergo prudens formido, secus ac prudens dubitatio, stat cum certitudine morali late et improprie dicta (certitudine probabili, opinativa), i. e. cum probabilitate non solum unica, sed etiam certe notabiliterque graviore, ut ibidem (n. 394, 397) explicavimus; eaque iuxta omnes in sacramento Poenitentiae requiritur et sufficit.

Atvero cum hac thesi emendata non amplius cohaerent ea quae Génicot deinde adiunxit ad probandum, contra sententiam quasi communem S. Alphonsi, etiam in prudenti dubio de absentia dispositionis absolutionem dari posse. Contra haec igitur, ab editore fere immutata relicta, in suo vigore persistunt omnia nostra argumenta tum intrinseca (n. 399-407, 490), tum extrinseca (n. 408-415), tum nostra responsa ad obiectiones Génicot (n. 416-424). — Cl. editor emendatae a se thesi adhuc addit: « posita causa proportionata ad eam (absolutionem) dandam... sub conditione ». Sed additio haec parum ad rem est. Quaestio de absolutione conditionata est longe alia (cfr. *Opus,* thes. 22[a]). Génicot recte ponit quaestionem, eodem modo ac eam ponunt S. Alphonsus aliique communiter, scilicet de absolutione simpliciter et sine conditione data, quemadmodum regulariter absolutio, utpote forma sacramentalis et sententia iudiciaria, satis dispositis dari debet; ita auctores passim (*Opus,* n. 497).

Denique, pace egregii editoris, non intelligimus, quomodo ipse post correctam illam thesim adhuc cum Génicot concludere potuerit, « minus probandam esse sententiam oppositam, quam S. Alphonsus tuetur et plurimi recentiores ab eo mutuantur » (*l. c.* p. 324). Nam S. Doctor aliique plurimi hanc thesim correctam, etsi imperfecte enuntiatam, facile admitterent. Quapropter nostro iudicio melius fecisset cl. editor, si, emendata Génicot thesi et doctrina, omisisset eius conclusionem eiusque impugnationes parum criticas et efficaces contra doctrinam S. Alphonsi, quemadmodum sapienter fecit in quaestione de vitando periculo probabili peccandi formaliter (II, n. 372). Ambarum enim sententiarum Génicot idem est principium falsum, nempe illicita applicatio probabilismi ad *periculum facti.* In postrema enim quaestione periculum est *facti peccati formalis* cuiusvis speciei, in prima vero periculum est *facti frustrationis* adeoque gravis irreverentiae erga ritum sacramentalem sine causa relative gravi adhibitum (*Opus,* n. 400 sqq., 488; *Casus I,* n. 5, *nota*).

II. RATIONES UTRIUSQUE PARTIS EXAMINANTUR.

22. — 1° Uterque et Caius et Titius, loquentes dumtaxat de probabilitate et certitudine, quasi ignorare videntur medium illum statum certitudinis moralis *impropriae et late dictae,* quae plane differt tum a dubio stricto positivo, tum a certitudine morali presse sumpta; ac proinde incidit in *statum opinionis.* Est tamen hic status in vita quotidiana frequentissimus, etiam apud confessarios circa poenitentis dispositionem. Unde saepe de tali certitudine lata et impropria loquuntur auctores, S. Thomas, S. Antoninus, S. Alphonsus, Suarez, Lugo aliique passim. (Cfr. *Opus,* n. 494-497).

2° Deinde Caius plus aequo exaggerat difficultatem habendi illam certitudinem probabilem seu illud iudicium opinativum de dolore appretiative summo, ad fructum sacramenti percipiendum requisito. Etenim quilibet catholicus, doctrinam christianam mediocriter edoctus, fide Deum agnoscit ut summum Ens, Maiestatem infinitam, Creatorem omnium, Remuneratorem boni et Vindicem mali, ac propterea peccatum, utpote gravem huius Entis infiniti offensam, fide et theoretice saltem agnoscit et aestimat ut summum malum, prae omnibus aliis malis vitandum. Haec posterior aestimatio velut conclusio logica et psychologica ex priore aestimatione quasi sponte profluit. Pro! dolor, homo in vitae praxi, passionibus obcaecatus et abreptus, saepe non agit iuxta hanc fidei aestimationem theoreticam, et apparentis boni illecebris seductus, peccatum voluntarie committit Deumque offendit. Sed si postea sincero animo ad confessionem accedit et confessarius aptis verbis ipsi gravitatem peccati mortalis proponit, plerumque, Dei gratia adiutus, facile iterum logicam illam conclusionem et connexionem inter Summum Bonum et summum malum agnoscit, ac proinde peccatum mortale aestimat ut malum maximum inter omnia mala in genere et in confuso spectata [1], illudque ut tale firma voluntate non amplius committere proponit. (Cfr. supra n. 9; *Opus*, n. 242). Merito hoc confessarius iudicio opinativo satisque certo praesumere potest de omnibus peccatoribus, qui vera dant doloris signa ordinaria aut specialia sive praeterita sive praesentia. Hi autem, ut cuiusvis diligentis confessarii experientia constat, non sunt pauci, sed longe plurimi, etiam inter ipsos recidivos. (Cfr. *Opus*, n. 405, 3°, n. 417). — Nulla ergo est ratio, cur confessarius adeo de danda statim absolutione angi debeat, et immerito prorsus sacramenti Poenitentiae administrationem ut conscientiae tormentum haberet [2].

23. — 3° Titius, ut diximus, falsus quoque est non distinguens certitudinem moralem proprie et stricte sumptam a certitudine morali improprie et late dicta; haec quippe essentialiter ab illa differt, ut S. Thomas docet, et in iudicium opinativum recidit, qui status mentis medius est inter certitudinem moralem strictam et dubium proprie dictum. Propositio 1ª ab Innocentio XI proscripta non agit de probabilitate unica aut certe notabiliterque maiore quae etiam certitudo probabilis vel lata vocatur; sed prohibet in conferendo hoc

---

[1] Comparationem instituere cum poenis *in speciali* « stultum » dicit S. Thomas (*Opus*, n. 227, 4).
[2] Sic quoque respondetur ad cl. Salsmans (*N. Revue Théol.*, 1930, p. 30 sq.), qui difficultatem habendi dolorem apprētiative summum nimis exaggerat; nam si ita esset, necessario consequeretur, relative paucos peccatores in ipso actu confessionis gratiam reconciliationis obtinere; id quod profecto communi catholicorum sensui merito aequo rigidius videbitur. — Facilius certe confessarius serio dubitare potest de contritione vera et aestimative summa apud illos qui sola peccata venialia accusant, praesertim si non sunt valde ferventes sed tepidi, et haec peccata saepe deliberate committunt. Quapropter confessarius eis semper suggerat, ut saltem de maioribus vitae praeteritae peccatis contritionem eliciant (cfr. *Opus*, n. 332).

sacramento uti opinione probabili, cui alia quasi aeque probabilis
opponitur, ita ut confessarius in statu dubii gravis et positivi circa
poenitentis dolorem et propositum permaneat. Quae Titius addit de
periculosa praxi sententiae, quam sequitur Caius, verissima quidem
sunt de absolutione data in dubio stricto, ut probavimus in *Opere*
(n. 407, 490); non vero valent de praxi moderata dandi absolutionem
in casibus longe plurimis, in quibus confessarius, saltem post debitam
exhortationem, habet iudicium opinativum seu certitudinem moralem
latam de requisita dispositione. Quapropter recogitet Titius confessarium gravem habere obligationem adhibendi serios conatus ut per
aptam adhortationem peccatores dubie dispositos ad poenitentiam
certe veram adducat. (Cfr. infra n. 27 et *Opus*, Th. 17^a, n. 349 sqq.).

III. Casus solutio.

24. — Ex dictis patet solutio casus. Confessarius, iudicans etiam
post ferventem exhortationem Alfridum probabiliter quidem esse
dispositum, sed probabiliter quoque non dispositum, versatur in statu
verae dubitationis circa materiam sacramenti, qui sunt actus poenitentis; ac propterea ordinarie loquendo poenitenti ad breve tempus
absolutionem differre non solum potest, verum etiam debet, ut hic
prius orando, serius recogitando vimque sibi inferendo certiorem dispositionem afferat. Haec dilatio, sicut censet ipse confessarius, Al-
frido non erit occasio relinquendi prorsus sacramenta, sed ipsi erit
stimulus quo ex suo periculoso torpore excitetur et brevi ad veram
poenitentiam convertatur. Dando statim absolutionem confessarius
non solum poenitenti damnum affert, relinquendo, imo quasi confir-
mando ipsum in illo statu torporis et incuriae circa peccatum mortale
et salutem aeternam [1], sed etiam sacramentum sine iusta causa exponit gravi periculo nullitatis, quod peccatum sacrilegii est. Nam, ut
ait Suarez: « Si ministrare fictum seu falsum sacramentum, sacrilegium est, etiam erit sacrilegium, exponere se sine causa tali periculo; quia in moralibus perinde est aliquid facere et exponere se periculo faciendi » (*De Sacr. in gen.*, disp. 16, sess. 2).

---

[1] De commodis et incommodis dilationis late egimus in *Opere*, n. 457-467.

ARTICULUS III.

De obligatione disponendi poenitentem.

Casus propositus

25. — Stephanus, sacerdos religiosus et in quadam civitate confessarius, in audiendis confessionibus passim valde festinanter agit. Quum ita fama notus sit, poenitentes undique ad eum confluunt. Praesertim festis anni solemnioribus aliisque diebus concursus populi magna multitudo eius confessionale obsidet, quam ita cito expedit, ut per unam horam saepe usque ad triginta et amplius poenitentes audiat. Quae agendi ratio quum a multis carperetur, eius Superior amice eum ea de re interrogat. Stephanus simpliciter respondet se iam diu sibi hac in re suam formasse conscientiam, hoc pro ratione addens, poenitentes illos, si non tam cito adiuventur, abituros et illis diebus sacramenta non accepturos esse.

> *Quaeritur* I. Quae est confessarii obligatio interrogandi poenitentes?
> II. Quae est eius obligatio disponendi imparatos?
> III. Quid dicendum de modo agendi Stephani, deque eius ratione?

I. Obligatio interrogandi poenitentes.

26. — Si poenitens peccata mortalia summatim tantum accusat, generatim gravis incumbit confessario obligatio ulterius inquirendi, non solum circa peccatorum speciem et numerum quae nullatenus

explicata fuerunt, sed praesertim etiam circa eorum consuetudinem et occasionem. Secus enim ut medicus apta contra relapsum remedia praescribere nequit, imo saepe neque ut iudex prudens de eius dispositione iudicium ferre potest. Huic obligationi graviter insistit Concilium IV Lateranense (cap. 12); item Benedictus XIV in Const. « Apostolica » dicens: « Meminerint (confessarii), suscepti muneris partes non implere, imo vero *gravioris criminis reos* esse eos omnes qui, cum in sacro Poenitentiae tribunali resident,... non monent, *non interrogant*, sed expleta criminum enumeratione, absolutionis formam illico proferunt. Id sane a solertis medici moribus nimis alienum est. Etenim medicum agit quisquis Poenitentiae sacramentum ministrat; hinc debet, nedum criminum circumstantias, sed etiam illius qui in crimina lapsus est ingenium et indolem sedulo inspicere, ut illi praesto sit opportunis remediis, ex quibus animae salutem consequatur » (n. 19). — Hanc inquisitionem si negligit confessarius, causa erit ruinae multarum animarum. Qua de re ita S. Alphonsus:

« Quando quis confitetur aliquod grave peccatum, et praesertim si pluries illud commiserit, non sufficit exquirere tantum speciem et numerum, sed interroget, utrum antea in illud cadere consueverit, et insuper cum quanam persona peccaverit et quo loco; ut intelligat utrum sit habitudo aut occasio quae sit auferenda. In hoc plures errant confessarii; et inde tot tantarumque animarum ruina procedit. Omittendo enim confessarius huiusmodi interrogationes, nequit dignoscere, utrum poenitens sit recidivus, et consequenter nequit illi tradere media opportuna ad evellendum habitum et occasionem » (*Praxis*, n. 180). — Cfr. *Opus*, n. 372 sqq.; item circa modum interrogandi n. 351 sq.

II. Obligatio disponendi poenitentem.

27. — Quia permulti poenitentes non satis dispositi ad confessionem accedunt, per se gravis quoque est confessarii obligatio serios adhibendi conatus, ut apta exhortatione eos ad verum dolorem firmumque propositum disponat. Qui enim confessarii munus in se suscipit, gravia etiam *patris* et *medici* officia, quae cum illo munere necessario connexa sunt, implere debet, ut miseri illi peccatores et spiritualiter infirmi fructum, a salutaris huius sacramenti Institutore intentum, scilicet remissionem peccatorum et salutem aeternam, consequantur. Quodsi confessarius, negligens illam exhortationem, non satis dispositos tamen absolveret, suo quoque *iudicis* officio deesset

et sacrilegii peccati reus esset. Hinc etiam Rituale Romanum (*de Poen.* n. 18) et Benedictus XIV (Const. « Apostolica » n. 22) confessarios graviter monent, ut pocnitentes *efficacibus verbis et opportunis hortamentis ad contritionem* adducere conentur. Praecipue id praecipit Leo XII in Const. « Charitate Christi » his verbis:

« Sistunt se quidem multi sacramenti Poenitentiae ministris prorsus imparati, sed persaepe tamen huiusmodi, ut ex imparatis parati fieri possint, si modo sacerdos... sciat studiose, patienter et mansuete cum ipsis agere. Quod si praestare praetermittat, non magis ipse dicendus est paratus ad audiendum, quam caeteri ad confitendum accedere ». Vult idcirco SS. Pontifex, ut confessarius eos « omni industria ad detestationem peccatorum excitet ». Cui concinit S. Alphonsus: « Confessarius, inquit, tenetur ex rigorosa obligatione charitatis eum (poenitentem) disponere quantum valet, exponendi ipsi deformitatem peccati, valorem divinae gratiae, periculum damnationis et similia, etiamsi multum temporis in hoc impendere debeat » (VI, 608). Cfr. plura in *Opere,* n. 350 sqq.; item circa modum disponendi n. 378 sqq.

III. Casus solutio.

28. — Si illi poenitentes fere omnes sunt personae piae et devotae, quae vix peccatum mortale committunt, transeat. Imo laudandus foret Stephanus, si tempore concursus populi eos qui venialia tantum confitentur eo fine citius expediat, ut seduliorem operam aliis, gravibus peccatis onustis, adhibeat. Melius etiam faceret, si pro animabus devotis diutius audiendis easque in via perfectionis dirigendis alia tempora libera destinaret. — Verum enim vero, vix verisimile est poenitentes festis diebus tanto numero ad Stephanum concurrentes fere omnes esse animas devotas; hae enim confessarium adeo festinantem adire non solent, vel alia tempora magis vacantia quaerunt. Unde vehementer praesumendum est, maximam horum poenitentium partem esse peccatores qui diebus tantum raris confessum eunt, multosque inter illos esse occasionarios et recidivos, multosque quoque nondum satis dispositos. Iamvero hoc supposito, certe Stephanus gravibus muneris sui officiis satisfacere nequit, si adeo celeriter confessiones audit.

Etenim, primum pauci ex illis integre confitentur; speciem et numerum peccatorum fere non indicant. Gravis autem incumbit confessario obligatio per moderatas interrogationes eorum defectui sup-

plendi. Deinde gravis quoque est obligatio inquirendi de occasionis
natura, sitne necessaria an libera, continua an interrupta etc.; item
de natura pravi habitus, de genere recidivi: indicanda sunt quoque
remedia contra relapsum iuxta varias poenitentium circumstantias.
Denique gravis urget obligatio exhortandi ad veram contritionem et
firmum propositum eos qui non satis dispositi accedunt. Atqui fieri
prorsus nequit, ut confessarius tempore adeo brevi duorum circiter
minutorum haec omnia officia expleat. Quare Stephanus graviter
deest suo confessarii muneri, et conscientiam habet falso formatam.
Quod ad se excusandum opponit nihil ad rem facit. Multi ex illis
peccatoribus vere conversi non sunt; ob suam levitatem vel ignorantiam Stephanum simpliciter adeunt, quia tam expeditus est in
audiendis confessionibus, tam facilis in danda absolutione; unde absolutio illis non proficit; quinimo per hanc confessarii rationem agendi
in sua levitate et errore confirmantur, confessionem pro mera caere-
monia externa habentes, magisque peccatis immerguntur. Qui sincere procedere volunt peccatores, alios bonos confessarios adibunt.

29. — Quod quidam forte abituri sunt, neque eo die sacramenta accepturi, non potest esse ratio adeo graviter deficiendi in
officio confessarii. Obiectioni ita respondet Benedictus XIV: « Nec
confessarii reponant id fieri non posse, si frequentior poenitentium
numerus suadeat brevitatem; iam enim difficultatem dissolvit aurea
illa S. Francisci Xaverii sententia,... monens ut praeoptarent confessiones paucas rite factas audire quam multas temere properatas »
(Const. « Apostolica », n. 22). Item S. Alphonsus: « Nec ei curae
esse debet quod alii poenitentes expectent. Nam tunc confessarius non
tenetur attendere ad bonum aliorum, sed tantum sui poenitentis pro
quo tantum ille tunc, non vero pro aliis, rationem est Deo redditurus » (VI, 608). Alibi S. Doctor dicit, confessarios laxistas, ad
instar Stephani, plus nocere animarum saluti, quam rigoristas, ob
hanc ipsam rationem quod omnes undique ad illos confluunt: « Multi
quidem propter nimiam facilitatem sunt causa quod tot animae per-
dantur, et negari non potest quod isti in maiori sint numero et maius
damnum afferant, quia istis in maiori numero accedunt peccatores
habituati » (*Praxis*, n. 7). Hanc idcirco praxim, iam suo tempore
valde frequentem, sanctus Auctor graviter dolet, eamque « causam
ruinae tot animarum » vocat (VI, 464). Neque aliter S. Leonardus
a P. M., qui talem rationem agendi Stephani dicit « scandalosum

agendi modum » ex quo profluit « adeo universa ruina animarum » (*Disc.* n. 13).

Utique, si multi expectant poenitentes, prudens confessarius celerius quidem confessiones excipiet quam si pauci adsunt, sed tamen « non plus quam oportet », ne in necessariis deficiat. Ita S. Alphonsus: « Etiamsi magnus esset poenitentium concursus, non se acceleret plus quam oportet, ita ut pro audiendis plurium confessionibus deficiat, vel circa integritatem confessionis, vel circa debitam dispositionem, aut omittat illis praebere monita necessaria » (*Praxis,* n. 179). Valet tunc illud: *Festina lente.*

Meritissimo igitur Superior regularis subditum suum de hac celeritate, seu potius levitate in audiendis confessionibus monuit. Quinimo si Stephanus monitis non obtemperat, sed eadem ratione praefracte continuat, ipsi confessionalis accessum prohibeat; agitur quippe de bono communi, de ruina, inquam, multarum animarum, cui aliae considerationes personales cedere debent.

ARTICULUS IV.
De absolutione sub conditione dubie dispositis danda.

Casus 1.
Varii poenitentes parum aut dubie dispositi.

30. — Caius tempore Paschali in magna paroecia multos excipit poenitentes, quos, prout oportet, ad veram poenitentiam excitare conatur. Quod, licet ipsi per Dei gratiam apud complures succedat, non tamen satis certo apud omnes.

1° Sic e. g. Pancratius operarius, instantibus suae uxoris precibus tandem cedens, praeceptum paschale implere proponit. Plurima inde ab ultimo Paschate commissa peccata animo quasi indifferenti paucis verbis accusat. Post debitam interrogationem confessario constat, Pancratium plerumque diebus festis sine iusta causa S. Missam neglexisse, in lupanaribus vel alibi frequenter peccata contra VI commisisse, quasi quotidie blasphemias protulisse, item prava folia legisse et cum aliis sociis contra sacerdotes locutum fuisse. Per annos complures eamdem duxit vitam et, licet in praeteritis confessionibus paschalibus emendationem promiserit, fere statim post in eadem peccata recidit. Caius primo ipsum laudat quod iterum confessum venit, tum ipsum paterne et efficacibus rationibus hortatur ut peccata vere doleat firmiterque vitam mutare proponat. Quod Pancratius quidem sine ulla fallacia promittit. Sed ex eius responsis satis frigidis aliisque indiciis praesentibus et praeteritis confessarius serio et

graviter de vero eius dolore deque firmo proposito adhuc dubitat.
Quare Caius anceps haeret, quid sibi sit faciendum. Tandem ipsi
absolutionem sub conditione concedit.

2° Brevi post ad Caium accedit Nicolaus, item operarius, qui
externe vitam ducit christianam, Ecclesiae praecepta rite adimplet,
imo est membrum Actionis Catholicae ac societatis anti-socialisticae,
et saepius per annum sacramenta frequentat. Praecipuum, imo unicum eius grave peccatum est, quod, quum eius uxor morosae sit
indolis, semel aut iterum in mense cum quadam muliere singulariter
amata rem habuit. Hoc iam ter quaterve confessus est, et licet hanc
mulierem vitare promiserit, tamen semper eamdem occasionem denuo
adiit et sine ulla quasi emendatione relapsus est. Caius graviter quidem ipsum monet et hortatur. Sed, quum poenitentem videat tam
vehementi affectu huic mulieri adhaerentem neque ulla specialia poenitentiae signa praebentem, graviter iterum de firmo eius proposito
dubitat. Quia tamen paulo ante absolvit Pancratium qui multo magis
peccaverat, etiam nunc Nicolao, ceterum bonam vitam christianam
ducenti, absolutionem conditionatam impertit.

3° Aegidius, in eadem civitate magnae fabricae proprietarius
et director, famam habet boni christiani, imo eius exemplum multos
operarios ad praeceptum paschale implendum excitat. Sed, pro! dolor,
conscientiam multis peccatis habet inquinatam. Vivit enim iam per
aliquot tempus in concubinatu occulto cum muliere domestica. Aliquoties iam in confessione eam dimittere serio promisit, sed id numquam fecit. Unde Caius iterum de firmo eius proposito graviter
dubitat. Vellet quidem sine respectu humano absolutionem ipsi differre usquedum pellicem illam dimiserit; sed timet ne Aegidius, si
nunc publice ad S. Communionem non accedat, infamia notetur, et
ne plures inde scandalum capiant et ipsi quoque praeceptum paschale
negligant. Quare anxius haeret, quid sibi faciendum sit.

4° Inter plures alios utriusque sexus poenitentes, qui multis
occupationibus impediuntur brevi tempore ad confessionem redire,
accedit etiam Sigfridus, mediae conditionis civis, qui iam saepius,
puta ter quaterve, serio promiserat magnam pecuniae summam quam

iniuste retinet restituere, sed, licet restituere statim possit, hactenus semper promissa fefellit: est enim avarus, etsi alioquin in fide firmus. Confessarius igitur, de eius efficaci proposito merito dubitans, vult ipsi absolutionem differre ut prius restituat. Sed opponit Sigfridus se ex alia civitate huc, ubi ignotus est, confessum venisse, seque multis occupationibus distentum nonnisi post plures menses ad confessionem redire posse. Unde Caius nescit quomodo hunc casum solvere debeat.

5° Philippus, studiosus universitatis, a pravis sociis seductus, vitam ducit luxuriosam in crapulis, choreis ceterisque oblectamentis. Praeter alia peccata dubitat etiam saepe de fide; nam libros legit religionem catholicam impugnantes, et haud raro ex curiositate adit praelectiones de origine christianismi alicuius professoris rationalistae, huiusque eruditionem et eloquentiam laudando alios quoque ad ipsum audiendum excitat. Confessum tamen venit potius ut parentibus morem gerat quam vera poenitentia ductus. Caius paterna caritate eum excipit, ipsique efficacia quaedam fidei et contritionis argumenta proponit; quae efficiunt ut Philippus aliqua quidem probabilia resipiscentiae indicia praebeat, sed ita ut confessarius de vero eius dolore firmoque proposito serio adhuc dubitet. Timet tamen ne, si absolutionem ipsi differat, in peiorem statum ruat et a sacramentis plane alienetur. Quapropter tandem, etsi animo anxius, ipsi absolutionem sub conditione concedit.

Quaeritur I. Quando confessarius absolutionem sub conditione
dare potest aut debet?
II. Quid Caio cum variis illis poenitentibus faciendum est?

I. Regula de danda absolutione sub conditione.

31. — Regula generalis est, peccatoribus, qui a confessario etiam post debitam exhortationem iudicantur dubie dispositi, id est probabiliter quidem dispositi, sed probabiliter etiam non dispositi, absolutionem esse differendam, ut supra (n. 20) vidimus. Ast haec regula

saepe, nostris imprimis temporibus, exceptionem patitur. Qua de re in *Opere* (n. 484-522) longe lateque probavimus hanc thesim 22^{am}: « Peccatorem dubie dispositum sine causa relative gravi sub conditione absolvere, graviter prohibitum est. Si talis causa adest, huiusmodi peccator sub conditione absolvi potest vel etiam debet. Praesertim ita absolvi debet, si confessarius prudenter timet, ne huiusmodi dubie dispositus non amplius ad confessionem redeat et in peccatis tabescat ».

Causa iusta ac relative gravis iuxta S. Alphonsum adest: « Si, negata absolutione, *notabile detrimentum* immineret animae poenitentis » (VI, 431); qua de re si certus est confessarius, absolutionem conditionatam impertire debet. Imprimis huiusmodi gravis ratio praesto est, « si prudenter timetur quod peccator non amplius ad confessionem redibit et in peccatis suis tabescet » (ib. 432, 4°): id est, ut scite explicat Lehmkuhl: « Si poenitens bona fide putat se satis esse dispositum, et confessarius graviter timet ne, negata aut dilata absolutione, poenitens in peius ruat et ab omni sacramentorum frequentatione absterreatur » (*Th. Mor.* II, n. 371, 7); cuius sapientis theologi singula verba sunt perpendenda.

32. — Ratio huius benignitatis est intentio Christi, qui sacramenta instituit propter homines, videlicet ut fideles hisce utantur tamquam mediis efficacissimis ad aeternam salutem consequendam. Proinde etiam ministri Ecclesiae ea ministrare debent, quando hoc iuxta prudentiae regulas pro hominum salute utile aut necessarium iudicant, modo nihil sacramentorum dignitati et reverentiae detrahatur. Atqui ob gravem rationem sacramentum Poenitentiae dubie dispositis sub conditione ministrare non officit sacramenti dignitati, « cum conditio », ut ait S. Alphonsus, « iusta causa accedente, omnem reparet irreverentiam» (VI, 28). Si ergo poenitens ex dilata absolutione notabile detrimentum pateretur, confessarius ut minister Christi ipsi absolutionem conditionatam concedere debet, modo dubiam saltem dispositionem seu materiam praebeat; id quod valet non solum pro illis qui ad confessionem redire non possunt, sed etiam pro illis qui, dilata absolutione, ob infirmitatem spiritualem redire nolunt et ita in peiorem infirmitatis statum ruerent et in peccatis marcescerent. Nam confessarius est medicus, qui his spiritualiter infirmis medicinam saltem probabiliter efficacem praebere debet, quando aliam in se efficaciorem refutant. Est etiam pater qui, quando filius corre-

ptionem dilatae absolutionis in deterius accepturus esset, ab ea abstinere debet, ac proinde statim absolutionem conferre. Nostris praesertim collapsae fidei temporibus confessarius hac benignitate saepius uti debet, ne causa sit maioris adhuc detrimenti pro Ecclesia et animabus. (Cfr. *Opus*, n. 493, n. 518 sqq.). — Attendat tamen confessarius semper ad bonum commune. Nam si ex accessu ad sacramenta illius dubie dispositi grave scandalum pro populo oriretur, utique bonum commune privato bono praevalere debet, ac propterea absolutio differri, usquedum scandalum sit remotum.

Quo confessarius in concedenda absolutione conditionata rectae rationis regulas non migret, *varias causas* in solvendis casibus supra (n. 30) propositis et infra (n. 34 sqq.) ponendis examinabimus.

II. Casuum solutio.

33. — *Ad* 1^m. — Pancratius talia exhibet signa praeterita et praesentia, ut Caius merito de vero eius dolore firmoque proposito positive saltem dubitare debeat. Bene tamen fecit absolvendo ipsum sub conditione, quia vere graviter timere debet, ne poenitens, qui iam difficulter ad confessionem adductus sit, dilata absolutione, non amplius redeat et ab omni sacramentorum usu alienetur, cum periculo augendi malevolum eius animum adversus Ecclesiam et sacerdotes, ergo cum « *notabili detrimento* » pro propria anima et pro educatione prolis. Supponitur tamen, Pancratium bona fide existimare se esse satis dispositum, neve populi scandalum ex eius accessu ad sacramenta esse oriturum.

Ad 2^m. — Circa Nicolaum minus recte iudicavit Caius. Unica enim ratio, cur supra Pancratio statim absolutionem dare potuerit, erat gravis timor relinquendi prorsus usum sacramentorum. Quod quum de Nicolao timendum non sit — firmus enim adhuc stat in fide —, nulla erat ratio dandi absolutionem ipsi dubie disposito. Contra absolutionis dilatio, bonis utique verbis imposita, valde probabiliter ipsi multum salutaris fuisset, utpote efficax incitamentum ad plane vitandam illam occasionem proximam neque amplius recidendi in eumdem infelicem statum. Imo si Nicolaus in hisce adiunctis semper absolutione conditionata a confessario donetur, probabiliter remissionis gratiam per illam non accipiet, sed diu Dei inimicus manebit, maiorem curam se emendandi non adhibebit, imo grave adest periculum semper magis luxuriae vitio se implicandi cum deminutione, imo forte etiam cum iactura fidei. (Cfr. infra n. 35; *Opus*, n. 266, 407, 490).

Ad 3ᵐ. — Quando Caius ex adiunctis iudicat, Aegidii dispositionem esse positive dubiam, i. e. eum probabiliter quidem habere verum dolorem, probabiliter etiam non habere, nostro iudicio potest, imo debet ipsi absolutionem sub conditione impertire, saltem si *publice* ad sacramenta accedit et si vere timenda est gravis eius *infamia*, vel etiam solum *scandalum* aliorum qui, videntes fabricae directorem de praecepto paschali non curare, eius exemplum imitarentur. Tunc enim adest quaedam communicandi necessitas, ne scilicet poenitentis bonae famae vel etiam bono communi noceatur. (Cfr. *Opus*, n. 507 sqq.). Quodsi Aegidius *occulte* accedit, iuxta regulam generalem absolvendus non est, nisi prius concubinam dimiserit (*Opus*, thesis 5ª; *Casus consc.* I, 42 sqq.).

Ad 4ᵐ. — *Necessitas diutius differendi confessionem*, puta per plures menses, qua hodie praesertim multi tenentur famuli utriusque sexus, itinerantes, operarii ceterique qui sub aliena sunt potestate, saepe gravis quoque erit ratio eos, etsi dubie dumtaxat dispositos, statim absolvendi, ne diu in statu damnationis viventes « notabile detrimentum » animae patiantur. Excipiendi tamen sunt illi qui, ut Sigfridus noster, recidivi sunt in omittenda gravi obligatione, puta restituendi etc., ne secus, non per aliquot tantum menses, sed per plures forte annos in iisdem peccatis permaneant, cum crescente semper salutis aeternae periculo. (Cfr. *Opus*, n. 511 sqq.).

Ad 5ᵐ. — Philippus ob gravem timorem ne, dilata absolutione, a sacramentis plane alienetur, sub conditione absolvi posse videtur. At vero confessarius ab ipso omnino exigat seriam et formalem promissionem non amplius legendi illos libros neque adeundi illas praelectiones. Est quippe haec occasio periculosissima, quia de fide agitur, circa quam ignorantia invincibilis, si forte adesset, tolerari non potest. (Cfr. *Opus*, n. 101, 2°). Insistat etiam reparationi gravis scandali quod suis collegis dedit, saltem praebendo iis abhinc bonum exemplum. Nisi Philippus haec sincere et expresse promittat, confessarius ne sub conditione quidem ipsum absolvet, etiamsi graviter timet eum sacramenta prorsus relicturum, tum quia hoc casu defectus dispositionis non solum dubius sed moraliter certus est, tum quia scandalum datum adhuc crescet, si alii audiunt ipsum ita dispositum ad sacramenta fuisse admissum. Fortasse per hanc gravem simulque paternam Caii agendi rationem poenitens, experientia quasi sentiens confessionem iuxta sensum Ecclesiae non esse mere caeremoniam externam, sed rem sacram valdeque seriam, quae veram animi conversionem postulet, tandem ad meliorem frugem redibit. — Quia ergo in hoc difficili casu exitus ab utraque parte est incertus, Caius speciale lumen a Deo postulet, et dein, expulsa omni animi anxietate, id faciat quod ipsi hic et nunc prudentius videtur.

Nota. — Saepenumero postea etiam in casuum solutione sermo recurret de absolutione sub conditione dubie dispositis impertienda.

CASUS 2.

Absolutio dubie dispositis ob causas leviores data.

34. — Terentius omnibus peccatoribus, quos post debitam exhortationem adhuc dubie dispositos esse credit, absolutionem sub conditione impertit, quando huiusmodi adsunt causae: 1) quia est tempus paschale; 2) quia est dies festus B. M. V. vel alterius Sancti, quo indulgentiam plenariam lucrari desiderant; 3) quando ad ipsum redire nequeunt, adeoque apud alium sacerdotem confessionem repetere coguntur. Idem facere solet audiens confessiones 4) occasione communionis generalis in aliqua paroecia, item 5) in quodam collegio iuvenum vel puellarum in quo existit praxis frequentis aut quotidianae communionis, quia, uti ait, si hi ad sacram mensam non accedunt, infamiam patientur.

Quaeritur: Quid de hac Terentii praxi censendum?

CASUUM SOLUTIO.

35. — Optime sane facit Terentius ferventer exhortando ad poenitentiam illos peccatores parum aut dubie dispositos. Aequo remissior tamen est eius praxis ob rationes adeo leves absolvendi sub conditione omnes illos qui dubie dispositi manent. Hi enim ita facile

absoluti, falsa seducti tranquillitate, neque in posterum melius se
praeparare curabunt, seriae emendationi per seduliorem orationem
et fugam occasionum parum efficaciter operam dabunt, probabiliter
valde diu Dei inimici manebunt, multis novis peccatis se onerabunt,
timorem Dei ipsamque notionem verae poenitentiae paulatim perdent
et gravissimo aeternae salutis periculo se exponunt. Unde tali praepropere concessa absolutione « notabile detrimentum animae » accipiunt. Contra, si ob paulo dilatam absolutionem brevi post, adhibitis
interim remediis, rite dispositi ad eumdem vel alium confessarium
rediissent, maximum animae bonum acquisiissent. Huiusmodi ergo
peccatores etiam tempore paschali aliisve festis sub gravi tenentur
non dubiam sed satis certam afferre dispositionem, quam orando
vimque sibi inferendo facile obtinere possunt, ac propterea incommodum relative leve redeundi aut apud alium sacerdotem confessionem repetendi subire debent, ut pretiosissimam gratiam remissionis peccatorum aliosque sacramenti fructus non dubie solum sed
certo consequantur. Valet quippe etiam illis regula generalis: dubie
dispositis absolutio est differenda (cfr. n. 20, 33, 2°). Solum si alia
gravior adesset ratio, utputa prudens timor, ne ipsi ad nullum confessarium redirent atque ita in peiorem statum ruerent, hisce absolutio sub conditione dari potuit, imo etiam debuit, ut supra (n. 31 sq.)
dictum est. Terentius ergo, ob tales leves rationes absolutionem concedens, falsa motus est misericordia nimiaque illa indulgentia, quae
animabus est perniciosa. Praeterea commisit etiam contra reverentiam
sacramento debitam, quia sine causa proportionata ritum sacramentalem gravi frustrationis periculo exposuit. Haec omnia vide uberius
exposita in *Opere*, n. 488 sqq.; item n. 515, ubi tres priores casus
magis particulatim expendimus.

Atque idem dicendum est de illius praxi universali in duobus
postremis casibus, occasione scilicet Communionis generalis vel in
illis collegiis. Utique, infamia, si est gravis, ratio est dandi absolutionem conditionatam (cfr. supra n. 33, 3°). Ast in casibus propositis
generatim talis gravis infamia ex omissione Communionis non
orietur. Si magnus est communicantium numerus, facile absentia
unius alteriusve a sacra mensa non advertetur. Si advertitur, per se
huiusmodi Communionis omissio nondum est gravis infamia; ad
summum erit quaedam admiratio apud unum alterumve vel levis
quaedam suspicio, sed quae nequaquam graviter alicuius famae no-
cebit. Leve autem tale incommodum longe superatur per graves illas

rationes ob quas, iuxta legem ordinariam, dubie disposito absolutio est differenda. Utiliter tamen confessarius poenitenti suggerere potest, ut indispositionem quamdam corporalem praetexat vel, si pridie confessum venit, ut mane inter lavandum aliquot aquae guttulas absorbeat.

Casus 3.

Absolutio sub conditione data moribundis sensibus destitutis.

36. — Sempronius, in magno alicuius civitatis nosocomio cappellanus, omnibus promiscue moribundis, ubi primum eos sensibus destitutos videt, absolutionem sub conditione concedit, sive agitur de catholicis etiam apostatis, sive de schismaticis vel de haereticis materialibus aut formalibus, sive etiam de illis qui usque ad sensuum destitutionem sacerdotem repulerint et confiteri renuerint.

Quaeritur I. Quaenam est regula de absolutione sub conditione danda moribundis sensibus destitutis?
II. Quid de Sempronii cum variis illis moribundis agendi ratione dicendum?

I. Principium generale.

37. — Regula generalis haec est: Moribundis sensibus destitutis absolutio sub conditione impertienda est, modo saltem tenuis adsit probabilitas eos sacramentum Poenitentiae accipere velle et actum doloris elicuisse, et modo scandalum forte oriturum amoveatur. Ita auctores recentes communiter post S. Alphonsum contra multos graves theologos antiquos. « In casu extremae necessitatis, inquit S. Doctor, possumus uti opinione adhuc tenuis probabilitatis » (VI, 482). Quod attinet ad sensibus destitutum in actu peccati (v. g. duelli, adulterii etc.), « merito, inquit, praesumi potest quod ipse, in proximo periculo suae damnationis constitutus, cupiat omni modo suae aeternae saluti consulere ». Dolor autem sensibilis, qui communiter

a theologis requiritur, per suspiria aliaque signa exprimi potest, licet a confessario non percipiatur. (*Opus*, n. 502).

Ratio est salus aeterna, quae in casu est suprema lex (supra n. 31, sq.).

II. Casuum solutio.

38. — Sempronius, ut nobis quidem videtur, generatim nimis leviter suum munus implevit. Ante omnia cappellanus nosocomii curare debet ut, quoad eius fieri possit, certior fiat de convictione religiosa cuiusvis infirmi graviter decumbentis. Si reperit aliquem *non esse baptizatum* (Iudaeum, Mahumetanum, paganum), ipsum etiam sensibus destitutum certe nulla ratione absolvere potest, quum sacramentum Poenitentiae solis baptizatis valide conferri queat. Potest tamen aliquando huiusmodi baptizare, iuxta responsum S. Officii diei 30 Martii 1898 de Mahumetanis moribundis sensibus destitutis, videlicet: « si antea dederint signa velle baptizari vel in praesenti statu aut nutu aut alio modo eamdem dispositionem ostenderint ». Tum, si post Baptismum ille status perdurat, potest confessarius ipsi aliquoties per diem absolutionem sub conditione impertire.

Si post debitam investigationem Sempronius noverit moribundum sensibus destitutum esse *catholice baptizatum*, recte egit ipsum sub conditione absolvendo, etiamsi ille ab Ecclesia apostata fuerit, aut in ipso actu peccati in hunc statum reductus fuerit. Adest enim tenuis saltem probabilitas ipsum, catholice baptizatum et educatum, in lucido quodam sui status intervallo actum contritionis elicuisse. Imo Sempronius ipsi etiam Extremam Unctionem conferre debuit, utique sine conditione; quia per hoc sacramentum, quum externum dolorem non exposcat et reviviscere possit, securius adhuc aeternae eius saluti consulitur. Scandalum exinde forte oriturum amoveri potest, monitis adstantibus quod Ecclesia praesumit, in hoc statu moribundum interno saltem animo peccata dolere. — Si quis vero catholicus a fide apostata vel religionis prorsus indifferens, graviter decumbens suaeque vitae periculi plene conscius, proxime ante sensuum destitutionem sacerdotem adhuc repulerit et confiteri contumaciter recusaverit, nostro iudicio confessarius eum postea, ne sub conditione quidem, absolvere potest. Tunc enim deest vel tenuis probabilitas contritionis, et sensus catholicus populi audientis talem esse absolutum nimis offenderetur, vel etiam perverteretur. Huiusmodi absolvere certe a doctrina antiquorum theologorum quam maxime alienum est, neque etiam compluribus recentibus probatur [1]. Si tamen hic homo in lucido quodam illius status intervallo dubium quoddam resipiscentiae signum dederit, potest sub conditione absolvi, amoto pro viribus aliorum scandalo. (Cfr. *Opus*, n. 505).

39. — *Schismaticum* in illo statu repertum merito sub conditione absolvit Sempronius, imo etiam Extremam Unctionem ipsi dare oportet, quia, quum divinam horum sacramentorum institutionem admittat, aliqua ratione praesumi potest, ipsum illa accipere velle. Si publice haec sacramenta administrantur, scandalum forte oriturum removere debet, « manifestando scilicet adstantibus, Ecclesiam supponere eum in ultimo momento ad unitatem rediisse »; ita S. Officium 17 Maii 1916 ad II.

Ad *haereticos* quod spectat qui sacramentum Poenitentiae reiiciunt, si confessarius aliquem bona fide errantem adeoque haereticum *materialem* esse noverit, ipsum, nostro iudicio, nullatenus absolvere debet, nisi hic forte antea aliqua signa admittendi religionem catholicam ostenderit; nam explicita et positiva reiectio huius sacramenti obstare videtur sic dictae implicitae intentioni seu voluntati illud recipiendi. Confer quod supra (n. 38) dictum est de Mahumetanis quoad Baptismum. — Haereticum vero *formalem* qui veritatem religionis catholicae quidem cognoscit, sed hactenus nondum amplecti voluit, sub conditione absolvere potest, imo et debet. Aliqua enim ratione supponi potest, eum in hoc supremo momento actum fidei et contritionis elicuisse et sacerdotis assistentiam cum absolutione voluisse, eodem modo ac supra de catholico apostata dictum est. Si tamen de hac bona aut mala fide sufficiens notitia haberi nequit — uti practice plerumque erit —, Sempronius bene facit absolvendo omnem haereticum, quem inopinato sensibus destitutum reperit. Atvero si sive haereticus sive schismaticus usque ad sensuum destitutionem sacerdotis auxilium positive recusaverit, nequaquam

---

[1] Sic Lehmkuhl: « Si Saulus (catholicus) usque ad ultimum rationis usum positive reiecit omne sacerdotis auxilium, non puto sacramenta ei administranda esse, ne conditionate quidem; orandum tamen esse enixe pro eius anima Dei misericordiam, quae, si eum ad sui conscientiam reduxerit et ad dolorem internum moverit, etiam usque ad contritionem perfectam potest permovere. Haec soli divino iudicio relinquenda sunt; pro humano iudicio ad participationem bonorum, quae constanter repulit, non videtur admittendus » (*Casus consc.*, II, n. 636).

postea absolvi potest, uti iam de catholico diximus. (Cfr. *Opus*, n. 503 sq.).

Denique si confessarius nihil de conditione religiosa moribundi sensibus destituti rescire potuit — uti in nosocomiis magnarum civitatum mixtae religionis haud raro accidit —, vel etiam si in via publica aut alibi inopinato ignotum quemdam moribundum sensibusque destitutum viderit, merito ipsi clam absolutionem sub conditione impertiet, quando levi quadam ratione supponere potest ipsum sacramentum Poenitentiae in hoc extremo momento suscipere velle.

ARTICULUS V.

De signis dispositionis in peccatoribus habituatis et recidivis.

Casus I.

De notione habitus et peccatoris habituati.

40. — Terentius in audiendis confessionibus saepe angitur dubiis de vero dolore et proposito, eorum praesertim qui frequenter, puta bis terve in hebdomade, in eadem peccata solitaria relabuntur, maxime in peccata pollutionis et blasphemiae. Quapropter illis qui iam aliquoties emendationem promiserunt et absoluti fuerunt, si adhuc eumdem fere peccatorum numerum accusant, utpote recidivis in habitum peccandi adeoque dubie dispositis, per breve tempus absolutionem differre solet, ut prius, melius adhibitis remediis, quae iam saepius promiserint exsequantur.

Quaeritur I. Quid est habitus peccandi et quomodo distinguitur a passione?
II. Quid de agendi ratione Terentii dicendum?

I. Quomodo habitus et passio inter se distinguantur.

41. — In hac materia maximi momenti est distinctio inter peccata commissa ex habitu et peccata orta ex passione.
Habitus peccandi, iuxta mentem S. Thomae et S. Alphonsi, est

qualitas permanens, qua quis quasi naturaliter inclinatur ad peccandum, ita ut frequenter, prompte, facile et sine ulla fere resistentia labatur. *Passio* autem est motus appetitus sensitivi a principio exteriore oriens et cito transiens. Prorsus igitur distinguendus est peccans ex habitu et peccans ex mera passione.

Prior rationem et voluntatem quasi naturaliter et permanenter ad malum finem ordinatam habet, posterior ordinarie ad bonum finem, et transeunter solum malum appetit. Ille peccat motus a principio intrinseco et ex malitia, i. e. ex mala voluntate; hic impulsus et victus a principio extrinseco, atque adeo ex debilitate, ex voluntate infirma. Ille sponte, facile et prompte peccat, ex levi etiam concupiscentiae tentatione et nullam quasi resistentiam praebet; hic cum difficultate peccat, gravi concupiscentiae motu abreptus, et post serium resistendi conatum. Hinc peccans ex habitu difficile resipiscit; peccans autem ex passione cito et facile de peccato dolet. — Vide haec omnia distincte et fuse demonstrata in *Opere* (thesi 10ª, n. 194 sqq.) iuxta praeclaram S. Thomae doctrinam, cui, ut ibidem (n. 205 sqq.) ostendimus, optime concordat doctrina S. Alphonsi.

42. — Ad habitum constituendum certa quaedam actuum *frequentia* requiritur, quae iuxta varia adiuncta variat et alia est pro aliis peccatis (ib. n. 212 sq.). Ut generale saltem quoddam iudicium de hac frequentia formetur, haec dici possunt: in peccatis *operis solitarii* (v. g. pollutionis, ebrietatis, furti) sufficere possunt quinque lapsus quolibet mense per aliquod notabile tempus, modo inter lapsus aliquod intervallum intercedat; in peccatis *operis* cum *aliis* commissis (v. g. fornicationis) sufficere potest lapsus semel in mense per annum; in peccatis *cogitationis* (odii, delectationis morosae etc.) vel *oris* (uti blasphemiae) bis terve in hebdomade. Ast hic semper supponitur alia ad habitum constituendum necessaria adesse, scilicet ut quis facile, cito sine ullo fere resistendi conatu labatur, neque statim post de peccato sincere doleat. Si quae ex his conditionibus deest, lapsus, etiamsi per aliquod tempus sunt frequentes, ex passione potius provenire dicendi sunt (*Opus*, n. 214).

II. Casus solutio.

43. — Ex dictis patet, qua in re defecerit Terentius. Quod illi poenitentes frequenter, puta bis terve in hebdomada, in eadem peccata sunt relapsi et semel aut iterum eumdem fere peccatorum numerum accusare debent, nondum probat eos esse habituatos proprie dictos. Haud raro enim frequentes relapsus non procedunt ex habitu iam contracto, sed ex mera passione vel ex constitutione physica valde ad hoc vitium inclinata. Imo neque quod quis cito et brevi post confessionem recidit, per se habitum adesse indicat: fieri enim potuit, ut tunc gravi tentatione fuerit occupatus, cui post seriam resistentiam tandem cesserit. Oportet igitur, ut Terentius ante omnia poenitentem interroget, utrum ordinarie facile sine ulla fere resistentia tentationibus assenserit, an difficile tantum et post serium conatum ad resistendum, ad orandum etc. Si primum, praesumendum est illos relapsus accidisse ex pravo habitu seu ex mala voluntate et quadam indifferentia circa Dei offensam; si alterum, ex passione seu ex voluntate infirma. Iamvero si hi relapsus ex sola passione oriuntur, generatim non est graviter dubitandum de vero dolore et proposito, etiamsi fuerint frequentes, idque praesertim quando poenitens testatur, se statim post lapsum peccati poenituisse. Huiusmodi enim peccatores, ut ait S. Thomas, transeunte passione, facile ad bonum propositum redeunt; e contra habituati presse sumpti, quippe qui peccant ex inclinatione quae velut altera natura facta est, in malo proposito perseverantes sunt et difficile convertuntur[1]. — Notandum tamen est, lapsus qui ex passione incipiunt, si frequenter accidunt, sensim ac pedetentim facile in habitum transire. Quare Terentius iam ab initio sedulo omnibus peccantibus inculcet, ut in tentationibus statim sacra nomina Iesu et Mariae invocent, resistant et brevi ad confessionem redeant.

---

[1] « In eo qui peccat ex infirmitate seu ex passione, inquit S. Thomas, voluntas inclinatur ad actum peccati, quamdiu passio durat; sed statim abeunte passione, quae cito transit, voluntas recedit ab illa inclinatione et redit ad propositum bonum, poenitens de peccato commisso. Sed in eo qui peccat ex malitia voluntas inclinatur in actu peccati manente habitu, qui non transit sed perseverat, ut forma quaedam immanens et connaturalis facta. Unde qui sic peccant perseverant in voluntate peccandi et non de facili poenitent » (De Malo, q. 3, a. 13).

Casus 2.

De absolutione peccatoris habituati.

44. — Ad Titium confessarium variis temporibus accedunt hi poenitentes.

1° Remigius iuvenis quindecim annorum qui, a sodali seductus, ab aliquo tempore habitum pollutionis solitariae contrahere coepit.

2° Godefridus qui grave concepit odium erga inimicum, eique iamdiu passim consentire consuevit.

3° Francisca mater quae ex culpabili negligentia filiam suam, intuitu matrimonii, plerumque solam conversari sinit cum amasio.

4° Sergius qui tempore militiae in castris quotidie blasphemias et turpiloquia proferre didicit, et nunc, in pagum redux, aliis grave praebet scandalum.

5° Theobaldus qui inde ab anno ex quadam indifferentia plerisque dominicis S. Missam negligere coepit.

6° Dosithea puella quae a tribus fere mensibus propter lectionem librorum obscenorum quotidie facile consentit delectationibus morosis et desideriis libidinosis.

7° Leopoldus qui confitetur habitum onanismi coniugalis ante sex menses inde ab ultima confessione contractum.

Hisce omnibus Titius absolutionem statim concedit, quia prima vice habitum confitentur et ordinaria poenitentiae signa praebent: confessario enim interroganti num peccata vere doleant firmiterque emendationem proponant, ingenue responsum dant affirmativum.

Quaeritur I. Quae sunt regulae de absolvendis habituatis?
II. Rectene agit Titius?

I. Regulae generales.

45. — Regulae generales hae sunt:

1° Confessarius, ut *iudex*, peccatorem habituatum, etiamsi nulla emendatio praecesserit, iam prima vice absolvere potest, si ordinaria dispositionis signa praebet. Ita S. Alphonsus cum communissima sententia contra rigoristas. « Ratio, iniquit S. Doctor, quia talis poenitens ex una parte non est praesumendus malus, ita ut velit indispositus, ad sacramentum accedere; ex alia, bene praesumitur dispositus, dum peccata sua confitetur, cum ipsa spontanea confessio sit signum contritionis, nisi obstet aliqua positiva praesumptio in contrarium » (VI, 459). (Cfr. *Opus*, n. 230 sqq.). Supponitur tamen non adesse aliam rationem ob quam absolutio differri possit aut debeat, puta occasio proxima « in esse », grave scandalum.

2° Confessarius, ut *medicus*, aliquando, ast raro tantum, illis simpliciter habituatis et nondum recidivis, ad breve tempus absolutionem differre poterit, ut iam statim ab initio adhibendo remedia pravae consuetudini fortiter resistere discant, modo nullus malus exitus huius dilationis praevideatur, v. g. quod animum dimittant, difficilius iterum ad confessionem accedant etc. Dico: *raro* tantum; quia generatim habituatis dispositis, praesertim si non lapsi sunt propter occasionem proximam, gratia sacramenti magis prodest quam dilatio absolutionis. (Cfr. *Opus*, n. 235).

II. Casuum solutio.

46. — Titius, ut ex dictis patet, *per se* quidem i. e. spectata sola ratione habitus, illos omnes statim absolvere potuit. Sed recogitare etiam debuit tamquam medicus, annon expediret aliquibus ex hisce *per accidens*, i. e. propter aliam rationem, absolutionem ad breve tempus differre.

Itaque, nostro iudicio, bene fecit confessarius sine mora absolvendo: 1° *Remigium*, 2° *Godefridum*, et 3° *Franciscam*, addendo ferventem exhortationem. Ordinarie enim melius est a simpliciter habituatis, qui prima vice habitum confitentur, obtinere ut brevi ad eumdem confessarium redeant. Num illis interdum forte utilis sit brevis dilatio, praesertim si valde radicatus est habitus, pendet ex fructu qui ex ea speratur; in dubio hoc remedio utendum non est.

4° Quod spectat ad *Sergium*, qui praeterea etiam scandalum praebuit, saepe quidem, praecipue in locis ubi frequentia sunt huiusmodi vitia, per accessum ad sacramenta tale scandalum magna ex parte reparatur. Ast, si revera grave sit periculum quod Sergius per illas blasphemias et turpiloquia multos corrumpat qui eius exemplum imitarentur — sicut aliquando in bonis parochiis ruralibus contingere potest —, generatim ipsi per breve tempus, puta per unam alteramve septimanam, absolutio erit differenda, si non propter habitum prima vice confessum, saltem propter grave scandalum datum; quod quidem scandalum cresceret, si populus videret talem peccatorem publicum adeo facile statim ad sacramenta admitti. Nisi forte aliter, v. g. per praedicationem, influxus funesti huius scandali satis praecaveri possit. (*Opus*, n. 235, 4°).

5° Idem fere dic de *Theobaldo*, si suo exemplo alios multos ad eamdem negligentiam adduxit, uti interdum contingere potest in optima quadam parochia, ubi quasi omnes diebus praescriptis Missae assistere solent. In permultis tamen locis, praesertim civitatibus, nostra aetate plurimi fideles, pro! dolor, hac in re iam valde negligentes sunt; unde ratio scandali proprie dicti non facile aderit.

6° *Dositheam* Titius statim absolvere potuit, nisi illos libros, quorum lectioni valde addicta erat, penes se habeat vel facile ab aliis passim recipiat, ita ut ipsi sint occasio continua vel moraliter semper praesens.

7° *Leopoldus* contrahere incepit habitum periculosissimum in materia admodum gravi, idque ob occasionem necessariam «in esse»; quare, si non timetur omnimoda alienatio a sacramentis, statim ab initio remedium valde efficax dilationis adhibere expedit, ut ita certius adducatur aliis remediis contra hoc funestum vitium uti. (*Opus*, n. 235, 3°; infra n. 151, 1°).

Casus 3.

De absolutione recidivorum disputatio publica.

47. — In quodam seminario tres studentes theologiae amice inter se disputant de quaestione circa absolutionem recidivorum. — Caius pertendit, hisce omnibus semper absolutionem concedi posse, si ordinario modo sua peccata accusant et confessario interroganti sincere testantur se verum habere dolorem firmumque propositum; nam, inquit, est adagium ab omnibus acceptum: « Poenitenti credendum est sive pro se sive contra se loquenti ». Titius contra defendit recidivis qui pluries iam emendationem promiserint sed hactenus nihil se emendaverint absolutionem esse differendam, nisi nunc specialia seu extraordinaria doloris et propositi signa dederint, quia, ut ait, si quis post saepe repetita promissa nihil fecit ad propositum exsequendum, iam non tuto ipsi credendum est, si in praesenti confessione eodem iterum modo se proponere testatur. Huic plane assentit Sempronius, imo addit suo iudicio numquam dari posse absolutionem recidivis, si eodem modo ac antea statim et facile relapsi sunt, quidquid sit de signis ordinariis aut extraordinariis. — Inter se non concordantes adeunt Professorem theologiae moralis qui, singulis auditis, dicit quaestionem hanc esse optimam materiam pro thesi publica, quae, iuxta seminarii statuta, singulis mensibus est habenda; simulque nominat Titium thesis statuendae defensorem, Caium vero et Sempronium eius oppugnatores.

Quaestio igitur haec est: Num et quando recidivis absolutio concedi potest?

Singuli tres serio se ad hanc publicam concertationem praeparant, et die statuto in magna aula, praesentibus compluribus professoribus, omnibusque seminarii theologis, qui intenti ora tenebant, disputatio fit, cuius quidem hoc est summarium.

I. Status quaestionis exponitur.

48. — Titius defendens, post quaedam praemissa ex historia rigorismi et laxismi, incipit campum disputationis iustis circumscribere limitibus. Unde haec praemittit praenotanda, quo statum quaestionis determinet:

« 1° Non agitur, inquit, de quolibet recidivo, sed de recidivo in *habitum* peccandi, puta contra castitatem, iustitiam, caritatem, officia status etc. Hinc non disputatur de recidivo, qui ex mera passione post seriam pugnam et studium emendationis etiam saepe recidit, sed de illo qui eodem fere modo frequenter, statim et facile in eadem peccata relapsus est, a. v. quaestio est de recidivo non materiali, sed *formali* (supra n. 41 sqq.).

2° Neque agitur de recidivo nondum monito, hic enim quoad absolutionem simpliciter habituato aequiparatur —, sed de illo qui iam serio a confessario *monitus* est, nullum autem ex praescriptis remediis adhibuit.

3° Neque quaestio est, num ad impertiendam absolutionem vera doloris signa sufficiant — hoc enim ab omnibus admittitur —, sed *quænam* sint illa *vera signa* pro recidivo: utrum communia et ordinaria, scilicet ipsa confessio et serium ipsius poenitentis testimonium de suo dolore et proposito, an alia adhuc specialia et extraordinaria.

4° Neque agitur de quaestione num talis recidivus aliquoties adhuc absolvi possit — haec enim alia quaestio est, de qua infra (n. 63 sqq.) —, sed solum num *per se toties* dispositus habendus sit, *quoties* ipsemet, non ficte et mendaciter, sed serio suum dolorem et propositum testetur [1].

5° Denique neque thesis instituitur de absolutione *per exceptionem* statim poenitenti dubie disposito *sub conditione* conferenda propter gravem timorem, ne secus sacramenta relinquat et in peius ruat (supra n. 31); thesis agit de absolutione simpliciter et sine adiecta conditione danda poenitenti qui firme stat in fide et praxi religiosa, ac proinde merito creditur ad eumdem vel ad alium confessarium rediturus, si ipsi ob dubiam dispositionem absolutio paterno modo ad breve tempus differatur ».

---

[1] De statu quaestionis cfr. etiam *Opus*, n. 217 sq., n. 247 sqq.

49. — Hisce praemissis, Titius hanc *thesim* defendendam assumit:

1° « *Recidivus formalis, qui scilicet iam serio monitus eodem semper modo in eumdem pravum habitum recidit, non potest toties quoties a confessario, ut iudex est, absolvi, si solum signum ordinarium, id est proprium suae dispositionis testimonium, affert.* — 2° *Absolvi autem potest, si praebet alia quaedam specialia seu extraordinaria doloris et propositi signa.*

Prima pars statuitur contra auctores aequo remissiores, altera contra rigidiores ».

II. Probatio utriusque partis thesis.

50. — Ut *primam* partem probet, Titius ita argumentatur: « Confessarius, inquit, absolvere nequit poenitentem, quando de vera eius poenitentia seu firmo proposito graviter dubitat » (cfr. supra n. 20). Atqui, ut ait S. Alphonsus, « quando iam in alia confessione ipse (habituatus) fuit admonitus et eodem modo cecidit, nullo adhibito conatu, et nullo impleto ex mediis a confessario praescriptis, frequens ille relapsus signum praebet vel saltem prudentem dat suspicionem quod sua poenitentia non sit vera. Qui enim firme proponit — bene ait Lugo — rem sibi moraliter possibilem, non ita facile sui propositi obliviscitur, sed saltem per aliquod tempus perseverat, et difficilius aut rarius cadit » (VI, 459). Ratio haec, quae certe magis adhuc valet, si recidivus iam in multis confessionibus idem promisit et semper eodem modo est relapsus, nititur lege psychologica, quotidianae vitae experientia comprobata. Infirmitas ergo propositi praeteriti prudentem saltem ingerit praesumptionem contra firmitatem propositi praesentis, si non aliud adest signum quam idem semper ipsius poenitentis testimonium [1].

Hanc rationem pluribus adhuc explicat Titius iuxta dicta in *Opere* (n. 258 sq.). Confirmat deinde thesim ex ruina animarum et morum laxitate quae ex opposita doctrina sequerentur (n. 264-273).

---

[1] Apposite Lehmkuhl: « Qui relabitur brevi post peractam confessionem, idque sine pugna et resistentia contra tentationes atque frequenter, suspicionem ingerit... de proposito non firmo parumque sincero, atque ita de valore praeteritae confessionis merito potest dubitari. Quando igitur voluntas praesens non fortior apparet quam in confessionibus praeteritis, sed eadem debilitate languet, *dispositio sufficiens manet dubia* » (*Neo-Confessarius*, n. 188, *k*).

ex prop. 60ª ab Innocentio XI proscripta (n. 274 sqq.), denique ex Instructione 29 Aprilis 1784 S. Congr. de Prop. Fide, quae quidem instructio docet, confessarium, quum solus iudex sit in hoc tribunali, de dispositione poenitentis recidivi iudicare debere, non ex solo testimonio ipsius poenitentis, sed iuxta varia indicia specialia quae ipsa instructio recenset (n. 278 sq.).

51. — *Alteram* thesis partem contra rigidioris sententiae asseclas probat Titius ex eo quod illa *specialia signa* sive praeterita, ut aliqualis emendatio vel serius eius conatus, sive praesentia, praesertim post fervidam confessarii exhortationem in hac confessione manifestata, testimonio poenitentis novum addunt robur, et indicant eius voluntatem vere esse mutatam et nunc firmius quam antea propositum concepisse. Unde per haec nova et clariora indicia praesumptio, quae ex praeterita eius negligentia erat orta, infirmatur et eliditur; exsulat proinde dubium grave ac proprie dictum de vera eius dispositione, deque ea habetur iterum iudicium opinativum seu certitudo probabilis. Solam ergo vitae emendationis experientiam, eamque diuturnam, unicum esse verae conversionis signum, uti volebant adversarii, S. Alphonsus merito vocat « intolerabilem rigorem » (*Opus*, n. 341 sqq.).

III. CONFUTATIO RATIONUM CONTRA PRIMAM PARTEM.

52. — Hisce dictis et paulo explicatis assurgit Caius, primus opponens, et contra primam thesis partem ea quae sequuntur obiicit.
Obi. Caius 1°: « Habitus, inquit, per se non probat propositi infirmitatem, ut omnes concedunt — secus enim nec prima vice habituatus absolvi posset. Neque etiam relapsus per se hanc infirmitatem demonstrat — secus nullus recidivus statim absolvi posset, ut falso rigoristae asserunt. Ergo, concludit, ex nullo capite inferri potest defectus debitae dispositionis ». — Repetita paucis obiectione hunc in modum
Resp. Titius: « *Concedo* antecedens, sed *nego* consequentiam. Ut optime dixisti, neque habitus, neque relapsus *per se* solos probant defectum dispositionis. Sed *uterque unitus*, i. e. relapsus in eumdem habitum, idque eodem modo, sine ulla resistentia etc., *talis* relapsus, inquam, grave utique ingerit dubium de praeteriti propositi infirmitate, ut probatum est ».

Instat Caius: « Talis relapsus ostendit dumtaxat humanae voluntatis inconstantiam et mutabilitatem, non autem defuisse firmam voluntatem in confessionibus praeteritis, et multo minus in praesenti confessione. Nam, ut ait S. Thomas, « Quod aliquis postea peccat vel actu vel proposito non excludit quin prima poenitentia vera fuerit. Numquam enim veritas prioris actus excluditur per actum contrarium subsequentem; sicut enim vere cucurrit qui postea sedet, ita vere poenitet qui postea peccat » (*Summa th.*, III, q. 84, a. 10, ad 4^m).

Resp. Titius: « Libenter concedo humanae voluntatis inconstantiam et fragilitatem; ergo haec inconstantia per se non est signum, praeteritum propositum fuisse infirmum. Ast in casu nostro agitur de *speciali* modo relapsus, de recidivo scilicet qui eodem modo relapsus est, sine ulla pugna vel resistentia, imo sine ullo serio conatu ad non relabendum. Sane talis relapsus probat non solum voluntatis inconstantiam, sed praeterea hanc inconstantiam oriri ex propositi infirmitate. Si quis discipulus ex. gr. saepe proponit et magistro promittit quotidie tribuere unam horam studio linguae hebraicae, sed in hoc proposito adeo inconstans est, ut semper illud statim obliviscatur aut ex levi tantum ratione negligat, nullumque serium adhibeat conatum ad illud exsequendum, et semper promittens semper postea eodem modo in suam pigritiam recidat, profecto nemo prudens magister tale propositum firmum dicet, etiamsi discipulus bona forte fide hoc asserat. Talis utique totiesque iterata inconstantia ex propositi debilitate oritur et gravem ingerit praesumptionem etiam praesens propositum firmum non esse (*Opus*, n. 261).

« Ad verba S. Thomae quod attinet, pergit Titius, scio equidem haec a multis recentioribus passim obiici; sed nihil prorsus contra thesim faciunt. S. Doctor dicit tantum, relapsum per se non excludere quod prior poenitentia fuerit vera; sed hoc omnes concedunt: res ipsa loquitur. Posito enim quod vera fuerit poenitentia, hoc factum manet, et non fit infectum per relapsum subsequentem. Sed S. Thomas hic nequaquam dicit, *omnem* poenitentiam priorem semper fuisse veram, neque dari posse falsam poenitentiam. Utrum quaedam prior poenitentia in concreto re ipsa habenda sit vera an falsa, non examinat hic S. Doctor, quia non erat huius rei locus. Ergo, pace tua dixerim, vehementer abuteris hisce S. Thomae verbis, quippe quae nihil faciunt ad rem » (*l. c.* n. 260).

53. — Transmissa igitur prima obiectione,

Obi. Caius 2°: « Est solemne apud theologos iam inde a S. Thoma adagium: Poenitenti credendum est sive pro se vive contra se loquenti. Ergo si poenitens non ficte sed sincere testatur, se dolere et firme proponere, huic credendum est et absolutio concedenda, etiamsi sexcenties recidat ».

Resp. Titius: « Duplex huius adagii sensus est distinguendus. Si agitur de facto *externo*, puta quod poenitens iam apud alium confessus est, utrum aliquod peccatum commiserit necne, concedo ipsi esse credendum; — et hoc tantum sensu S. Thomas aliique medii aevi auctores illud adagium sumunt. Sin autem agitur de facto *interno* seu potius de interna animi poenitentis *dispositione* ad absolutionem accipiendam requisita, *subdistinguo* hoc adagium: poenitenti semper et absolute credendum est, *nego;* cum debita restrictione, scilicet si nihil obstat, si non adest quaedam praesumptio contra poenitentem, *concedo;* et cum haec sola restrictione accipitur etiam a theologis inde a saeculo XVI usque ad haec tempora [1]. Atqui, ut supra iam probavi, gravis stat praesumptio contra poenitentem suam dispositionem seu firmum propositum asserentem, si ipse iam multoties idem est testatus, et nihilominus nihil hactenus fecit, nullum adhibuit conatum nullumque medium ad hoc propositum exsequendum ».

Instat Caius: « Credendum est poenitenti etiam de interna sua dispositione iudicanti, quia supponi non debet ipsum fraude confessarium decipere velle, quia fraus in propriam tantum perniciem cederet ».

Resp. Titius: « Neque fraus seu animus decipiendi in poenitente a me supponitur, sed potius poenitens bona quadam fide *seipsum decipit* seu *fallitur*, sumens pro vero dolore naturalem quamdam displicentiam et pro firmo proposito quamdam velleitatem; quod quidem facile contingere potest, ubi testimonium versatur non de quodam facto externo, sed de dispositione psychologica, in qua hallucinatio est obvia. Valet hic praecipue adagium: nemo iudex in propria causa. De hac ergo ultimo decernere pertinet ad solum confessarium qui iuxta Christi institutionem est solus iudex in tribunali Poenitentiae » (*Opus,* n. 281, 288 sq.).

---

[1] Vide haec duo ex Auctoribus demonstrata in *Opere,* n. 283 sqq.

54. — Concessa iterum hac obiectione, Caius ad auctoritatem refugit.

Obi. Caius 3°: « Saltem dicendum videtur, tuam thesim esse contra doctrinam communem antiquorum theologorum qui censent, confessarium, ut *iudicem,* semper seu toties quoties absolvere posse poenitentem qui sincere asserat se vere dolere et proponere. Concedunt tantum absolutionem differre aliquando esse utile consilium, quo confessarius, ut *medicus* est, interdum uti potest, tamquam remedium contra relapsum. Sed hoc remedio uti *suadent* solum, non *praecipiunt.* Tua ergo doctrina est nova et recens, ac proinde reiicienda videtur. Scio quidem, S. Alphonsum sententiam quam tu defendis dicere *communem,* sed nititur auctoribus parum exacte a se adductis. — Ingenue fateor, pergit Caius, hanc obiectionem non adeo meam esse — quia omnes illos auctores legere non potui, — sed eam legi in celebri aliquo auctore saeculi praeteriti. Hanc tamen proponere volui, ut audiam quid tu ad illam respondeas ».

Resp. Titius: « Salva reverentia, assertum illud ab historica veritate plane alienum est. — Ut incipiam a testimonio S. Alphonsi, notandum est, S. Doctorem (*Th. mor.,* VI, 459) suam sententiam vocare *communem,* quatenus opponitur *"primae* sententiae" a se adductae, quae, ut ait, « dicit (recidivum) absolvendum esse *toties quoties* confitetur ». Et hoc sensu verum est quod ait S. Alphonsus, scilicet eam fuisse communem, ut statim ostendam. Alia autem quaestio est, utrum tali recidivo, cum eodem habitu redeunti neque ullum speciale dispositionis signum praebenti, iam *prima* vice absolutio differri possit, an solum post *aliquot* (tres quatuorve) vices. Hanc quaestionem S. Doctor brevi post tractat (*l. c.,* § « Dicunt vero Sanchez etc. »); et in hac quaestione concedit se a multis dissentire; id quod etiam ostendit Gaudé in editione critica Theol. Moralis S. Alphonsi (ad h. l.). Thesis ergo nostra agit tantum de prima quaestione et dirigitur contra primam illam sententiam, uti supra (n. 48, 4°) exponendo statum quaestionis dixi (*Opus,* n. 254, 338).

« Ad singulos illos auctores quod attinet — ita continuat Titius — ego quoque hoc assertum legi in illo auctore. Sed huic fuse responsum est ab alio recenti auctore in Opere « De Occasionariis et Recidivis », in quo innumeri ex illis antiquis verbotenus adducuntur. Ex hisce luculenter constare mihi videtur, theologos antiquos *quasi communiter* favere meae thesi, et docere confessarium, qua *iudicem,* non posse semper seu toties quoties recidivos absolvere, quando serio asserant se dolere et proponere. Unde non modo suadent, sed saepe etiam *praecipiunt* huiusmodi recidivis, saltem post aliquot confessiones, absolutionem esse differendam, nisi — ut plurimi addunt — debita dispositio ex aliis etiam signis specialibus appareat (*l. c.,* thes. 14ª, n. 295-328). Velis igitur et ut, egregie Caie, hos textus perlegere, et non dubito, quin etiam tu persuasum habiturus sis, non S. Alphonsi doctrinam esse novam, sed eam esse, uti dicunt, vere « *traditionalem* », oppositam vero sententiam esse recentem ac novam, vel, si mavis, esse quidem aliquorum antiquorum laxistarum, sed communiter ab aliis repudiatam, eamque idcirco infeliciter iterum ab aliquibus decenniis esse instauratam » (*Opus*, n. 320 sq., n. 339, 2°).

Hisce dictis concludit Caius, aiens: « Tuae invitationi, data occasione, libenter morem geram. Interim tibi, optime Titie, gratias ago quod omnes meas difficultates diluisti; tua argumenta et responsa mihi plene satisfecerunt ».

IV. Confutatio rationum contra alteram partem.

55. — Assurgit tum Sempronius, alter opponens, qui ita exorditur:

« Ingratum mihi incumbit onus defendendi sententiam tua sententia aliquanto severiorem. Sed opinor, nostra quoque aetate valere illud monitum Benedicti XIV, in sua celebri Constitutione « Apostolica » (26 Iunii 1749, n. 22) dicentis: " Ut sacramenti Poenitentiae ministri illud Ven. (nunc Sancti) Cardinalis Bellarmini effatum prae oculis habeant: *Non esset tanta facilitas peccandi, si non esset tanta facilitas absolvendi*". — Quam ob rem liceat mihi aliquas movere difficultates contra alteram tuae thesis partem.

Obi. Sempronius 1°: « Optime quidem probasti, plane nefas esse recidivo in habitum peccandi, quoties modo ordinario se dolere et proponere testetur, toties absolutionem impertire; ast quae addidisti de signis specialibus et extraordinariis mihi haud ita placent. Hanc exceptionem ad summum admitterem, si poenitens post ultimam confessionem re vera serium conatum se emendandi adhibuit. Sed si nihil prorsus fecit et statim eodem modo ac antea in eumdem habitum est relapsus, signum est in praecedenti confessione propositum non fuisse satis firmum, vel saltem de huius firmitate valde dubitandum esse, sicut tu optime contra Caium ostendisti. Atqui ex praeterita confessione legitima habetur praesumptio de praesenti. Ergo in praesenti quoque confessione de firmo proposito graviter dubitandum est ».

Resp. Titius: « *Concedo* maiorem; sed *distinguo minorem*: ex praeterita confessione legitima fit praesumptio de praesenti, si nulla alia ratio accedat qua haec infirmetur vel elidatur, *concedo;* secus *nego.* Atqui praesumptio elidi potest non solum per signa specialia praeterita, sed etiam per praesentia. Sic v. g. quando quis confessum

venit ductus aliquo motivo speciali, puta occasione mortis amici,
auditae concionis, praesertim tempore missionis, pestilentiae saevientis;
item quando venit, non ex mera consuetudine huius illiusve festi,
sed omnino sponte, speciali Dei gratia inspiratus, ad solum finem
adipiscendi Dei gratiam; item si veniendo ad confessionem magnam
sibi vim inferre debuit, ut respectum humanum superaret; item si
quis in ipsa confessione suum dolorem manifestat per verba non
solum seria sed cordialia, ex intima animi persuasione profecta, ut
saepe fit post ferventem confessarii exhortationem. Huiusmodi signa
specialia, etsi solum praesentia, sufficiunt ut confessarius ad veram
conversionem seu mutationem voluntatis concludat, etiamsi seria emendatio nondum praecesserit; quia vera conversio per Dei gratiam etiam
in instanti fieri potest et saepe fit» (*Opus*, n. 344). Transmissa hac
obiectione,

56. — *Obi.* Sempronius 2°: «Nihilominus, inquit, dicendum
videtur, distinctionem inter ordinaria et extraordinaria signa dispositionis esse novam, antiquis fere ignotam, et praesertim per S. Alphonsum propagatam».

Resp. Titius: «Salva reverentia, *nego* tuum assertum. Ut ex
diligenti horum auctorum inquisitione liquet, certum est permultos
theologos antiquos, vitae sanctitate et doctrina praestantes, praeter
ordinarium poenitentis testimonium, huiusmodi specialia et extraordinaria verae contritionis signa ac indicia postulasse, ut confessarius,
qua iudex, rectum iudicium de recidivi dispositione ferre eique
absolutionem impertire possit. Expressam de his signis extraordinariis seu specialibus mentionem faciunt hi auctores, S. Alphonso
anteriores, nempe: S. Leonardus a P. M., Segneri, Rodriguez, Azor,
Henriquez, Sayrus, Fornarius, Lessius, Laymann, Trullench, Lugo,
Francolini, Reiffenstuel, Sporer, Lacroix, Benedictus XIII, Mazzotta,
Holzmann, Voit, Reuter. Horum omnium auctorum verba legere
poteris in *Opere* supra iam laudato (n. 320, 4°; n. 297-319).

«Fuit igitur S. Alphonsi meritum — ita concludit Titius, — quod haec
signa ex variis auctoribus collegit, ea accuravit, iustisque limitibus circum-
scripsit iuxta eorum valorem psychologicum (ib. n. 359-371). Unde ipse S. Alphonsus concludit: «Haec signa dispositionis recidivorum auctores praefati
non casu tradiderunt, sed experientia docti. Unde puto, nequaquam errare
eum qui se dirigit cum sententiis communiter receptis ab huiusmodi doctoribus non humilis notae... Non debet credi, hos tam graves doctores a Deo

lumine suo fuisse destitutos in re quae directionem respicit conscientiarum »
(VI, 460). Ceterum, pergit Titius, etiam in vita quotidiana et civili, quando
diligens de aliqua re fit inquisitio, omnia adiuncta et indicia tum ordinaria
tum specialia et particularia serio et minutatim indagantur; ita e. g. iudex
facere solet antequam sententiam ferat, item medicus qui diagnosim instituit.
Idem ergo confessarius faciat oportet qui etiam iudicis et medici officio fungitur,
idque in re tanto graviore quanto aeterna animae salus praestat rebus temporalibus et sanitati corporis. Est ergo haec doctrina signorum extraordinariorum
non doctrina nova, sed paulatim magis explicata et applicata; est hic verus
in theologia pastorali progressus, quem negligere probo confessario nefas est ».

His dictis Sempronius quoque Titio gratias agit, quod suas difficultates victrici modo dissolverit.

V. Disputationis conclusio.

57. — Finito omnium praesentium applausu, surgit Professor
theologiae moralis, gratulans tum defendenti tum opponentibus, quod
egregie sui quisque muneris partes obiverit. Tum et ipse hisce fere
verbis concludit: « Quum sententia quam defendens propugnandam
assumpsit sit tota quanta doctrina S. Alphonsi, haec disputatio iterum
ostendit, quam merito Pius IX in decreto, quo hunc sanctum theologum moralistam ad dignitatem Doctoris Ecclesiae evexit, ipsum
laudet quod "inter implexas theologorum sive *laxiores* sive *rigidiores*
sententias *tutam* straverit viam, per quam Christifidelium animarum
moderatores inoffenso pede incedere possunt" (23 Martii 1871). Hanc
ergo doctrinam nos etiam in schola sequi pergemus, ut in recta animarum gubernatione, quae est "ars artium", tuto et inoffenso semper
pede incedamus ». — Atque ita, repetito iterum totius aulae applausu,
haec publica disputatio finem cepit.

Casus 4.

De signis extraordinariis seu specialibus.

58. — 1° Marcus inde ab aliquibus annis habitum contraxit pollutionis, ita ut pluries per hebdomadam huic vitio cedat. Aliquoties per annum confitetur apud Caium, qui ipsum tunc interrogare solet, quando ultima vice peccaverit, et num statim post ultimam confessionem sit relapsus. Cui Marcus semper sincere respondet, se iam per unam alteramve hebdomadam a peccando abstinuisse, et per idem fere tempus etiam post ultimam confessionem. Hinc Caius concludit, adesse hic signum extraordinarium dispositionis, eique idcirco semper absolutionem concedit.

2° Hippolytus, matrimonio iunctus, ut bonus christianus praeceptum paschale implere volens, apud eumdem Caium confitetur. Poenitens autem iam ab aliquibus annis habituatus est in peccato onanismi coniugalis, et etiam ultimo anno eodem fere modo in hoc vitium est relapsus. Confessarius vivida et paterna exhortatione ipsum ad contritionem excitat et tandem rogat, num de peccato vere doleat illudque iam non se commissurum firme proponat. Cui Hippolytus modo ordinario respondet: utique. Caius ob hoc responsum satis frigidum post tot relapsus serio adhuc de eius proposito dubitat; sed recogitans iuxta multos auctores confessionem spontaneam esse extraordinarium signum dispositionis, Hippolytum quoque absolvit.

Quaeritur I. Quid est signum ordinarium dispositionis, quid signum extraordinarium seu speciale?
II. Quae sunt praecipua haec signa extraordinaria?
III. Rectene Caius Marco et Hippolyto absolutionem concessit?

I. Quid significet signum extraordinarium.

59. — Signa *ordinaria* seu communia dispositionis sunt ipsa confessio et poenitentis simplex affirmatio — utique non simulata aut mendax sed seria —, se dolere et proponere. Signa *extraordinaria* contra sunt omnia alia sive praeterita sive praesentia, praeter illa ordinaria, ex quibus confessarius merito concludere potest, poenitentem nunc verum habere dolorem firmumque propositum. Ab antiquis vocantur etiam «specialia», «peculiaria», «clariora», «certiora», «non ordinaria», «non communia» etc. — Itaque signum extraordinarium non significat dolorem extraordinarium, verus enim dolor in qualibet confessione sufficit. Neque etiam indicat, huiusmodi signa raro tantum adesse: valde enim crebro inveniuntur, praesertim post diligentem confessarii investigationem aut ferventem exhortationem. Haec signa praesertim postulantur in recidivis formalibus; quia pro his signa ordinaria non sunt certo, sed dubie tantum vera. (Cfr. supra n. 50, et *Opus*, n. 255 sq.).

II. Praecipua signa extraordinaria.

60. — Ut supra (n. 56) diximus, plurima huiusmodi signa a multis antiquis, praesertim etiam a Segneri et S. Leonardo a P. M., recensentur, quae S. Alphonsus sedulo collegit et accuravit (VI, 460). Vide haec singula fusius explicata in *Opere* (n. 361 sqq.). Commode Aertnys ea ad duo capita revocat, prout aut ad praeteritum aut ad praesens referuntur, eaque ita in compendium redigit:

«I. *Aliquod emendationis studium*, puta 1° *Adhibitio remediorum*, v. g. si poenitens occasionem vitavit, remedia a confessario praescripta exsecutioni mandavit, preces, eleemosynas, etc. adhibuit ad vitium exstirpandum. 2° *Rarior, difficilior, aut tardior relapsus*, quando nempe poenitens numerum peccatorum minuit, idque in iisdem tentationibus, vel saepius sibi vim fecit ad resistendum tentationibus, praesertim ante primum a confessione facta relapsum. 3° *Perseverantia per aliquod tempus*, v. g. absolute loquendo, per tres fere hebdomades; vel relative ad tentationes, per unam alteramve hebdomadem, cum antea solebat pluries in hebdomade prolabi. Ea continentia contingere potest post confessionem, quod melius signum est, vel etiam antequam ad confessionem accedit, ut se ad eam disponat.

« II. *Aliqua specialis manifestatio doloris*, v. g. 1° *Lacrimae et suspiria*, saltem plerumque, sed praesertim *verba ex corde manantia*. 2° *Spontanea confessio*, facta, non ex usu, sed vere ex impulsu gratiae, ad divinam amicitiam recuperandam, maxime si ad accedendum notabile incommodum sustinuit, puta longum iter, iacturam lucri diei, conflictum ad repugnantiam vel respectum humanum superandum. 3° *Pavor incussus* eventu aliquo extraordinario, puta forti concione, morte amici, grassanti flagello, evasione e magno mortis periculo. 4° *Reparatio celationis peccatorum*, i. e. confessio peccatorum antea sacrilege celatorum. 5° *Bonum lumen*, cum poenitens significat se novam cognitionem turpitudinis peccati aut periculi damnationis concepisse. 6° *Postulatio mediorum emendationis* ultro facta, et similia » (*Th. Mor.*, II, n. 484, q. 1).

III. CASUUM SOLUTIO.

61. — 1° Caius partim quidem recte egit. Ast in primo casu ulterius etiam inquirere debuerat, num forte Marcus aliquo tempore ante et post confessionem idcirco praecipue a peccando cessaverit ut ita ingratam confessarii vituperationem declinaret et facilius absolutionem aucuparet; quo casu hic minor peccatorum numerus non erat verum indicium sufficientis dispositionis et mutatae voluntatis.

Hac de re ita egregie Lehmkuhl: « Cavere debet confessarius a quodam errore et deceptione. Sunt enim consuetudinarii, qui certis intervallis conscientiam deponere volunt atque hac ipsa intentione per octo vel quindecim dies ante statutum diem confessionis a peccatis studeant abstinere, quo possint signum bonae voluntatis afferre; paucis autem diebus vel una alterave hebdomada a confessione elapsis semper eodem modo ad pristina peccata redeunt. Periculum est, ne hoc agendi modo et poenitens ipse se decipiat et fallat confessarium; nam constans eiusmodi agendi modus longe abest a seria emendatione voluntatis. Quapropter qui ita agere deprehenditur, omnino exstimulandus est et, nisi nunc meliora dispositionis signa ostendat, differendus » (*Neo-Conf.* n. 188, *k*).

Confessarius igitur, ut hunc errorem detegat, apprime sciscitari debet, utrum hic perpetuus relapsus ex eo forte contigerit quod poenitens in suis confessionibus non habuerit firmum propositum *omnino* et *absolute* non amplius peccandi, an potius per aliquot dumtaxat tempus, quasi nihil curans de futuro. Huius dispositionis erit gravis suspicio, si Marcus per plures annos constanter eodem modo confessus et relapsus est: qui enim in quavis confessione firme proponit numquam amplius peccare et idcirco semper apta adhibere remedia, hic, etiamsi saepius adhuc ex fragilitate recidat, paulatim tamen eo perveniet, ut reliquo quoque tempore multo minus peccet et sic habitum dimittat aut saltem oppido deminuat. Quodsi Caius hactenus haec remedia parum aut nihil indicavit, ipsius quoque negligentiae perpetuus ille Marci relapsus aliquomodo tribuendus est. Quam ob rem, in praesenti saltem confessione sedulam det operam, ut fervida exhortatione hunc miserum recidivum imbuat vera persuasione malitiae cuiusvis peccati mortalis, eique inculcet firmissimum propositum per usum praesertim remediorum quacumque ratione exstirpandi hunc habitum. Ipsi animum addat, ita ut poenitens certam concipiat fiduciam, se cum Dei gratia et horum remediorum usu saltem sensim et pedetentim eo perventurum esse: quod enim per aliquot hebdomadas potuit, poterit etiam semper. — Quaenam sint haec specialia remedia contra vitium pollutionis, vide infra (n. 104 sqq.). Si tunc confessarius ipsum melius quam antea dispositum comperit, fidenter ei absolutionem concedat, exhortans ut quantocius ad eum redeat, praesertim si interea infeliciter relapsus sit. Sunt enim huiusmodi pollutionarii benignitate et sacramentorum usu potius quam severitate iuvandi.

62. — 2° Non ita recte casum Hippolyti solvit Caius, utpote falsus circa naturam signi specialis *spontaneae* confessionis. Per hanc enim non intelligitur — uti quidam recentes inconsiderate dicunt — illa confessio, quam quis voluntarie quidem, sed ex usu vel sola consuetudine statis temporibus, ut tempore paschali vel certis solemnitatibus anni, peragit — quae esset tantum signum ordinarium, sed talis confessio, qua poenitens, ut loquitur S. Alphonsus, « accedit *omnino sponte et vere a lumine divino inspiratus, ad solum finem adipiscendi Dei gratiam* » (VI, 460).

Praeclare quoque de hoc speciali signo ita S. Leonardus a P. M.: « Si quis internam sentit inspirationem ad quaerendum bonum confessarium et sponte ad eius pedes accedit, non iam quia est tempus paschale, vel eius pater aut mater aut magister aliusve hoc ipsi imponunt, aut etiam quia consuetudinem habet confitendi vigiliis festorum B. M. V. vel quavis septimana; sed *dumtaxat quia se motum sentit vivo desiderio mutandi vitam seque Deo reconciliandi* ». Utique qui tali speciali Dei gratiae inspirationi obsecundat, vere contritum se ostendit (cfr. *Opus,* n. 365).

Atvero, hoc in Hippolyto nostro haudquaquam apparet. Videtur potius esse ex illis christianis qui, mera consuetudine aliisve motivis naturalibus ducti, externe quidem sua officia satis implere volunt, de vita autem vere christiana agenda, de moribus reformandis deque passionibus iuxta Dei legem refrenandis parum curant, qui ergo Deo simul et carni eiusque concupiscentiis servire intendunt. Nam quod hactenus, licet quotannis tempore paschali confessus, per multos annos nihil se emendavit, evidens est signum eius propositum non fuisse firmum sed valde dubium atque infirmum, etiamsi ipse forte habuerit quamdam se emendandi velleitatem quam sufficientem crediderit, quemadmodum haud raro accidit apud illos christianos mundanos, leves, in rebusque religionis indoctos. Huiusmodi igitur spontanea, seu potius voluntaria confessio nihil probat pro vera eius dispositione. Unde nisi Hippolytus nunc aliis signis certioribus se prorsus mutatum esse ostendit, absolutio ei bonis verbis differenda est. Haec dilatio ipsi documento erit, sacramentum Poenitentiae non esse meram caeremoniam externam, sed rem admodum seriam, quae veram voluntatis conversionem postulat. Et si Hippolytus verus christianus non solum videri, sed etiam esse vult, spes est ut immutatus brevi ad confessionem redeat. Contra, si iterum absolvitur, admodum probabile est ipsum eamdem vitam, nefandis criminibus immersam, per longos adhuc annos esse continuaturum, cum gravissimo obdurationis et aeternae salutis periculo. — Num ipsi, si nunc dubie saltem est dispositus, per modum exceptionis, absolutio conditionata impertiri possit, vide infra n. 153.

Casus 5.

Quoties recidivus formalis absolvi possit.

63. — « Numquam intellexi, inquit Philippus sacerdos, quare S. Alphonsus docuerit, recidivum semel tantum admonitum et absolutum, si eodem modo sit relapsus et in praesenti confessione ordinaria doloris signa ostendat, iam ut dubie dispositum esse habendum, ac proinde statim absolvi non posse. Haec doctrina mihi nimis rigida videtur. Unde etiam complures graves theologi antiqui dicunt, huiusmodi recidivum aliquoties saltem, puta ter quaterve, absolvi posse; atque idcirco recidivus, sensu theologico, a quibusdam recentibus auctoribus definitur: ille qui post plures confessiones semper in eadem peccata est relapsus ».

Titius vero confessarius, ad amussim sequi volens doctrinam S. Alphonsi, omnibus illis qui iam semel promissa fefellerunt et eodem modo sunt relapsi, absolutionem differt, usquedum meliora dispositionis signa dederint. — Sic agit cum *Evaristo* qui inde ab anno habitum contraxit in negotio cui inservit faciendi parva furta, quae ad magnam summam coaluerunt, et qui ante sex menses in prima confessione firme promiserat se id non amplius facturum, sed statim post in eumdem habitum recidit. Item cum aliis recidivis, qui iam semel serio admoniti sunt et absoluti, sed sine ulla emendatione sunt relapsi; v. g. cum *Lucina* quae in usu matrimonii novum partum ex industria impedit; item cum *Guidone* puero quindecim annorum qui habitum pollutionis vix contractum confitetur et inde a confessione, in qua serio monitus fuerat, nihil curae ad se emendandum adhibuit; item cum *Lamberto* quoad habitum blasphemandi etc.

Quaeritur I. Quoties recidivus formalis absolvi possit.
II. Quid dicendum de rationibus Philippi et de praxi Titii?

I. Theoria et praxis sententiae S. Alphonsi.

64. — Si agitur de vero habitu peccandi, qui scilicet pravae voluntati adeo permanenter inhaeret, ut quis quasi naturaliter, frequenter et facile, sine ulla fere resistentia, statim, levi etiam tentationi cedat, nobis multisque aliis logice et psychologice vera quidem videtur sententia S. Alphonsi, huiusmodi habituatum, nisi in altera confessione specialia afferat dispositionis signa, *per se*, utpote dubie dispositum, statim absolvi non posse. Talis enim habituatus recidivus, iam semel serio admonitus, si firmiter proponit, facile et suapte quasi natura serium aliquem conatum ad se emendandum adhibet; quod si non facit, gravem saltem praebet suspicionem de levitate et infirmitate sui propositi in confessione praecedenti, adeoque etiam in praesenti, nisi nunc specialibus indiciis firmius quam antea propositum ostendat (supra n. 50 et *Opus*, n. 333 sqq.).

Atvero in *praxi* hic casus post unam dumtaxat admonitionem haud ita facile occurret, apud illos saltem qui pluries per annum ad sacramenta accedunt, sive quia nondum satis constabit poenitentem ex vero habitu et non ex mera passione peccasse, sive quia primis vicibus saepe facili negotio signum quoddam speciale a diligenti confessario reperiri aut excitari potest. (*Opus*, n. 333, 339).

II. Respondetur obiectioni.

65. — Ad rationes Philippi sic respondetur. *a*) Quod attinet ad complures illos theologos antiquos, hi plerumque non ita clare et distincte ac S. Alphonsus loquuntur de recidivo *formali* et sensu *stricto*, scilicet de recidivo in habitum, qui iam monitus est, neque ullum speciale maioris propositi indicium exhibent. Generatim recidivum sumunt sensu *latiore*, et casum considerant prout *in praxi* primis saltem vicibus persaepe contingit, quando nondum sunt recidivi formales, sed solum materiales, quibus etiam S. Doctor saepius dare absolutionem permittit (*Opus*, n. 338). Negare tamen noluerim eorum aliquot aequo benignius locutos fuisse. — *b*) Illa definitio recidivi, a paucis tantum recentioribus tradita, plane arbitraria est, a proprio verbi sensu aliena, neque ullatenus in rem nostram quadrat,

ut fusius ostendimus in *Opere* (n. 221 sqq.). Cum S. Alphonso et cum sensu communi dicendum est: «*Habituatus*, qui post *unam* confessionem recidit sine emendatione, iam est *verus recidivus*» (*Prax.* n. 71).

III. Casuum solutio.

66. — Titius, ut ex dictis constat, nimis stricte et universe sententiam S. Doctoris explicavit et applicavit. Practice enim primis vicibus saepe nondum certo constat, utrum relapsus fuerit ex habitu presse sumpto an potius ex passione; unde sedulus confessarius in tali poenitente facilius reperiet aliquod speciale veri propositi indicium, sive iam antea datum sive post debitam exhortationem monstratum, ita ut pluries absolvi possit. Quod quidem maxime obtinet in casu *Guidonis* pollutionarii et *Lamberti* blasphemi. Si in casu *Evaristi* re ipsa omnes conditiones, a S. Alphonso pro vero recidivo positae, adsunt, de firmo eius proposito certe dubitandum erit, ac proinde absolutio ad breve tempus differenda, ne sacramentum gravi frustrationis periculo exponatur et poenitens profundius adhuc peccatis immergatur. Severius hic iam post primam confessionem etiam idcirco agendum est, quia poenitens in occasione proxima versatur. Atque idem dicendum est de *Lucina*, quae est recidiva in habitum maxime periculosum onanismi matrimonialis. In vitiis adeo gravibus valet praesertim regula: *Principiis obsta*. — De absolutione, in casu exceptionis dubie disposito sub conditione conferenda, vide supra n. 31 sqq.

SECTIO ALTERA

DE VITIIS IN PARTICULARI

ARTICULUS I.

De incredulitate aliisque peccatis contra fidem.

67. — Peccata contra fidem in se spectata gravissima sunt, utpote directe contra Deum, cuius revelantis auctoritas vel veracitas aliave attributa contemnuntur, imo cuius ipsa etiam existentia saepe negatur. Sunt etiam homini periculosissima, quia per ea reiicitur ipsum principium et fundamentum totius ordinis sopranaturalis atque oeconomiae salutis. Nam, ut ait Tridentinum, « fides est humanae salutis initium, fundamentum et radix omnis iustificationis » (Sess. VI, cap. 8). Ex qua reiectione, per actum deliberatum intellectus, plerumque consequitur inversio ordinis moralis per innumera alia peccata. Praeterea ea sunt peccata contra Spiritum Sanctum, utpote proxime orta ex superbia mentis, testimonium Dei revelantis pertinaciter recusantis, ac propterea difficulter remissibilia (*Matth.* xii, 31 sqq.). Hinc fides perdita raro recuperatur. Sunt denique haec peccata nostra aetate etiam inter catholice baptizatos frequentissima, idque in omni hominum conditione, tum apud ditiores et litteratos, qui adhaerent liberalismo, rationalismo, scepticismo, pantheismo, positivismo aliisve erroribus, tum apud plebeios et operarios, qui plerumque placita materialismi et atheismi sectantur. Neque enim hodie, sicut antiquitus, a plerisque reiiciuntur particularia quaedam religionis revelatae dogmata, sed totus complexus veritatum ordinis supernaturalis a Deo revelatarum, ita ut homo declaretur autonomus, sibi solus normam quidlibet credendi et agendi statuens; quod est apostasiae peccatum.

Quia vero sola Ecclesia Catholica, ex divini sui Conditoris praecepto

(*Matth.* xxviii, 19 sqq.; *Marc.* xvi, 15), veritates sibi revelatas ubique et coram omnibus praedicare et promulgare, erroresque contrarios audacter condemnare pergit, idcirco illorum omnium, imprimis vero societatum secretarum, atrox exsurgit bellum adversus hanc sacrosanctam Dei institutionem, eiusque capita et ministros. Hoc praesertim intendunt et prosequuntur ut, per leges iniquas, per iuventutis educationem, per libros et diaria, per ludos et oblectamenta mundana, suos errores inter Christifideles ubique spargant horumque mores corrumpant.

Quapropter Ecclesiae ministri, animarum pastores et confessarii omnem operam impendant oportet, ut pro suis quisque viribus fidem et religionem catholicam, quippe unice veram solamque aeternae salutis portam, tueantur, defendant, fidelesque sibi commissos in ea custodiant ab eaque devios reducant.

In hoc igitur articulo post propositos aliquot casus practicos variis de hac materia quaestionibus respondebimus.

Casus propositi

68. — 1° *Graviter tentatus contra fidem.* — Conradus, in Universitate gubernii civilis studiosus, Caio sacerdoti confitetur, se saepe tentationes et dubitationes habuisse circa fidem catholicam. Confessario interroganti num hisce voluntarie consenserit, respondet se id nescire et hac de re ancipitem haerere: aliquando quidem eas reiecisse sibi videtur, sed interdum etiam eis deliberate inhaesisse et forte positivum consensum praebuisse. Unde Caius, nihil aliud inquirens, statim concludit, haec peccata esse dubia, et post quaedam bona verba Conradum exhortans ut in tentationibus oret, ipsi absolutionem impertit. — Rectene egit confessarius? (Cf. resp. n. 79).

2° *Vir potens liberalismi fautor.* — Raymundus, in sua civitate auctoritate et divitiis pollens, communiter dicitur « liberalis », et variis modis liberalismi erroribus patrocinatur. Praeceptum tamen paschale, sicut alii plerique in illa regione, implere solet, et idcirco accedit ad Titium confessionem instituturus. Hic quum publica fama poenitentem iam cognoscat, haud parum turbatur, anxius haerens, quid in hoc casu faciendum sibi sit. Raymundus igitur accusat aliqua peccata, sed de liberalismo aliisque peccatis contra fidem nihil loquitur. Quapropter Titius recogitans, liberalismum esse solum errorem in Syllabo proscriptum, non autem haeresim damnatam, censens praeterea poenitentem ob suam educationem aliaque adiuncta probabiliter versari in ignorantia invincibili vel saltem non graviter culpabili, eum ulterius non interrogat nec monet; sed post exhortationem ad omnia peccata dolenda et acceptum poenitentis testimonium de vero suo dolore, ipsi absolutionem sub conditione concedit. Ita autem agit, quia timet ne secus gravius malum succedat, videlicet ne poenitens sacramenta prorsus relinquat et, sua abutens auctoritate et influxu, maius adhuc damnum causae catholicae inferat. — Quid de hac agendi ratione dicendum? (Cf. resp. n. 80-83).

3° *Incredulus animo multum cruciatus.* — Thomas, honestae conditionis vir et catholice educatus, per multos iam annos a praxi religionis prorsus alienus vivit. Plurima enim peccata contra castitatem commisit; libros legit tum turpes tum impios contra fidem; amicos habet similis farinae, voluptuosos et incredulos, cum quibus crebro contra fidem et Ecclesiae ministros loquitur. Saepissime etiam dubitationes contra veritatem religionis catholicae voluntarie nutrit, ita ut quasi habitualiter in statu agnosticismi atque indifferentiae erga omnem religionem vivat. Attamen in hac vivendi ratione animi tranquillitatem non invenit, et haud raro gravis melancholiae motibus torquetur, ipsiusque etiam vitae eum taedet. Tandem, secreto quodam instinctu impulsus, capit consilium adeundi clam aliquem sacerdotem, in illa civitate propter bonitatem valde aestimatum, non adeo ut confessionem apud eum instituat, sed potius ut animum dubiis et angustiis agitatum ipsi pandat et sic forsitan aliquod levamentum inveniat. — Quaeritur, quomodo cum huiusmodi hominibus agendum sit. (Cf. resp. n. 84).

4° *Operarius socialista et incredulus.* — In eadem civitate permulti sunt operarii, socialismi erroribus infecti. Ex hisce est quidam Lucas qui, a sua uxore monitus, praeceptum paschale adhuc implere vult; sed, ne ab aliis sociis observetur, secreto et clanculum in aliena ecclesia ad Caium confessarium accedit. Praeter alia peccata, accusat se saepius legisse diaria socialistica, quotidie fere audivisse laboris socios loquentes contra primaria fidei dogmata, Dei existentiam, alteram vitam, poenas inferni etc.; item contra sacerdotes, Papam ceterosque Dei ministros. Hinc frequentes ipsi ortae sunt dubitationes contra fidem, quibus, cum obiectionibus respondere non possit, aliquando quoque assensum praebuisse sibi videtur. Imo haud raro ipse etiam ex respectu humano cum aliis locutus est contra Ecclesiam eiusque ministros, utpote operariorum adversarios, divitum amicos et protectores. Interdum etiam se non credere ex animi levitate aliis manifestavit. — Quomodo confessarius huiusmodi tractare debet? (Cf. resp. n. 85 sq.).

5° *Incredulus, qui publicum scandalum dedit, in mortis periculo.* — Sempronius, sacerdos adhuc iunior, vocatur ad Carolum, redactorem ephemeridis valde liberalis, nunc graviter decumbentem et probabiliter moriturum. Scit autem sacerdos, Carolum fuisse catholice educatum, sed a multis iam annis praeceptum paschale aliasque leges Ecclesiae neglexisse, multaque contra religionem catholicam scripsisse, imo, quum sit in collegio quoque legum ferendarum populi deputatus, suffragium etiam pro legibus impiis tulisse. Quapropter Sempronius, ne in re adeo gravi erret, antea consilium petit a quodam confratre, ob suam doctrinam et praxim valde aestimato. — Quid consilii hic Sempronio dare debet? (Cf. resp. n. 87 sq.).

Quaeritur. I. Quibus praesertim modis a catholicis peccatur contra fidem?
II. Qui sunt praecipui incredulitatis fontes?
III. Quae maxime remedia ab animarum pastoribus adhibenda sunt ad catholicos in fide conservandos vel devios ad eam reducendos?
IV. Quae debet esse confessarii agendi ratio cum tentatis vel peccantibus contra fidem?
V. Quid in casibus propositis faciendum?

I. Praecipua catholicorum peccata contra fidem.

69. — A catholicis variis modis, sive directis sive indirectis, contra fidem peccari potest. Videlicet:

1° Per *haeresim*, quae est error voluntarius et pertinax christiani circa unam pluresve veritates, quae tamquam divinitus revelatae ab Ecclesia credendae sunt propositae. Totalis recessus a fide christiana dicitur *apostasia* (can. 1325, § 2). Haeresis (apostasia) est *formalis*, si est cum pertinacia, id est si quis sciens volens talem veritatem admittere renuit; secus *materialis* est, quia oritur ex ignorantia. Est *interna*, si sola mente est concepta, *externa*, si verbis vel signis manifestata. Externa est aut *occulta*, si coram paucis tantum est prolata ita ut facile celari possit, aut *publica*, si coram pluribus est manifestata. — Hinc qui externe tantum negat huiusmodi veritatem, puta ex respectu humano, graviter quidem peccat contra fidem, sed non est proprie haereticus, quia non errat.

2° Qui positive et pertinaciter *dubitat* de aliquo fidei dogmate, graviter peccat et haereticus est formalis, quia incertum esse iudicat id quod est divinitus revelatum (can. cit.). Unde antiquum axioma: « Dubius in fide, infidelis est ». Idem dicendum de eo qui omnem religionem aequalem habet (indifferentismus dogmaticus), quia de omnibus dubitat. Secus, si quis, habitualiter credens, hic et nunc negative dubitat, id est assensum suspendit et mentis attentionem alio divertit; quia praeceptum fidei est positivum, non pro semper obligans.

3° Qui errat ex *ignorantia* graviter culpabili, i. e. orta ex gravi negligentia in inquirenda veritate, graviter quidem peccat contra fidem, quia error est voluntarius in causa; non tamen haereticus formalis est, quia deest pertinacia, nisi haec ex positivo contemptu auctoritatis Ecclesiae doctrinam revelatam proponentis proveniat. Qui ex levi negligentia errat, venialiter tantum peccat.

4° Graviter etiam peccat contra fidem, licet haereticus per se nondum sit, qui sine causa proportionata se exponit gravibus seu probabilibus fidei *periculis*, v. g. per lectionem librorum pravorum, per frequentationem scholarum impiarum, per nimiam consuetudinem cum haereticis vel incredulis, per matrimonium mixtum etc. (Cfr. *Opus*, n. 47).

5° Ratione *cooperationis* vel etiam *scandali* peccant contra fidem qui tuentur, commendant, sustentant opera, quae proximam praebent occasionem amittendi fidem, v. g. diaria prava, scholas atheas, societates vel associationes anticatholicas vel sic dictas neutrales etc. Peccatum erit grave vel leve iuxta mensuram cooperationis (formalis aut materialis, proximae vel remotae) et necessitatis quae ad materialiter cooperandum forte adstringit. Ita imprimis peccare possunt parentes, superiores, magistratus aliique.

6° Graviter peccat contra fidem qui admittit *propositiones* a Romano Pontifice infallibili suo magisterio etiam ordinario *condemnatas*, v. g. in Syllabo Pii IX et Pii X, licet harum complures non ut haereticae sed aliqua nota inferiore sint proscriptae.

Ex dictis patet, nostra aetate innumeros esse incredulos graviterque peccantes contra fidem, tum inter doctos et eruditos, tum inter indoctos et proletarios, licet externe adhuc catholicam fidem profiteantur et eorum complures etiam ad sacramenta accedant. Quare nostris quoque diebus applicare licet haec S. Hilarii verba: « Multi sunt qui simulantes fidem non subditi sunt fidei, sibique fidem ipsi potius constituunt quam accipiunt, sensu humanae inanitatis inflati, dum quae volunt sapiunt, et nolunt sapere quae vera sunt » (*De Trinit.*, lib. 8, n. 1; *PL* t. II, col. 237).

II. PRAECIPUI INCREDULITATIS FONTES.

70. — Inter catholicos incredulitatis fontes praecipui hi sunt:

1° *Ignorantia* circa divinam Ecclesiae institutionem et circa veritates ab ipsa tamquam credendas propositas. — Plurimi hodie catholici, non solum inter illitteratos, sed etiam inter eos qui in aliis materiis rite sunt versati, in materia religionis valde rudes sunt, ita ut eius fundamenta vel etiam prima elementa non cognoscant, sensumque principalium veritatum saepe minus quam pueruli novem vel decem annorum intelligant. Hinc obiectionibus inanibusque rationibus, quas passim audiunt vel legunt, concutiuntur, hasque veritates aut expresse reiiciunt, aut positive de iis dubitant. Huius ignorantiae causae variae saepe sunt: *a*) prima educatio in familia irreligiosa atque indifferenti; *b*) scholae inferiores sic dictae neutrales vel etiam atheae; *c*) in scholis superioribus doctrina saepe falsa et impia vel etiam haeretica; *d*) lectio diariorum aut librorum contra fidem, vel intima consuetudo et conversatio cum acatholicis de rebus fidei; *e*) negligentia ulterioris inquisitionis. Rebus terrestribus unice inhiantes, de altera vita nihil curant, deque rebus caelestibus et supranaturalibus magis edoceri nolunt. Est illa « concupiscentia oculorum », de qua S. Ioannes (I *Ioan.*, II, 16), quae non videt nisi divitias et bona terrena, eaque sola adipisci et augere nititur. Quum haec ulterioris inquisitionis negligentia in re tanti momenti persaepe sit gravis et voluntaria, ipsa quoque ignorantia graviter culpabilis est.

2° Accedit ordinarie cordis depravatio seu *morum perversitas*, quam S. Ioannes dicit « concupiscentiam carnis » (l. c.). — Permulti enim, etiam inter catholicos, pravis passionibus dediti sunt, planeque immersi, praesertim concupiscentiis carnalibus (pollutioni, fornicationi, onanismo coniugali, adulterio) aliisque huius saeculi voluptatibus sensibilibus et oblectamentis. Haud raro quidem intimo animo sentiunt, quam turpis sit huiusmodi vivendi ratio; sed hanc conscientiae vocem et remorsum suffocare satagunt, quaerentes libenterque audientes obiectiones, et nutrientes dubia circa veritates supernaturales fidei, maxime circa peccatorum poenas in altera vita, quam non existere mallent ut magis effrenate hisce turpibus voluptatibus gaudeant. Contra, rationes pro religionis catholicae veritate considerare refugiunt; et etiamsi haec veritas clare ipsis proponitur, mentis assensum eidem praebere detrectant, ne aut pravam vitam mutare aut poenas aeternas subire cogantur. Atque ita haec morum depravatio in ipsis odium veritatis parere solet. Hanc psychologicam incredulitatis rationem Christus diserte explicavit et applicavit Pharisaeis, qui Ipsi, divinam suam missionem probanti, credere nolebant: « Lux venit in mundum, et dilexerunt homines magis tenebras quam lucem: erant enim eorum mala opera. Omnis enim qui male agit, odit lucem, et non venit ad lucem, ut non arguantur opera eius » (*Ioan.* III, 19 sq.).

3° Tertius denique fons est « *superbia vitae* », ut ait S. Ioannes (l. c.). — Multi enim catholice nati, cum indocti tum imprimis docti, propriam rationem habent autonomam et ut supremam normam sibi constituunt. Suis opinionibus de naturalibus scientiis inflati, quidquid humanum intellectum superat admittere praefracte renuunt, praesertim Ecclesiae auctoritatem. Assensum quem alii humili animo veritatibus supernaturalibus praestant, ipsi considerant ut mentis imbecillitatem vel ut meri sensus cordisque affectum. Unde fidem et religionem soli populo inculto, mulieribus, puerulis hisque similibus bonam vel utilem esse iactitant. Ipsi vero solos

sibi aequales, qui nimirum eodem modo rationalistico et, ut aiunt,
independenti ab omni praestituto dogmate scientiam inquirunt, co-
lunt et aestimant, hancque gloriam ab invicem expetunt. Atque ita
pro sua superbia iam a priori et systematice fontem sibi occludunt
sublimium illarum veritatum quae a Deo nobis per Ecclesiam revelatae sunt. Hanc incredulitatis causam indicat quoque Christus,
arguens Pharisaeos: « Quomodo vos potestis credere, qui gloriam
ab invicem accipitis, et gloriam, quae a solo Deo est, non quaeri-
tis? » (*Ioan.* v, 44). Et S. Ioannes, rationem allegans ob quam multi
contra propriam conscientiam fidem non confiteantur, dicit: « Dilexerunt enim gloriam hominum magis quam gloriam Dei » (xii, 43).

III. REMEDIA AB ANIMARUM PASTORIBUS
CONTRA INCREDULITATEM ADHIBENDA.

71. — Quum igitur fides sit aeternae salutis initium et fundamentum,
gravissima pastoribus animarum incumbit obligatio tum iustitiae tum caritatis
oves sibi commissas pro viribus in fide et religione catholica conservandi. Hoc
eorum officium proprium et primarium est, a Deo ipsis specialiter impositum,
quod idcirco, prae omnibus aliis bonis operibus, summopere curare debent,
imo etiam praeferre ipsi operi praestantissimo et numquam satis commendando propagationis fidei inter infideles. Secus enim facile fieri potest, ut pro
aliquibus animabus infidelium quae Ecclesiae aggregantur, multo plures oves
propriae ab ea desciscant et a supremo Iudice severius quam infideles in aeternum puniantur. Hoc experientia constat praesertim in multis regionibus catholicis cum Europae, tum Americae Latinae, ubi per nefastam haereticorum
et apostatarum actionem ingens fidelium multitudo plane increduli facti sunt
et in haeresim aut apostasiam delapsi[1]. Ceterum, cura pro conservatione fidei
inter proprias oves nequaquam impedit sollicitudinem pro propaganda fide
inter infideles. E contrario, quo magis per zelum pastorum ii qui catholici iam
sunt fidem mente et opere servant illibatam, eo magis etiam hi ardore aestua-
bunt, ut infideles quoque beneficii fidei participes fiant, eo plures ex iis apostoli
pro exteris missionibus exsurgent. Hoc quoque experientia probatum videmus in
multis regionibus tam catholicis quam mixtis.

Media autem a parochis aliisque animarum pastoribus pro fide
conservanda adhibenda varia sunt et multiplicia, quorum praecipua
reduci possunt ad haec duo capita: doctrinam scilicet et actionem.

---

[1] In regionibus mixtae religionis praecipua huius apostasiae causa sunt matrimonia
mixta. Cfr. nostrum opus *De Matrim. mixtis*, n. 25-41.

§ 1. Doctrina seu solida instructio in religione catholica.

72. — Quod S. Paulus dicit de Evangelii praedicatione, etiam de eius conservatione inter christifideles valet: « Fides ex auditu; auditus autem per verbum Christi » (*Rom.* xiii, 17). Quo magis inter catholicos quoque verbum Christi, eius evangelium et doctrina, rite praedicatur, clare exponitur, solide probatur: eo magis dissipantur tenebrae erroris et ignorantiae, qui primus est incredulitatis fons, eo magis sol veritatis fulgida sua luce mentem illuminat, suoque benefico calore cor amore Dei inflammat; brevi, eo firmius fides obsequioso assensu admittitur, magisque per caritatem operatur.

Modi autem quibus haec praedicatio fieri debet, hi praecipui sunt:

73. — 1° *Institutio catechistica*[1]. De gravissimo huius rei momento ita loquitur memoratum Decretum: « Parochi ceterique curam habentes animarum meminerint semper institutionem catechisticam fundamentum esse totius vitae christianae, ad eamque rite tradendam omnia eorum consilia, studia, labores esse referenda » (*l. c.*, p. 148).

Primum est instructio catechistica *pueris* data; idque iam a teneris annis in familia, saltem circa prima elementa, tum praesertim in scholis inferioribus vel in ecclesia a sacerdotibus, adiuvantibus saepe idoneis catechistis laicis, ab Episcopis ad hoc approbatis (can. 1330 sqq.). — Est haec puerorum institutio summi pro tota reliqua vita momenti: iuvenili enim menti rite impressa, tardiore aetate vix obliterantur. Quapropter sacerdotes et catechistae ad eam serio se praeparent oportet, ut apta methodo et simplici claritate pulchras illas excelsasque veritates explicent, solide probent, ama-

---

[1] Circa hanc materiam S. Congr. Concilii die 12 Ian. 1935 emanavit « Decretum de catechistica institutione impensius curanda et provehenda » (*A. A. S.*, 1935, p. 145-54). In eo praecipua quae hactenus ea de re a S. Sede edicta erant diligenti studio sunt collecta, plurimaque alia praesertim quae ad praxim attinent addita, quorum alia pro singulis paroeciis praescribuntur (uti « sodalicium doctrinae christianae » et « scholae catecheticae paroeciales »), alia Ordinariis commendantur et pro rerum locorumque adiunctis ordinanda relinquuntur (« Officium catechisticum dioecesanum », « Sacerdotes visitatores », « dies catechistica »). Postremo eadem S. Congregatio, probante SS. Pp. Pio XI, Episcopis universis mandat ut singulis quinquenniis de catechistica in suis dioecesibus institutione ad eamdem accurate referant, ideoque 24 quaesitis positis respondeant. Praeclarum hoc documentum certe novis stimulis animarum pastorum zelum efficaciter excitabit.

biles reddant, animisque velut suavem rorem instillent. Praecipuam etiam operam adhibeat parochus eiusque cooperator, ut omnes suae paroeciae infantes his catechismi instructionibus assistant, lectionesque explicatas addiscant. Variis industriis illos ad hoc alliciat: laudibus, praemiis, certaminibus, moderatis honestisque oblectamentis. Absentes in libro notet, eorumque parentes in illis mittendis socordes visitet et paterne moneat. Hoc catechisticum munus si negligit animarum pastor, sponte fiet, praesertim in magnis civitatum paroeciis, ut ingens infantium numerus in absoluta fere fidei ignorantia velut pagani crescant, ut postea agmen inimicorum Christi et Ecclesiae augeant et in aeternum pereant. Tristis huius facti testis est historia etiam recens.

Post pueritiam in schola elementari exactam, quantum fieri potest, continuetur haec catechistica instructio, licet alia methodo et forma, sive in scholis superioribus sive in associationibus catholicis, ut dicetur infra (n. 76, 1°, 3°).

2° Sequitur deinde *expositio catechistica populo* data, die dominica per Missas aliove tempore (can. 1332). In permultis synodis dioecesanis, vel etiam provincialibus ad hunc finem valde apposite praeceptum est, ut diebus festis in omnibus Missis *fixis* brevis quaedam instructio de doctrina christiana habeatur, ita ut omnes fideles qui adhuc Missae assistunt quavis hebdomada aliquid quod ad aeternam salutem spectat audiant, quo in fide et praxi christiana confirmentur (cfr. can. 1345). Haec instructio ordinarie fit iuxta ordinem libri catechismi in dioecesi praescripti, ita ut intra spatium aliquod, puta quatuor vel quinque annorum, summa veritatum quae ad fidem et mores pertinent percurratur. Valde laudanda est methodus S. Francisci Salesii, qui non directe errores et obiectiones contra fidem refutabat, sed veritatem catholicam clare exponebat, solide demonstrabat, eiusque pulchritudinem et harmoniam cum recta ratione ostendebat, ita ut falsitas erroris quasi sponte eluceret vel paucis tantum indicaretur. Pro variis tamen locorum necessitatibus etiam methodus, non quidem polemica, sed magis apologetica utilis esse potest. Stilus sit ubique planus et ad simplicis etiam populi captum accommodatus. Addatur quoque semper veritatis expositae brevis quaedam applicatio ad vitae praxim.

3° *Praedicatio ordinaria*, facta diebus dominicis et festis a clero parochiali, per homiliam vel Evangelii expositionem aut per alterius argumenti magis necessarii tractationem (can. 1344).

74. — 4° *Praedicatio extraordinaria*, per missiones populares (can. 1349), per exercitia spiritualia, per conciones quadragesimales (can. 1346), per sic dictas conferentias etc. — Qua de re in universum notandum est, nostris rationalismi et scepticismi temporibus multo magis quam antea necesse esse, ut mens auditorum per claram veritatum expositionem et demonstrationem elucidetur et convincatur, ita ut conclusiones morales et practicae ex iis deducendae solido fundamento dogmatico nitantur.

Sic e. g. praedicando de inferno — quae concio hodie in omnibus missionibus summopere est necessaria — ante omnia solide ex S. Scriptura, ex doctrina Ecclesiae et ratione theologica probanda est eius existentia atque aeternitas et dilucide refutandae sunt vulgares obiectiones contra hoc dogma, ita ut auditores plene persuasi de hac terribili et cuique peccatori semper imminenti veritate, peccatum, unicam huius poenae causam, summo odio detestentur et quamprimum ad Deum, nunc adhuc *Patrem* misericordem, convertantur.

Inter varia praedicationis ordinariae et extraordinariae argumenta hisce diebus, in quibus catholici tot periculis deficiendi a fide expositi sunt, perutile quoque imo necessarium est, ut frequenter agatur de *Ecclesia catholica,* quippe quae est « firmamentum et columna veritatis » (II *Tim.* III, 15).

Sit autem concio de hoc argumento ante omnia quidem *dogmatica.* Videlicet demonstrentur divina Ecclesiae institutio, eius notae et proprietates, eius infallibilitas et indefectibilitas, eius ad salutem necessitas [1], eius beneficia pro hac et altera vita, ita ut auditores non solum plane convicti maneant, sed

---

[1] Probe hic quasi per transennam advertendum est, totam veritatem catholicam hac de re esse praedicandam, videlicet ex Christi institutione Ecclesiam seu fidem catholicam esse unice veram, adeoque ad aeternam salutem consequendam necessariam. Nostra enim aetate largioris opinandi rationis multi etiam catholici hac de veritate non satis persuasi sunt, arbitrantes etiam protestantes aliosque in sua confessione salvari posse, perinde ac catholicos in Ecclesia catholica; qui error pro conservanda et extendenda fide catholica admodum perniciosus est. Potest quidem, imo saepe etiam debet hac occasione praedicari, haereticos quoque salvari posse, modo bona fide et ex ignorantia invincibili eaque non graviter culpabili errent. Excluso tamen casu huiusmodi erroris invincibilis, manet perditio aeterna, iuxta illud Symboli Athanasiani: « Quicumque vult salvus esse, ante omnia opus est, ut teneat catholicam fidem: quam nisi quisque integram inviolatamque servaverit, absque dubio in aeternum peribit ». Nisi haec inconcussa veritas suo tempore prudenter utique sed et dilucide explicetur — etiam in conferentiis coram haereticis —, facile fiet ut multi catholicae fidei veritatem theoretice satis quidem perspectam habeant, sed ab illa practice amplectenda praepediantur ob respectum humanum aliave commoda vel incommoda naturalia, quae obstacula superandi animum non habent. Hi ergo excitentur ad humilem constantemque orationem, ut veritatem non solum inveniant, sed eam inventam etiam in vitae praxi amplectantur. Tunc Deus certo vires praebebit.

etiam summo erga eam amore capiantur, Deoque gratias ferant pro immenso fidei beneficio. Sed adsit semper etiam pars *moralis,* ad vitae praxim spectans, utpote ex parte dogmatica sponte profluens. Est haec praxis ampla et multiplex, utputa: observatio *legum* Ecclesiae (circa dies festos, abstinentiam, educationem liberorum, lectionem librorum, matrimonia mixta etc.); — reverentia atque amor erga Ecclesiae *Superiores* (Romanum Pontificem, Episcopos, sacerdotes), simul cum obedientia eorum praeceptis et institutis debita (etiam in vita sociali etc.); — *evitatio periculorum* fidei (sectae, societates acatholicae, socialistae, scholae laicae, prava diaria, nimia consuetudo cum haereticis, liberalibus etc. etc.); — *zelus* pro Ecclesiae sustentatione et propagatione per apostolatum laicalem (missiones, boni libri et diaria, scholae catholicae, seminaria, associationes, opera caritatis etc.). — Mirum quantopere huius generis conciones, solide elaboratae, stilo populari et sacro affectu pronuntiatae, contribuant ad semper magis animandos et confortandos christifideles in religione catholica et in amore erga Ecclesiam, utpote matrem carissimam, aeternae vitae nos parientem. Quapropter optandum est ut in omnibus missionibus popularibus, maxime in civitatibus, hoc argumentum specialiter in concione vespertina tractetur, quo catholici in fide, quae iustificationis initium est atque fundamentum, magis confirmentur et contra vulgares errores praemuniantur. Harum enim missionum tempore fideles maxime dispositi sunt ad has veritates tantopere necessarias accipiendas animoque retinendas.

75. — 5° Ad praedicationem extraordinariam etiam pertinet *series conferentiarum apologeticarum,* quae plerumque per integram hebdomadam quovis vespere habentur de veritatibus fundamentalibus fidei: Deo, Christo, Ecclesia, pro omnibus quaerentibus et sitientibus veritatem vel religionis solatia, sive catholicis — bonis, tepidis, malis — sive acatholicis, imo pro illis etiam qui, ut Athenienses tempore S. Pauli, potius novarum rerum curiositate moventur. Vocantur idcirco « hebdomades apologeticae » aut « religiosae ». Harum conferentiarum *finis* proximus non est accessus ad sacramenta, sed auditoribus altam infundere persuasionem theoreticam de illis veritatibus, quarum notitia ad salutem aeternam prorsus necessaria est. Pro locorum adiunctis alia quoque argumenta speculativa aut moralia quae ad fidem et religionem referuntur tractari possunt, uti matrimonium, educatio, auctoritas et libertas, familia christiana, quaestio socialis, virtutes civiles etc. Hae hebdomades haberi possunt, non solum coram omnibus promiscue, sed etiam coram variis auditorum generibus separatim, parentibus, patribus vel matribus familias, iuvenibus, studentibus, operariis, imo etiam, si utile iudicatur, specialiter pro acatholicis.

Fiunt autem iuxta mentalitatem et conditionem psychologicam auditorum, tum positive exponendo harum veritatum soliditatem, pulchritudinem et cum ratione harmoniam, tum etiam refutando tritos errores et obiectiones, quae quotidie a vulgo, praecipue a studiosis et operariis, leguntur in diariis et in libris, audiuntur in fabricis, scholis, consortiis, conferentiis ab incredulis habitis. Quum enim ipsi legentes et audientes has obiectiones et difficultates plerumque solvere nequeant, saepe eorum menti infixae manent, crescunt et paulatim plurimorum fidem pessumdant. Quare eas confutare potissimum spectat ad doctos sacerdotes, iuxta illud: « Labia sacerdotis custodient scientiam, et legem requirent ex ore eius » (*Malach.*, II, 7).

Quod spectat ad *locum* in quo habeantur hae conferentiae, certe praeferenda quidem est ecclesia, sive una sive plures simul in eadem civitate. Si autem multi auditores aegre ad eam accederent, ut fere fit in regionibus parum religiosis vel mixtae religionis, locus opportunus potest etiam esse profanus, magna quaedam aula vel exedra vasta.

Oratores sint sacerdotes, doctrina, facundia, arte oratoria populari eminentes; imo in locis profanis, non tamen in ecclesia, etiam laici exculti, in re religiosa et apologetica solide instituti. Pro regula habeatur, ut non admittatur disputatio publica (can. 1325, § 3); difficultates vero privatim tempore statuto proponi possunt. — Ut per se patet, valde interest, ut hae conferentiae ubique publice annuntientur, ope praesertim iuvenum Actionis Catholicae, ita ut complures etiam naturali quadam discendi vel audiendi cupiditate attrahantur.

Huiusmodi hebdomades seu series conferentiarum iam per aliquot decennia praesertim in Germania instituuntur cum magno animarum fructu[1]. Advertendum tamen est, talem conferentiarum cursum nullo modo vicem gerere posse sacrae missionis paroecialis, quae a Iure « saltem decimo quoque anno » instituenda praescribitur (can. 1349). Utriusque enim finis proximus differt, quia huiusmodi missiones in primis intendunt efficacibus mediis perducere catholicos ad bonam confessionem statim faciendam novamque vitam incipiendam. Illae vero hebdomades proxime inserviunt ad refocillandam fidem, quae est magis remota praeparatio ad iustificationem, ita ut auditores haud pauci, qui iam per annos ab Ecclesia alieni vivebant et ne illas quidem missiones frequentabant, saepe non statim, sed postea saltem, data occasione, cum Deo et Ecclesia reconcilientur.

---

[1] Cfr. *Theol.-praktische Quartalschrift* (Linz), 1932, pag. 1-27.

§ 2. *Actio Catholica.*

76. — Alterum medium ad fidem conservandam et augendam est Actio Catholica qua laici cuiusvis conditionis, sexus vel aetatis animarum pastoribus adiumento sunt, et quae idcirco iure meritoque « apostolatus laicorum » vocatur. Est hic apostolatus nostra aetate, qua sacerdotes tot tantisque operibus onerantur, magis quam anteactis saeculis prorsus necessarius, et idcirco ab ultimis Romanis Pontificibus, maxime vero a Pio XI, summopere commendatus.

Campus autem huiusmodi Actionis est varius et vastissimus.

1° *Educatio iuventutis* catholica in scholis inferioribus et superioribus, in collegiis pro utroque sexu, in circulis et patronatibus. Sit huiusmodi educatio tum theoretica per doctrinam in veritatibus fidei, tum practica per institutionem in vera pietate cum frequenti Communione, in vitae sobrietate, sui abnegatione aliisque virtutibus moralibus. Ad hoc imprimis quidem attendendum est in collegiis ecclesiasticis. Sed etiam in scholis et institutis laicis probi magistri ad religiosam et moralem iuventutis educationem plurimum conferre possunt[1].

2° *Apostolatus preli* per compositionem et propagationem omnis generis librorum, periodicorum, ephemeridum, diariorum vere catholicorum. Ad hunc apostolatum referri etiam debet divulgatio in variis linguis celebrium illarum Encyclicarum, quibus ultimi Romani Pontifices alto suo magisterio fideles universas veritates catholicas docere et contra funestos nostrae aetatis errores tueri solent. Mirum quantum catholici, imprimis magis exculti, hisce praestantissimis documentis pontificiis, praesertim si commentariis illustrantur vel a doctis viris in sic dictis conferentiis oretenus explicantur, in fide conserventur, confirmentur et a pessimis illis erroribus praeserventur!

3° *Associationes catholicae* nostris temporibus prorsus neces-

---

[1] De hisce ita S. Congr. Concilii in citato Decreto: « In locis praesertim ubi ob penuriam cleri, muneri doctrinam christianam docendi clerus ipse facere satis non possit, *idoneis catechistis* utriusque sexus in parochorum auxilium providere Ordinarii satagant, in paroecialibus vel in publicis scholis ipsisque in dissitis paroeciae locis religiosam institutionem tradituris. In his praecipuum locum teneant quotquot consociationibus *Actionis catholicae* sunt inscripti » (*l. c.*, p. 152).

sariae pro fidelibus cuiusvis conditionis iuxta varias professiones sociales: pro deditis diversis scientiis et artibus (medicis, iuristis, pictoribus, musicis etc.), pro negotiatoribus, pro omne genus opificibus, pro dominis officinarum, pro utriusque sexus operariis, pro magistris, pro studiosis in scholis superioribus et Universitatibus, pro militibus, nautis, etc.

 In hisce associationibus pro re nata tractantur utique etiam res scientificae, oeconomicae et materiales cuivis coetui propriae; admittuntur quoque pro ratione associationis ludi et honesta oblectamenta quibus a similibus societatibus acatholicis abstrahantur. Sed tamen in omnibus hisce sint fides ac considerationes supernaturales fundamentum quo nitantur, fermentum quod omnia opera externa pervadat, imo anima et spiritus ex quo totum corpus vim et vigorem percipiat. — Ad hunc fidei spiritum excolendum iuvant, tum conferentiae et allocutiones de argumentis apologeticis aut religiosis, cuivis conditioni accommodatae, tum imprimis formatio hominum selectorum — fere ad instar nucleorum et cellularum recentium communistarum —, qui ut veri apostoli zelo pro extensione regni Christi flagrent, aliosque exacuent et dirigant. Ad horum nucleorum formationem inserviunt iterum piae confraternitates, in quibus in vita christiana perfectiore, in spiritu orationis et abnegationis instituuntur, tum praesertim exercitia spiritualia clausa, quibus hic spiritus supernaturalis Actionis efficacissime nutritur et usque renovatur.

 4° Accedunt *opera caritatis* pro pauperibus, infirmis, nupturientibus, mulieribus periclitantibus aut lapsis, senibus, orphanis etc.

 Latissimus est igitur huius Actionis Catholicae campus, eiusque opera innumera, apta pro hominibus laicis cuiusvis conditionis, sexus vel aetatis. Profecto labor pastorum animarum per haec omnia in immensum crescit. Ast magnus pariter et dulcis est huius laboris fructus; et si tantam impendunt operam Ecclesiae adversarii ut fidem a cordibus fidelium radicitus evellant, ministri Dei numquam satis facere possunt, ut hoc « initium et fundamentum salutis » inter catholicos conservent ac confirment et ita incredulitati nostra aetate ubique invalescenti aggerem opponant.

 77. — Sunt tamen circa hanc Actionem Catholicam quaedam adhuc observanda.

 a) Omnia ordinentur cum plena submissione auctoritati hierarchicae Episcoporum et animarum pastorum, ut Encyclicae Pontificiae saepe inculcant: sunt enim hi laici huius hierarchiae auxiliatores, primo quidem parochorum in sua quisque paroecia, tum adunati Episcoporum pro tota dioecesi.

 b) Quum haec Actio sit stricte « catholica », sub regimine hierarchiae ecclesiasticae constituta, directe spectat ad solam religionem et aeternam animarum salutem, non ad finem temporalem. Hinc a campo huius Actionis plane exclusus sit finis mere politicus, omneque studium in favorem alicuius factionis huius ordinis. Stat haec Actio super omnes partes aut factiones politicas, etsi eius membra, qua cives, ad has quoque, modo in se licitae sint, pertinere possint.

c) Eamdem ob rationem ex huius Actionis praesidio et directione prorsus eliminentur qui spiritu liberalismi, socialismi et generatim spiritu mundano afflati sunt. Magis ad eorum qualitatem quam ad numerum spectandum est.

d) Denique addere liceat, quo magis sacerdotes qui hisce operibus occupantur ipsimet in vita spirituali profecerint, caritate erga Deum et proximum ardeant, propriaeque sanctificationi per spiritum orationis et mortificationis incumbant, omnemque fructum non a sua actione sed ab omnipotenti Dei misericordis auxilio expectent: eo plures catholicos in fide firmos conservabunt, eo plures quoque devios et nutantes ad Ecclesiam reducent. Est quippe hoc opus prorsus supernaturale, in quo omnes hominum conatus per se nihil valent. Deus utique his velut instrumentis uti dignatur, sed Ipse solus nostro plantandi et irrigandi labori dat incrementum per gratiam, quam daturus est iuxta mensuram nostrae petitionis et intimae cum Ipso unionis.

IV. Ratio agendi confessarii
cum tentatis aut peccantibus contra fidem.

78. — In universum hi poenitentes magna cum caritate et patientia excipiendi sunt et audiendi, ne secus cum animo averso erga Ecclesiae ministros e confessionali recedant. Bonitas enim affectum voluntatis attrahit et disponit ad mentis assensum.

Specialiter vero ad haec attendat confessarius.

1° Doceatur poenitens ut, quando huiusmodi tentationes, obiectiones aut dubitationes contra fidem exsurgunt, numquam circa eas ratiocinetur, neque directe illas solvere quaerat. In illis enim momentis obiectiones saepe tanta vi et subtilitate se menti infigunt, ut rationes credendi, quae alias luce clarius apparent, quasi obscurentur. Unde statim simplicem actum fidei eliciat, dicendo: « Credo quidquid credit sancta Ecclesia », vel cum illo patre Evangelii: « Credo, Domine, adiuva incredulitatem meam » (*Marc.*, ix, 23). Tum illa dubitandi momenta spernat et illico mentem alio divertere conetur. Aliis verbis: sicut in materia contra castitatem ita etiam in materia fidei tentationes non directe, sed indirecte, fuga scilicet, impugnandae sunt.

2° Ordinarie confessarius cum his tentatis vel dubitantibus circa veritates fidei ne disputet. Solum si obvia et ridicula est obiectio, ut saepe fit, aut ex falsa dogmatis intelligentia orta, paucis veritatem declarare potest. Ast si de altis fidei mysteriis agitur, utputa de Dei praescientia, bonitate, iustitia etc., responsum peremptorium semper erit: Deum esse Ens infinitum, nostrum autem intellectum valde limitatum, ut experientia constat; proinde mirum non esse, imo esse prorsus naturale, plura esse in iis quae a Deo revelata sunt quae nos comprehendere non possimus; — item Ecclesiam catholicam a Christo Dei Filio institutam esse, sicut miraculis aliisque signis luculenter patet, hancque ex eius promissis (*Matth.* XVI, 18; XXVIII, 18-20) esse indefectibilem et infallibilem; hinc valde logicum rationique consentaneum esse ut Ecclesiae docenti fidem habeamus. Si tentatio circa ipsam Dei exsistentiam versatur, paucis tantum animum tentati defigere potest ad mirabilem ordinem in mundo vel in solo corpore humano elucentem, qui quidem auctorem a se exsistentem et architectum summae intelligentiae a mundo distinctae manifeste postulant; — vel etiam in eius memoriam revocet factum historicum resurrectionis Christi, a multis testibus de visu scriptis consignatum, iisque veracissimis, qui pro huius testimonii veritate libenter martyrium subierunt. — Addere subinde iuvabit, veritates fidei per plurima iam saecula a summis doctoribus meditatas esse et commentatas, recentes etiam doctores et sacerdotes per plures annos earum studio incumbere, hosque omnes de iis esse plane convictos paratosque pro iis mortem subire; — contra, eos qui religionem catholicam eiusve dogmata verbis aut scriptis impugnent plerumque in hac doctrina ignorantes esse, vel eam falso proponere, vel simpliciter ridiculo habere; quibus ergo nulla fides haberi potest.

3° Eos hortetur, ut dimisse de suae intelligentiae vi deque suis opinionibus, utpote saepe fallacibus, sentiant, seque prorsus subiiciant infinitae maiestati et veracitati Dei per Ecclesiam nobis loquentis, — ut extra tentationes frequenter firmos fidei actus eliciant, — ut saepe Deo pro fidei dono gratias agant, — et omnium maxime ut crebro humili animo Ipsum pro fidei conservatione et incremento orent: « Domine, adauge nobis fidem ».

4° Moneat eos ut, quoad possint, socios incredulos evitent, neve umquam cum his de rebus fidei disceptent; contra, amicos habeant vere catholicos et morigeratos: et idcirco nomen dent associationibus catholicis.

5° Caveant praesertim etiam a lectione librorum periculosorum et diariorum liberalium vel neutralium, quae haud raro contra fidei dogmata vel Ecclesiae ministros loquuntur. Contra, libros legant bonos — generatim non quidem qui de controversiis agunt, ne propria ratione rem decidere assuescant —, sed dogmaticos, apologeticos et historicos, quorum plurimi in omnibus linguis habentur; item ephemerides et diaria apprime catholica.

6° Denique frequenter accedant ad confessionem, praesertim apud eumdem doctum confessarium; et, si fieri potest, etiam extra confessionale cum ipso, ut cum paterno amico, de difficultatibus et rebus ad fidem spectantibus loquantur et consilium ab eo petant.

De modo tractandi cum variis poenitentibus qui contra fidem peccarunt, deinceps in casuum solutione agendum.

V. Casuum solutio.

79. — *Ad* 1^m (supra p. 64). — Confessarius Caius, tum ut iudex tum ut medicus, hunc casum de *graviter tentato contra fidem* levius et nimis praepropere solvit. Ubi enim de gravibus periculis fidei agitur, res diligentius examinanda est et pro viribus curandum, ne poenitens ob confessarii incuriam his periculis succumbat et brevi fidem prorsus perdat. Quapropter Caius, quo rectius de statu Conradi iudicium ferat, ante omnia ipsum interrogare debet de occasione harum tentationum seu dubitationum, puta num sint frequentatio et colloquia de rebus fidei cum sodalibus incredulis, vel lectio librorum aut diariorum contra fidem, vel praelectiones alicuius professoris quas sine necessitate audivit etc. Si Conradus has occasiones periculosas libere quaesivit et eas relinquere haesitat, merito iudicabit confessarius eum hisce dubiis contra fidem consensisse. Item, si poenitens aliis pravis habitibus, ut pollutionis, turpium colloquiorum, neglectus S. Missae etc., deditus est, prudens iterum erit suspicio eum in illis dubiis contra fidem quoque graviter deliquisse. Contra, si Conradus illas occasiones diligenter vitavit ita ut hae tentationes quasi sponte vel ex causis indifferentibus ortae sint, si praeterea in universum moralem et religiosam ducit vitam, Caius iure concludet, eum hisce dubitationibus non cum plena deliberatione cessisse. — In *primo* casu gravis negligentiae confessarius poenitentem brevi rationibus efficacibus ad fidem excitet, ipsumque interroget, num nunc

saltem omnia credat quae Ecclesia proponenda proponit, num de aliis quoque peccatis sincere doleat; illum praeterea moneat de gravi obligatione vitandi illas occasiones et adhibendi media necessaria ad fidem conservandam (cfr. supra n. 78, 1° sqq.). Haec si poenitens facere firmiter proponit, ordinarie loquendo ipsum ut satis dispositum absolvere poterit. In *altero* casu Caius Conrado animum addat, eumque hortetur ut eadem praedicta media diligenter adhibeat.

Caveat tamen, ne in ipsa tentatione frequentius actus fidei repetendo nimis agitatus aut scrupulosus evadat.

80. — *Ad* 2^m (supra p. 64). — In multis peccavit Titius solvens hunc gravem et difficilem casum de *catholico liberali*. Etenim

1° Primo melius indagare debuerat de statu animi sui poenitentis, specialiter de eius fide; secus enim ut iudex causam, scilicet peccata, rite iudicare non potuit, neque ut medicus apta medicamenta contra relapsum praescribere. Debuerat ergo Raymundum *interrogare* de natura sui liberalismi deque peccatis contra fidem forte commissis. Vox enim « liberalismi » apud populum valde vaga est, ita ut gravissimos saepe errores contra fidem in se contineat.

a) Multi qui vulgo « liberales » dicuntur, unam pluresve veritates revelatas et ab Ecclesia credendas propositas reiiciunt vel saltem positive de iis dubitant. Sic v. g. circa divinam originem auctoritatis Romani Pontificis, ut supremi Ecclesiae capitis, nostra aetate haud pauci litterati, qui adhuc catholici esse et dici volunt, sentiunt, Ecclesiam initio fuisse christianam, deinde catholicam, tandem posterioribus saeculis decursu temporis factam esse Romanam, eo quod Episcopus Romae residens non ex Christi institutione, sed ex mera historica evolutione, sub influxu et ad instar imperii Romani, quasi sponte in omnes mundi Episcopos et fideles auctoritatem nactus sit vel paulatim sibi adsciverit; qui error protestantium et rationalistarum aperta est haeresis, a Concilio Vaticano iterum damnata. — Imo non desunt qui graviores etiam errores pantheismi, modernismi etc. admittunt vel de contraria veritate catholica vere dubitant, utputa de distincta Dei et mundi existentia, de altera vita etc.; et tamen a populo adhuc catholici, sed «liberales » vocantur.

b) Multi denique catholici, iique sensu magis proprio, sunt liberales *politici*, qui tenent in vita publica, sociali et politica statum seu gubernium civile debere esse ab Ecclesia separatum et plane ab ea independens. Ex hisce alii sunt *radicales* qui sentiunt, Ecclesiam debere esse statui subiectam, ita ut gubernium vel absolute vel pro suffragiorum pluralitate quaslibet leges ferre possit, etiam Ecclesiae legibus contrarias, v. g. de matrimonio, de scholis, de personis et bonis ecclesiasticis etc. Alii sunt magis *moderati* et mitiores qui admittunt, Ecclesiam sibi vindicare tantum posse et debere ius commune quod pro quibuslibet aliis associationibus privatis valet, hancque conditionem statutam volunt sive ut *thesim* ac principium iuris naturalis — quod certe falsissimum est, quum Ecclesia ex iure divino sit societas perfecta, perinde ac status, licet in alio ordine —, sive saltem ut *hypothesim* eam approbant, utpote hodie ubique et semper necessariam propter progressus et mutatam mentem hominum recentis aetatis; quae ultima forma etiam falso nomine « liberalismus catholicus » vocatur.

Omnes hos errores Pius IX, pro suprema sua Apostolica potestate et infallibili magisterio proscripsit in Encyclica « Quanta cura » 8 Dec. 1864 et in hanc comitante Syllabo. Unde qui aliquem ex his admittit, certe obiective graviter peccat contra fidem, etiamsi non gravissimos illos errores, qui haereses sunt, tueatur (cfr. n. 69, 6°)[1].

Adde, multos ex illis catholicis liberalibus etiam peccare ratione cooperationis vel scandali, ut supra (n. 69, 5°) diximus.

Quia ergo Raymundus communiter habetur liberalis et liberalismi fautor, Titius merito peccata contra fidem commissa suspicari potest, ac propterea gravis ipsi incumbit obligatio poenitentem ulterius *interrogandi* circa hos errores et peccata. Incipere iuvat a quaestione generali, v. g. num etiam tentationes contra fidem experiatur vel difficultates habeat contra veritates ab Ecclesia vel SS. Pontifice propositas. Deinde inquirat de consensu interne praestito, num liberalismum admittat et quo sensu; item de favore, quem iuxta vocem publicam huic errori externe praebeat, num eius propagationi cooperetur, verbis, consiliis, operibus, per prava diaria, scholas, associationes etc. — Si Raymundus negat omnia quae communis opinio ipsi imputat, ordinarie ipsi credendum est, nisi confessarius ex propria scientia vel ex fontibus indubitatis certo iudicet ipsum

---

[1] Qui mitiorem quamdam liberalismi formam seu applicationem separationis Ecclesiae et status *per se*, neque ut hypothesim, *approbant*, sed pro variarum regionum circumstantiis *per accidens tolerant* ad maiora mala praecavenda, sectatores liberalismi, a Pio IX damnati, certe dicendi non sunt. — Conferenda hic omnino est Encyclica « Libertas » Leonis XIII, 20 Iunii 1888, item eiusdem Constit. « Immortale Dei », 1 Nov. 1885.

mentiri. Si omnibus perspectis adhuc graviter de poenitentis sinceritate dubitat, et hic dubie saltem dispositus est, potest ipsum sub conditione absolvere, modo gravis adsit causa. Publice tamen, propter scandalum populi, ad S. Communionem accedere ipsi positive non permittat; ipsi quoque iniungat ut etiam speciem scandali populo dare, quoad potest, evitet.

81. — 2° Sin autem Titius in indagine comperit, Raymundum revera graves liberalismi errores amplecti et peccata obiective gravia contra fidem commisisse, generatim ex suo doctoris officio ipsum serio *monere* debet, idque per se etiam, si poenitens forte esset in ignorantia invincibili. Etenim liberalismus, etiam ille politicus qui approbat plenam status ab Ecclesia separationem et independentiam, maxime nocet integritati fidei et bonis moribus, tum ipsius poenitentis, tum eius familiae per liberalem prolis educationem, tum aliorum multorum, praesertim si quis auctoritate pollet. Praeterea liberalismus facilem sternit viam ad sectam massonicam. Inepte igitur Titius a monitione abstinuit idcirco quia systema liberalismi non est haeresis damnata.

82. — Quod spectat ad illam *ignorantiam invincibilem*, haec dicenda videntur.

a) In homine erudito et catholice educato atque instituto talis ignorantia non facile admittenda est, quia de liberalismo eiusque a SS. Pontificibus condemnatione iam diu adeo multa in diariis et alibi scripta et publice dicta sunt. Potest tamen admitti quoad mitiorem liberalismi politici formam quae *hypothesis* dicitur; quia distinctio inter erroris approbationem et meram tolerantiam a multis non adeo facile percipitur. Quo casu, si ex monitione nec pro bono communi fructus speratur, haec omitti potest.

b) In homine erudito, nato et educato in familia liberali parumque religiosa, qui tamen in prima pueritia saltem rudimenta doctrinae christianae, puta mysteria SS. Trinitatis et Incarnationis, didicit, sed postea institutus est in scholis acatholicis, bona fides seu ignorantia invincibilis leviterque tantum culpabilis circa has veritates *elementares* admitti nequit. Talis enim ignorantia erit affectata vel crassa et graviter culpabilis, saltem in causa, ob gravem in inquirenda veritate negligentiam. Huiusmodi ergo, si quando adhuc ad confes-

sionem accedunt, omnino moneri et paucis instrui debent; secus nulla
ratione absolvi possunt, ut constat ex prop. 64 ad Innocentio XI
profligata: « Absolutionis capax est homo, quantumvis laboret ignorantia mysteriorum fidei, et etiamsi per negligentiam etiam culpa-
bilem nesciat mysterium SS. Trinitatis et Incarnationis D. N. Iesu
Christi ». Unde poenitens prius actum fidei circa illas veritates eliciat
oportet, deinde actum doloris; qua in re a confessario paterne adiu-
vandus est.

c) Si confessarius advertit, huiusmodi eruditum admittere
quidem illa fidei rudimenta, sed circa *alia Ecclesiae dogmata* vel
circa graviores liberalismi errores in ignorantia versari, imo hos errores quoque admittere — non tamen cum pertinacia, neque publice
eas defendendo —, potest ipsum hic et nunc in sua ignorantia relinquere et a monitione abstinere; ast solum in casu quo nullum ex
monitione fructum expectat, sed potius plenam ab Ecclesia aliena-
tionem. Imo si saltem dubiae dispositionis signa praebet, graviterque
timetur ne, ob dilatam absolutionem quam accipere desiderat, in peiorem statum incidat, confessarius etiam sub conditione absolutionem
ipsi impertire potest, modo ex eius accessu ad sacramenta grave populi scandalum ne oriatur. Ipsi tamen dicat, ut melius de doctrina
catholica se instruendum curet, etiam ope confessarii amice se ad
hoc offerentis; deinde ne cum aliis de fide disputet, neve libros contra
fidem legat. Ratio est, quia ex duobus malis minus est eligendum
(*Opus*, n. 517 sqq.).

d) Sin autem hic poenitens illas haereses gravesque liberalismi
errores pertinaciter sciens volens admittat vel publice defendat suaque
auctoritate sustentet, certe moneri debet et, nisi eis renuntiare suamque vitam emendare sincere velit, ne sub conditione quidem absolvi
potest, utpote certe indispositus. Confessarius qui huic non monito
daret absolutionem, grave praeberet scandalum, tum ipsi poenitenti
quem in suis erroribus obfirmaret, tum populo qui ex huius ad sacramenta accessu concluderet, hos errores non esse tanti momenti;
quod sane perniciosissimum esset. Neque obstat quod poenitens propter illam monitionem a sacramentis plane alienetur: est enim solum
malum privatum, quod permittitur, ne malum publicum, maior
scilicet horum errorum inter catholicos propagatio, oriatur et accre-
scat. Finis monitionis hic ipse est, ut poenitens aut suos errores relinquat, aut abstineat a sacramentis quando eorum acceptione populo
scandalum daret.

Ex dictis ergo prudens lector facile concludet, in quibus Titius peccaverit omittendo monitionem et dando Raymundo absolutionem sub conditione.

83. — Quod attinet ad illum Titii timorem, Raymundum, virum potentem et publicum dantem scandalum, si serio moneatur et absolutio ei differatur, forte maius malum publicum Ecclesiae animabusque esse allaturum, respondemus hoc non facile esse supponendum. Namque hoc malum vix maius erit quam quod populus patitur propter propagationem gravium errorum, ortam ex eius accessu ad sacramenta. Hoc ultimum malum est instans et certum, cetera sunt futura et adhuc incerta. Forte poenitens, si nunc non absolvitur, bono publico minus damnum afferret, quam, si semper absolutus, postea esset allaturus. Optime etiam fieri potest, ut Raymundus, si sincere agere velit, monitioni debita cum prudentia et caritate factae obsecundet, vel etiam ut, urbane et suaviter quoad absolutionem dilatus, quo antea certiora conversionis signa praebeat, ad confessarium contritus redeat et a perditionis via retrahatur in magnum animae suae aliarumque multarum profectum. Unde, generatim loquendo, prudentia praecipit, ne in praxi confessarius ad illum timorem maioris mali forte orituri attendat. — Nihilominus, si moraliter certus esset confessarius — id quod, ut diximus, vix umquam erit —, Raymundum ob monitionem graviter offensum iri et *idcirco* postea multo maius malum publicum Ecclesiae animabusque esse allaturum, pro sua prudentia dissimulare poterit et a monitione abstinere vel saltem ad tempus magis opportunum eam differre. Sic enim ex duobus malis publicis minus tantum permitteret ut maius vitaretur. Et si poenitens non in mala fide sed dubie saltem dispositus esse censetur, poterit eum etiam sub conditione absolvere; ei tamen significet ne publice in ecclesia ubi notus est ad S. Communionem accedat.

Pro! dolor, nostra aetate multi catholice nati et educati facti sunt liberales atque increduli, qui paulatim in peiorem semper statum prolapsi sunt multumque Ecclesiae animabusque damnum intulerunt. Hujus rei causa haud raro est, sive quod antea a confessario nimis rigide et sine debita caritate sunt tractati, sive etiam quod confessarius, praesertim initio, ex negligentia, inscitia vel respectu humano eos vix interrogavit, neque serio monuit eisque nimis leviter absolutionem impertivit. Atque ita utriusque generis confessarii sua agendi ratione crescenti semper illorum incredulitati damnisque ab iis Ecclesiae bonoque publico allatis, licet inscii, negative saltem cooperati sunt. Qua-

propter sacerdos gravissimo audiendae confessionis officio addictus frequenter
Deum oret, ut in casibus difficilibus, maxime quando de peccatis contra fidem
eorumque periculis agitur, media inter utrumque extremum via incedat, suaviter aeque ac fortiter.

84. — *Ad* 3^m (supra p. 65). — Si huiusmodi increduli cogitandi
et vivendi ratio ex tenaci mentis superbia aut ex odio erga Ecclesiam
oritur — uti saepe est apud illos qui sua doctrina vel auctoritate alios
ad indifferentismum et apostasiam pertrahere nituntur —, sanatio
vix possibilis est. Sunt enim hi in peccatis impietatis habituati formales et proprie dicti, qui scilicet permanenter et quasi naturaliter
in illa inclinantur, illisque non ex mera passione sed ex malitia et
depravata ratione adhaerent et in illa animi dispositione velut in fine
quiescunt (*Opus*, thesis 10^a). Pertinent ad illos peccatores excaecatos
et obduratos, de quibus Scriptura ait: « Impius, cum in profundum
venerit, contemnit » (*Prov.* XVIII, 3); et, ut peccantes in Spiritum
Sanctum, a Deo sunt quasi moraliter derelicti. Huiusmodi autem increduli vix umquam, solatii capiendi causa, adeunt sacerdotem, quem
potius velut inimicum fugiunt. Si quando veniunt, caveat sacerdos ne
cum illis de rebus fidei disputet. Nam facile eveniet ut, si eorum
obiectionibus non plene satisfiat, in incredulitate magis confirmentur,
remorsus conscientiae suae prorsus sopiant, imo etiam coram aliis
glorientur quod sacerdotes suas rationes refutare non potuerint.

Sunt tamen alii increduli et in religione indifferentes, qui non
adeo perversi sunt, sed ex gravi animi levitate, ex culpabili ignorantia, ex passionum vehementia, aliorum seductione et respectu
humano paulatim ad hunc miserum statum sunt delapsi. Hi haud
raro, ex secreta Dei misericordis gratia, adhuc nobiliores animi affectus sentiunt; invident quasi bonis catholicis ingenue credentibus;
recordantur pristinos iuventutis annos in quibus et ipsi credentes
felices vivebant, nunc vero saepe miseros se sentiunt, sub peccatorum
iugo gementes et frustra luctantes; unde velut desperati nesciunt quo
se vertant ut internam animi tranquillitatem inveniant. Ex hisce Thomas noster fuisse videtur.

Optima igitur methodus erit, ut confessarius huiusmodi hominem laeto benignoque excipiat animo, magnum ei affectum ostendat suumque gaudium exprimat quod ad eum venerit. Enarranti
deinde suas angustias testetur, se eius animi statum perbene intelligere, seque ut verum amicum ex corde ei compati. Ubi sic pedetentim

eius fiduciam acquisiverit, ut bonus psychiatra, familiari colloquio dexterisque quaestionibus pristinam eius vitam in genere saltem quasi expiscari conetur, laudans interim eius animi candorem, eum subinde quasi excusans quod potissimum pravis aliorum exemplis et dictis seductus fuerit, ipsique promittens quod brevi animi tranquillitatem recuperaturus sit. Praecipue autem ei loquatur de infinita Dei misericordia, qui Pater noster vocari voluit, qui tamdiu eum expectavit nec morte punivit, qui cum gaudio in suam amicitiam omnes recipit qui etiam longissime, ad instar filii prodigi, ab Eo aberraverint vel gravissime Eum offenderint; — item de bonitate Iesu Christi, qui in vita sua maximos quoque peccatores benigne semper excepit, qui etiam pro ipso mortuus est ut pro eius peccatis solveret, qui in cruce pro suis inimicis veniam a Patre petivit. Iuxta eius animi statum in memoriam etiam ipsi revocare poterit dulcissimam Matrem Mariam quam infans venerari et invocare didicit, quae tota bonitas est, quae pro ipso quoque oravit Deique misericordiam impetravit, eum denique huc adduxit, eumque secum in aeternum felicem reddere tenero affectu desiderat.

Huiusmodi paternis exhortationibus, familiari conversationis tono propositis, confessarius saepe obtinebit, ut miseri huius increduli animus spei et fiduciae sensibus se aperiat, utque sub influxu gratiae divinae, quam interea sacerdos intimo animo petet, verae contritionis motus in ipso exsurgant, quos sponte per verba cordialia, aliquando etiam per lacrimas et singultus patefaciet. Atque ita glacies duri illius cordis disrupta est. Qui paulo ante velut ingenti pondere oppressus erat, nunc levatum se sentit, suamque voluntatem mutatam; et confessarius, qui ut Dei minister hoc solatium ipsi procuravit, omnia ab ipso obtinere poterit. Hic ergo ulterioribus quaestionibus eius confessionem facile complebit. Dein ipsum adiuvet in eliciendo actu fidei, brevi recordando praecipuas religionis veritates, ipsumque interrogando num haec omnia credere velit. Cui poenitens facile assentietur, quia Dei erga se misericordiam manu quasi tetigit, et difficultates contra fidem velut squamae ab eius oculis ceciderunt. Adiuvet ipsum quoque in eliciendo actu perfectae contritionis et firmi propositi circa fugam occasionum, scandali reparationem et orationem tempore tentationis. Poenitentiam relative levem ei imponat, puta per unam alteramve hebdomadam *Pater*, *Ave*, *Credo* cum actibus christianis. Omnium maxime vero ipsum hortetur ut brevi ad ipsum redeat, quo opus gratiae Dei compleatur.

Tandem illum a peccatis absolvat, eique gratuletur quod cum Dei amicitia etiam pacem et animi tranquillitatem recuperaverit. Etiamsi forte poenitens adhuc in occasione proxima continua versetur, vel inciderit in excommunicationem haeresi adnexam, utpote peccans cum scientia huius poenae, nihilominus ordinarie confessarius statim ipsum absolvat, quia poenitenti in casu contritione extraordinario donato durum esset, et forte etiam periculosum, in statu gravis peccati permanere. Confessarius interim, si caret facultate absolvendi ab excommunicatione, absolutionem pro ipso a S. Poenitentiaria impetret in forma sive commissoria sive gratiosa, prout melius iudicaverit. — Quot misere a fide aberrantes tali benigni et prudentis confessarii agendi ratione ad Deum et praxim religiosam redierunt et felicitatem in hac et in altera vita consecuti sunt!

Si nihilominus Thomas post omnes confessarii conatus et testificationes adhuc frigidus et indifferens permanserit nec credere velit, hic benigne et quasi invitus ipsum dimittat, interim eidem compatiens et promittens, se pro eo oraturum ne in hoc tristi statu moriatur, seque in posterum etiam laete eum excepturum esse ut suo ministerio eum cum Deo reconciliet. Si tamen dubia fidei et contritionis signa dederit et absolutionem accipere velit, confessarius sub conditione eam concedat, quia simpliciter dimissus non facile redibit, et in extremis extrema sunt tentanda.

85. — *Ad* 4^m (supra p. 65). — In universum notandum est, huiusmodi operarios indoctos, a socialistis incredulis seductos, ut plurimum a confessario maiore cum indulgentia tractari posse quam qui doctrina et auctoritate pollent, quia propter eorum humiliorem in societate conditionem generatim scientia non sunt inflati, aliis minus praebent scandalum, eorumque circa religionem ignorantia facilius excusari potest.

Primo igitur interrogandus quidem est Lucas de erroribus et peccatis contra fidem admissis. Saepissime autem illi operarii simplices et indocti, praesertim si adhuc praeceptum paschale implere volunt, non interne et cum pertinacia graves illos errores admittunt, sed externe solum et ex respectu humano, sicut etiam S. Petro accidit; quo casu graviter quidem peccant, sed non peccato haeresis. Hinc facile etiam de peccato dolent, idque maxime si a bono confessario iuvantur. — Secus est de socialistarum antesignanis, qui doctrinas funestas contra fidem et mores omnibus modis spargunt et gravissimum dant scandalum. Si accedunt, tractandi sunt, sicut increduli eruditi, qui in auctoritate sunt constituti (cfr. supra n. 80 sqq. casum Raymundi).

Deinde, quod Lucas praeceptum paschale adhuc implere vult, idque non ex respectu humano, sed ex vero sensu catholico, et idcirco secreto confessarium quaerit, signum est ordinarium sinceri desiderii se cum Deo reconciliandi, atque mutatae voluntatis quoad peccata commissa. Quodsi insuper post ultimam confessionem aliquo tempore melius haec peccata vitavit, indicium est speciale, quod non est habituatus proprie dictus neque recidivus formalis, sed quod magis ex humana fragilitate, quam ex malitia in eadem peccata est relapsus. Unde iterum facilior est vera animi conversio. Neque obstat, quod ex consuetudine vel ab uxore monitus accedit ad confessionem, quia ordinarie consuetudo et uxoris monitio non est principalis ratio huiusmodi accessus, sed potius eius occasio. Neque scandalum, a simplici operario datum, ita grave est quoad socios qui passim iam ex se tales sermones proferunt.

Caius igitur serio quidem at valde paterne ipsum monere et hortari debet. Idcirco primo curet, ut Lucas iterum actum fidei eliciat, interrogando ipsum num omnia credere velit, quae Ecclesia catholica credenda proponit, quorum principaliora capita ipsi denuo in memoriam revocet. Deinde quaedam efficacia contritionis motiva breviter ipsi exponat. Tum moneat ipsum, ut illos socios qui saepius contra religionem loquuntur quoad potest evitet, ut viriliter, tacendo saltem, respectum humanum vincat, ut potius operariis vere catholicis se associet, ut diaria socialistica, utpote plerumque mendaciis et calumniis plena, devitet, sed potius legat aliquod diarium catholicum, secreto saltem; praeterea ut diebus festis Missae assistat, mane et vespere breves quasdam preces recitet, religiosam etiam filiorum educationem curet; denique praesertim ut quam primum ad ipsum redeat, protestans se cum gaudio eum semper recepturum esse et adiuturum ut in bonis dispositionibus perseveret suamque animam salvet.

Post haec Caius eum statim absolvat; imo, etiamsi adhuc de vera eius dispositione dubitet, ordinarie absolutionem ne differat, sed saltem sub conditione concedat; quia nostra aetate plerumque graviter timendum est, ne huiusmodi operarii, in tantis fidei periculis constituti, non redeant et forte diu a sacramentis alieni maneant.

86. — Difficilior est casus, si Lucas etiam socialistarum syndicatui sit adscriptus. Per se quidem huic renuntiare debet, quia ordinarie est occasio proxima. Par accidens tamen graves rationes esse possunt, quibus talis occasio saltem ad tempus sit necessaria, v. g. quod secus illum laborem amitteret, neque alium quo se suosque sustentet inveniret. Si forte in illa regione Episcopi propter bonum commune omnem adscriptionem illis syndicatibus sub poena denegatae absolutionis prohibuissent, in casu huiusmodi gravis necessitatis confessarius epikeia uti posse videtur et monitionem de hac societate relinquenda ad tempus differre, modo poenitens sincere promittat, se omnia facturum, ut alibi laborem inveniat; qua in re confessarius pro viribus consilio et opera eum adiuvare conabitur. Interim ipsi praescribat remedia supra indicata, quibus occasio e proxima fiat remota.

Ad 5^m (supra p. 66). — Quoad illum *incredulum in mortis periculo constitutum*, varii huius casus aspectus distinguendi sunt:

87. — 1° Si aegrotus adhuc *mentis compos* est et *loqui valet*, Sempronius post quaedam verba ad captandam eius benevolentiam, aptis motivis, prudenter et magno cum cordis affectu propositis, eum ad confessionem faciendam excitare conetur. Quod si ex sententia successerit, eum interrogando adiuvet ad confessionem generalem, quantum tempus et adiuncta permittunt, instituendam; interroget specialiter etiam de peccatis contra fidem commissis, sive internis sive externis: verbis, scriptis, operibus, de scandalo dato etc. Qua in re confessarius mediocri tantum diligentia uti debet, minore etiam quam ipse poenitens in examinanda sua conscientia pro statu suae infirmitatis debet adhibere. Tum praesertim eum excitet ad veram peccatorum contritionem, eumque adiuvet, puta interrogando, in eliciendis actibus fidei, spei, caritatis et contritionis.

Deinde *per se* Sempronius eum etiam monere debet de obligatione retractandi errores ab ipso contra fidem cum magno fidelium damno sparsos, et reparandi scandalum per suum suffragium impiis legibus datum. Etenim generatim ignorantia invincibilis circa hanc obligationem in homine erudito non facile supponi potest; et si nulla fit publica retractatio, populus novum scandalum accipiet, credens hos errores et peccata non esse adeo gravia, illosque qui ea etiam in momento mortis admiserint, adhuc salvari posse. — Variis autem modis haec retractatio fieri potest: vel ipse poenitens formulam scribat aut saltem subsignet, qua profitetur se ut bonum filium Ecclesiae catholicae mori velle atque idcirco retractare omnes errores ab ea damnatos; vel idem testetur coram aliquibus praesentibus; vel saltem confessario det licentiam divulgandi suam retractationem. Quo facto absolutio ei dari potest. Attamen si poenitens noverit excommunicationem haeresi externatae esse adnexam, confessarius ante absolutionem peccatorum eum ab hac censura absolvat; qua facultate quilibet confessarius in periculo mortis gaudet, sub onere pro poenitente, si convaluerit, recurrendi ad S. Sedem vel ad Episcopum (can. 882, 2252), nisi confessarius amplioribus facultatibus ipse munitus sit. Item si aegrotus sectae massonicae sit adscriptus, et noverit id sub poena excommunicationis a S. Sede fuisse prohibitum, in periculo mortis a confessario pro foro interno ab hac excommunicatione absolvi potest, sed prius hanc sectam abiurare debet.

 Quodsi huiusmodi aegrotus nulla ratione ad poenitentiam et confessionem peragendam adduci potest, omnemque sacerdotis opem obstinate abiicit — sicut nostra aetate cum incredulis saepe accidit —, confessarius certe nihil facere potest; neque secreto sub conditione verba absolutionis pronuntiare ipsi licet: est enim certe indispositus, deque eo valet praeceptum Christi: « Nolite dare sanctum canibus ». Benigne tamen ipsi suam orationem promittat, et ab eius familiaribus petat ut, ubi primum aliquod melioris dispositionis signum advertant, ipsum advocent; vel etiam ipse proprio motu aegrotum denuo visitet, si qua spes resipiscentiae adest.

 2° Si aegrotus *loqui iam non potest*, sed adhuc mentis compos est et quaestionibus per signa vel nutus potest respondere, Sempronius, quoad pro adiunctis potest, interrogando eius confessionem excipiat, quemadmodum supra dictum est. Item quod attinet ad eius retractationem, ab ipso v. g. quaerat: « Nonne consentis ut dicatur, te filium Ecclesiae catholicae mori velle et retractare omnes errores ab ea damnatos? ». Ceterum procedat sicut sub 1°.

 88. — 3° Atque haec quidem *per se* et regulariter facienda sunt. — Nihilominus, si Sempronius probabiliter credit, aegrotum mentis adhuc compotem circa obligationem se retractandi versari in ignorantia invincibili vel de ea non cogitare, et si prudenter timeret ipsum monitioni non esse obediturum — quippe quod onus eius viribus spiritualibus nimis grave esset —, confessarius a monitione facienda abstineat. Nam in hisce conditionibus nullus ex monitione sperari potest fructus pro bono communi, sed solus eius effectus erit damnum privatum et aeternum poenitentis. Si eum tamen dubie saltem

dispositum haberet, sub conditione impertiat absolutionem, sed coram aliis ipsi ne det Extremam Unctionem neque Viaticum, quia, ut supra sub 1° diximus, sine publica retractatione grave catholicorum scandalum adeoque damnum publicum oriretur.

89. — 4° Denique si aegrotus ad quem vocatur sacerdos, est iam *moribundus sensibus destitutus,* Sempronius ipsum statim sub conditione absolvat, etiamsi hic sacerdotem non vocaverit nec signa externa poenitentiae dederit, modo tamen ne, sui status plane conscius, usque ad sensuum destitutionem sacerdotem recipere praefracte renuerit (cfr. supra n. 38; *Opus,* n. 502-505). Sin autem conditionate absolvi potest, confessarius ei etiam det Extremam Unctionem, sed hanc absolute sine addita conditione, quia hoc sacramentum, accedente postea attritione, reviviscit. — Praeterea, ut populi scandalum praevertat, adstantibus significet, aliqua ratione supponi posse moribundum in his adiunctis interne saltem actum verae contritionis de vita anteacta elicuisse.

ARTICULUS II.

De vitio blasphemandi.

Casus propositi

90. — 1° Fredericus, auriga, quasi quotidie, imo etiam pluries per diem, ira excandescens in equos graves blasphemias eructat, subinde quoque in filios non obedientes, vel in caupona inter ludendum. Post tres quatuorve menses confitetur iterum apud Titium. Hic, quum repererit poenitentem, licet aliquoties iam absolutum, semper in eamdem consuetudinem recidisse et etiam post ultimam confessionem parum vel nihil se emendasse, ipsi, utpote recidivo in habitum blasphemandi, bonis utique verbis, ad octo dies absolutionem differt, ut interim maiorem in oppugnanda hac consuetudine diligentiam adhibeat et meliora poenitentiae et emendationis signa praebeat. — Poenitenti haec confessarii decisio non placet. Quapropter statim post adit confessionale Caii qui, reputans Fredericum non intentione Deo contumeliam inferendi, sed ex inadvertentia haec verba in se quidem blasphema protulisse, post breve monitum ut ab his verbis caveat, ipsum absolvit. — Uter recte egit: Titius an Caius? (Cf. resp. n. 96).

2° Valerius, operarius et paterfamilias cum prole numerosa, vehementer animo concussus ob laboris reique familiaris inopiam aliaque infortunia quibus ad veram egestatem est redactus, aliquando in verba blasphema contra Dei providentiam erumpit, dicens e. gr.: « Deus oblitus est mei! — Deus non est iustus! — Quare me, honestum christianum et religionis officia implentem, tantis malis affligit, non alios me peiores? » Accedit tamen adhuc ad Titium, confessarium, qui serio eum monet quod, illa verba proferens, gravissimum peccatum directe contra Deum commisit. Haesitat etiam, num Valerium iam recidivum statim absolvere possit. — Quid in casu? (Cf. resp. n. 97).

Quaeritur I. Quid est blasphemia? Quid ad eam constituendam requiritur et sufficit?
  II. Quid dicendum de consuetudine blasphemandi in se spectata?
  III. Quid circa illam consuetudinem in praecipuis populorum linguis?
  IV. Quae remedia contra vitium blasphemandi a parochis et confessariis sunt adhibenda?
  V. Quid dicendum de ratione agendi Titii et Caii?

I. Natura blasphemiae.

91. — Blasphemia definitur: locutio contumeliosa in Deum. Dicitur: 1° *Locutio*, quod verbum latius sumi debet, quia blasphemia etiam sola mente, vel signis, vel scriptis exprimi potest. — 2° *Contumeliosa*, quae Deo Optimo Maximo gravem iniuriam irrogat, sive malum ei optando (blasphemia imprecativa), sive falsum ei attribuendo (haereticalis), sive verum quidem dicendo sed modo irrisorio. — 3° *In Deum*, vel in sanctos, aut res sacras vel alias creaturas, prout specialem cum Deo relationem habent, ita ut contumelia in Deum redundet.

Est autem peccatum mortale ex *toto* genere suo, hocque gravissimum, quia Maiestatem supremam, infinita laude et honore dignam, opprobrio et convicio afficit. Non ergo admittit materiae parvitatem.

Ad peccatum formale blasphemiae constituendum non requiritur directa et formalis intentio inhonorandi Deum, sed, sicut in aliis peccatis, sufficit indirecta et implicita, quae iam adest in voluntaria et assertiva (non narrativa) prolatione verborum quae sensum iniuriosum in Deum continent. Sic rex graviter offenderetur ab eo qui voluntarie coram ipso diceret: « maledictus rex »; ipso enim facto suis verbis gravem ei inferret iniuriam, etiamsi praetenderet id di-

recte se nolle. Hoc probe advertant aliqui confessarii qui nimis
facile blasphemos excusare nituntur. Utique qui ex proposito diabolica actus malitia verba contumeliosa in Deum eructat gravius
peccat; sed hoc minime impedit, quominus et alii blasphemi communes gravissimae culpae rei sint.

II. DE CONSUETUDINE BLASPHEMANDI.

92. — Consuetudinis blasphemandi causa esse potest aut passio,
quae proximam praebet occasionem, aut habitus proprie dictus.

Si *passio* est causa, haec ordinarie erit ira, quae bilem commovet et in verba blasphema prorumpit. Quo gravior vel levior est
hic irae motus, eo minor vel maior erit culpa, iuxta illud S. Thomae:
« Quanto aliquis ex maiori passione impulsus peccat, tanto levius
est peccatum » (II-II, qu. 154, a. 3, ad 1^m). Imo interdum, at raro,
quidam tam vehementi et subita ira seu furore abripiuntur, ut eorum
ratio plane perturbetur, adeo ut absit vera advertentia, ac proinde
etiam culpa gravis. « Excusatur a culpa, inquit S. Alphonsus, si
(quis) adhibitis diligentiis inadvertenter blasphemat » (V, *De act.
hum.*, XIV, 3°; ed. Gaudé, II, 672). Vocantur illi motus « primo
primi », quia omnem rationis advertentiam antevertunt. Ceterum,
si quis necessariam diligentiam ad motibus irae resistendum non
adhibet, semper habet sufficientem advertentiam ad peccatum, saltem in causa, videlicet ex culpabili negligentia.

Si *habitus* est blasphemiae causa, adest illa permanens et quasi
naturalis inclinatio, qua quis frequenter et facile sine ulla resistentia
sermoni quotidiano verba blasphema intermiscet, idque etiam sine
gravi irae motu. Oritur ille habitus ex passione cui diu nihil resistitur,
vel ex mentis indifferentia et inconsiderantia circa tantum malum.
Ordinarie huius contracti habitus occasio est aliorum exemplum
seu scandalum datum et acceptum. Quo fortior est huiusmodi habitus et quo maior eum oppugnandi negligentia, eo gravior est
culpa, quia habitus libere admissus per se non minuit, sed auget
voluntarium.

Quapropter a gravi culpa excusari non possunt huiusmodi habituati ex eo quod actualiter ad illam malitiam non attendant: adest
enim sufficiens advertentia, saltem confusa, etsi non reflexa, quasi
in subconscientia, uti recentes psychologi loquuntur. Qua de re ita

S. Alphonsus: « Aliqui huiusmodi blasphemantes dicunt, se non animadvertisse ad malitiam blasphemiae... Sed puto, semper adesse in blasphemando aliquam advertentiam, saltem confusam, de malitia illius prolationis. Ira enim aut habitus ordinarie non ita intellectum obtenebrat, ut penitus ad malitiam blasphemiae non advertatur, licet ipsa reflexe non cognoscatur » (*Th. M.* III, 127) [1]. Sufficit ergo ut blasphemi obiectivum illorum verborum sensum cognoscant.

Concedendum tamen est, generatim apud habituatos in vitio blasphemiae affectum seu adhaesionem ad hoc peccatum non esse tantum quantum est ad alia plerumque peccata, v. g. odii, luxuriae, iniustitiae, quia paucis tantum verbis cum minore complacentia committitur. Idcirco facilior est de his oris peccatis contritio; et sub hac ratione blasphemi facilius absolvi possunt quam alii illi habituati, in quibus maior est appetitus complacentia maiorque pravae voluntatis adhaesio. Ita iterum S. Alphonsus: « Notandum, inquit, circa malum habitum, quod facilius absolvi possunt recidivi in blasphemiis quam in aliis peccatis odii, furti aut libidinis, quibus habitus fortius inhaeret causa maioris concupiscentiae sive inclinationis quae in illis invenitur » (*Praxis,* n. 75). Semper tamen requiritur propositum firmum et efficax adhibendi remedia apta ad hunc habitum exstirpandum.

III. DE BLASPHEMIIS POPULARIBUS IN VARIIS LINGUIS.

93. — Quod attinet ad consuetudinem blasphemandi apud varios populos, non loquimur hic de blasphemiis haereticalibus deque horribilibus iniuriis, quae nostra aetate in omnibus fere regionibus ab incredulis, haereticis aut catholicis apostatis proferuntur in diariis, ephemeridibus, libris vel etiam in cathedris scholarum et publicis praelectionibus. Propter effrenatam illam quidlibet scribendi et lo-

---

[1] Magis adhuc expresse in *Praxi* S. Doctor ita loquitur: « Hic addo, blasphematores non excusari a peccato gravi eo quod, propter vim habitus mali aut vehementem animi commotionem ad iram, non adverterint id quod dicebant: quia hi male habituati, licet habeant cognitionem minus vivacem quam alii qui usum blasphemandi non contraxerunt, tamen semper habent eam actualem cognitionem sufficientem ad hoc ut actus sit deliberatus et graviter peccaminosus. Cum enim ipsi tanti non faciant peccatum, ideo in suo animo nullum huius sceleris sensum experiuntur, sicut perciperet alius qui esset conscientiae non tam depravatae; et hinc oritur quod in eorum mente ne signum quidem remaneat actualis cognitionis, quam in peccato habuerunt: aut si vestigium aliquod cognitionis relinquitur, est ita leve ut interrogati faciliter respondeant, se non animadvertisse. Sed diligens confessarius nullam in hoc debet eis praestare fidem; et neque debet ab his sciscitari, an adverterint necne, sed accipiendae sunt omnes ut verae blasphemiae actuales, semper ac ipsi sciebant tales esse » (n. 31).

quendi licentiam, quam lex civilis, principiis liberalismi innixa, hodie
fere ubique concedit, Ecclesiae ministri ad haec impedienda directe
parum facere possunt [1]. — Interdum etiam inter catholicos, praecipue
gravibus temporalibus malis afflictos, reperiuntur qui in verba contra Dei iustitiam aut providentiam erumpunt. Hi utique serio monendi sunt; sed potissimum rationibus ex fide petitis ad patientiam
et fiduciam hortandi. Ceterum, hi raro sunt proprio sensu consuetudinarii et generatim facile ad contritionem moveri possunt.

Hic igitur solum sermo est de certis quibusdam locutionibus
blasphemis, apud varios populos, praecipue quidem inter plebeios,
sed haud raro etiam inter cultos, passim usitatis, et ex passione vel
prava consuetudine plus minusve frequenter prolatis.

Iamvero in lingua *Germanica* huiusmodi locutiones populares,
quae vere blasphemae sunt, feliciter non habentur. Neque in linguis
Polonica et *Bohemica*, ut nobis assertum est.

Quoad linguam *Gallicam*, antea praesertim a multis quidem
theologis docebatur, consuetam illam formulam: « Sacré nom de
Dieu » (Sacrum nomen Dei), etsi in se ambiguam, propter adiuncta
habendam esse blasphemam, utpote dictam in motu irae. Nunc vero
auctores communius merito censent, motum irae non esse circumstantiam ob quam verbum « sacer » sensu blasphemo (pro « exsecrabilis », « detestabilis », « maledictus ») sit accipiendum, nisi haec ira
directa intentione in Deum feratur. Plerique autem illa verba proferentes hoc nequaquam intendunt, sed in solas creaturas irasci volunt.
Unde est sola vana usurpatio sancti nominis Dei, quae originem ducere videtur ex consueta formula iurisiurandi: « Je jure par le saint
et sacré nom de Dieu ». Arbitramur, maxime spiritui theologorum
rigoristarum saec. XVII et XVIII tribuendum esse, quod prima sententia olim adeo invaluerit, non solum apud theologos, sed per hos
etiam inter fideles. Quia ergo valde dubia est prima illa sententia,
imo nostro aliorumque iudicio improbabilis, haec locutio obiective
iam non ut vera blasphemia haberi potest; ac propterea fideles prudenter a catechistis et confessariis dedocendi sunt, ut communis illa
populi acceptio paulatim plane desinat. Ita iam fecerunt Episcopi
Belgii anno 1912 in collectiva Instructione pastorali.

---

[1] Notandum tamen est, in aliquibus regionibus graviores in Deum blasphemias et
convicia coram aliis prolata etiam lege civili prohiberi et puniri.

Linguae *Neerlandicae* in Hollandia et Belgio vulgaris locutio:
« Deus damnet me » ante quinquaginta annos quasi communiter reputabatur in se Deo graviter contumeliosa; hodie vero a theologis plerisque omnibus iam non habetur ut blasphemia, sed ut gravissima suiipsius imprecatio quae, quum generatim sit praeter loquentis intentionem, peccatum grave non constituit. Qua de re fideles iterum prudenter instruendi sunt[1]. — Idem dicendum est de usitata formula *Anglica*: « Deus damnet », addito saepe « te » vel « me ».

In lingua *Hispanica* existit locutio, quae in se Deo eiusve Sanctis vel rebus sacris est valde contumeliosa ac propterea vera blasphemia, eaque a plebeiis frequenter adhibita. — Feliciter eadem locutio, ut nobis dictum est, non usitata est in lingua *Lusitanica*, saltem apud populum Brasilianum.

In lingua *Italica* locutio valde usitata est « Managgia » i. e. « male habeat », addito nomine Dei, vel Christi, vel B. M. V., vel alicuius Sancti aut rei sacrae; quae verba omnium consensu vere blasphema sunt: significant enim: « Maledictus sit... ». Imo Itali haud raro etiam aliis verbis horribiles contumelias Deo, B. M. V. aliisve sanctis inferunt. Tradunt, saeculo praeterito Ecclesiae inimicos has blasphemias industria vere diabolica inter populum, praesertim in Etruria, propagasse, ut eum a Deo et ab Ecclesia averterent. Summo igitur studio confessarii, praedicatores et catechistae contendant, ut omnibus mediis has iniurias, quotidie millies Deo illatas, e populo exstirpent, quippe quae nulla ratione a gravissimo peccato excusari possint (supra n. 91 sq.). Feliciter ultimis temporibus, adiuvante etiam potestate publica civili, iam haud exiguam deminutionem detestabilis huius consuetudinis in populo cernere licet.

IV. Remedia a ministris Ecclesiae contra blasphemias adhibenda.

94. — Parochi et confessarii, vero gloriae Dei zelo succensi, omnem profecto operam adhibere debent ut antevertant, ne Divina Maiestas a fidelibus blasphemantibus quotidie gravissimis iniuriis et conviciis afficiatur. Quam ob rem

1° *Parochus*, in illis praesertim locis ubi frequens est blasphe-

---

[1] Cfr. Aertnys-Damen, I, n. 460, qu. 4ᵃ, et Wouters, *Manuale Th. Mor.*, I, n. 636, 4.

mandi usus, praeter praedicationem, haec maxime remedia adhibere potest:

a) Curare ut in sua paroecia erigatur « associatio antiblasphema », quae in aliquibus regionibus, uti in Italia, etiam ab auctoritate civili commendatur et haud parum iam contulit ad hunc abusum refrenandum. — *b)* In huius associationis conventibus, aliquando habere sic dictam conferentiam, potissimum ab honestis laicis eloquentibus una cum publicis protestationibus vel, uti aiunt, « motionibus », qua occasione auditores quoque excitentur ut macti se opponant blasphemias proferentibus, v. g. statim aliis audientibus simpliciter dicendo: « Benedictus sit Deus — Christus — B. M. V. etc. »; id quod, ut experientia constat, cedit tum in blasphemi illius correptionem, tum in aedificationem audientium, signis saepe id approbantium [1]. — *c)* Hortari etiam ludimagistros, ut pueros absterreant ab hoc vitio, utpote moribus quoque civilibus et urbanis plane opposito. — *d)* Quantum fieri potest curare, ut ab honestis cauponibus in tabernis vel aulis publice affigatur inscriptio: « Prohibitio blasphemandi » vel « Hic non blasphematur » vel aliquid huiusmodi; item a patronis in fabricis et officinis. — *e)* In ecclesia una cum populo, uti et in piis sodalitatibus, orare pro exstirpatione blasphemiarum in paroecia; item recitare interdum actum reparationis pro iniuriis contra Deum prolatis. — Hisce aliisque mediis paulatim publica efformatur populi opinio contra hunc detestabilem usum.

95. — 2° *Confessarius a)* graviter *moneat* poenitentes, haud raro indifferentes, de huius peccati malitia, deque scandalo aliis dato, praesertim a parentibus quoad filios. — *b)* Assuetis blasphemare apta assignet *remedia*, utputa: saepe Deum orare, ut eos adiuvet in dimittenda hac consuetudine, praesertim etiam quando instat irae tentatio secreto invocare nomina Iesu et Mariae; — quolibet mane renovare firmum propositum; — si ira correpti verbum blasphemum protulerint, illico elicere brevem actum doloris cum aliqua prece iaculatoria reparatrici; — aliquam tenuem eleemosynam sibi imponant pro qualibet blasphemia; — indicet ipsis confessarius aliquod verbum innocuum, sed fortiter sonans, quod in motu irae, loco blasphemiae, pronuntiare assuefiant; vel dicant tunc: « Maledictus dia-

---

[1] In Italia iuxta legem civilem publice, puta in curru viae ferreae, blasphemiam proferenti, si ab aliis custodi civili (« guardia ») denuntiatur, parva mulcta statim solvenda imponitur. Laude sane digni sunt illi denuntiantes.

bolus!». — *c*) Pro poenitentia utiliter ipsis imponere potest, quotidie per unam alteramve septimanam dicere unum «Pater» et «Ave» cum actu doloris et propositi. — *d*) Recidivis aliquando pro sua prudentia verbis paternis ad breve tempus absolutionem differre potest; imo hoc facere debet, non solum dubie dispositis, sed iis etiam qui satis dispositi videntur, si ob neglectionem aliorum remediorum hoc necessarium iudicat ad eorum emendationem.

Quantopere huiusmodi dilatio absolutionis efficax esse possit, praesertim in paroeciis ruralibus, ubi adhuc fides viget et sacramentorum usus, hoc exemplo probat S. Leonardus a P. M. In celebri illa et ampla instructione, quam in fine missionis confessariis dare solebat, hoc proponit remedium. «Finis principalis nostrae conferentiae est, inquit, inire *sacrum foedus* («sagra lega»), quo omnes simus uniformes in administrando hoc magno sacramento. Qua de re audiatis casum qui accidit in aliquo loco, ubi maior populi pars erant habituati in publice proferendis blasphemiis horrendis. Movit Deus zelum aliquorum religiosorum, qui invitabant omnes confessarios, hisque magno studio insinuabant, ut omnes sacrum inirent foedus quo tanto malo remedium opponerent, tamque pestiferum abusum ab illo loco radicitus evellerent. Foedus in hoc consistebat quod, quum quis ex his blasphemis se eis sisteret, absolutionem per octo dies differrent, dando eis poenitentiam salutarem et praeservativam, graviterque eos monendo de huius peccati malitia. Age vero; quodam die festo B. Mariae V. illi confessum veniunt, suas blasphemias confessario accusant, petuntque absolutionem. «Recte, care fili, inquit confessarius; sed per amorem sanctissimae Virginis abstine ab his blasphemiis per octo vel decem dies; dicas talem poenitentiam; tum redeas et te absolvam. Non dubita, fili; te consolabor, non te increpabo, sed cum caritate tractabo etc.». — «Quid, Pater, non me absolvis?» — «Non, fili, nunc non expedit». — «Sed, Pater mi, hodie est festum B. M. V. volo ire ad S. Communionem». — «Esto, sed nunc habeas patientiam; post octo dies te absolvam et recipies S. Communionem». — «Miror hac de re, Pater; alium confessarium adibo». Alium reapse adit, sed eamdem audit antiphonam. Quod quum omnibus aliis accidisset, omnes erant compuncti, et attoniti alter ad alterum dicebat: «Quantum est hoc peccatum! Nemo illud absolvit». Tantusque fuit horror quem populus ille de peccato blasphemiae concepit, ut post unum mensem iam nulla blasphemia in hac regione audiretur». — Haec S. Leonardus, celeber ille saeculo XVIII Italiae missionarius (*Discorso mistico e morale*, n. 14).

Unitis igitur parochorum et confessariorum viribus solida adest spes fore ut haec non satis deploranda consuetudo illis in locis pedetentim exstirpetur vel certe notabiliter decrescat.

V. Casuum solutio.

96. — *Ad* 1ᵐ (supra pag. 93). — Si Titius nihil aliud inquisivit, eius iudicium nimis properum et severum esse videtur. Certe, si illae blasphemiae ex vero habitu prolatae sunt adeoque ex quadam indifferentia, si praeterea omnes conditiones recidivi formalis adsunt (supra n. 48, 1°), si denique poenitens in praesenti confessione nullo speciali signo se vere contritum esse ostendit, nihil contra Titii agendi rationem obiiciendum est, quia de huius recidivi firmo proposito prudenter dubitandum videtur.

Sed forte Fredericus noster numquam serio est admonitus, nec remedia ei sunt indicata; forte etiam statim post relapsum de peccato doluit et fuit iam emendatio inchoata; forte nunc saltem post paternam confessarii monitionem speciali modo dolorem manifestat. Hisce omnibus in casibus de eius vera dispositione non est prudenter dubitandum. Ceterum, ut supra (n. 92) ait S. Alphonsus, blasphemis facilius dari potest absolutio, quia eorum voluntas non tantopere peccato adhaeret, ideoque facilior est contritio. Nihilominus, quia — uti theologi communiter docent — etiam recidivis rite dispositis interdum utiliter absolutio differtur, praecipue si iam aliquoties absoluti fuerint, ut maiorem peccati horrorem concipiant, remedia diligentius adhibeant et sic non ita facile recidant, Titius prudenter etiam Frederico absolutionem differre poterit, si poenitens non valde aegre illam dilationem accipiat et a sacramentis alienetur. Imo ad tollendum scandalum talis dilatio aliquando valde utilis vel etiam necessaria esse potest, praesertim in paroecia rurali, ubi omnes fere statis temporibus ad sacramenta accedunt, ut ostendit exemplum S. Leonardi a P. M., supra (n. 95) relatum. Sive autem Frederico statim absolutio datur, sive differtur, semper tamen ei dicatur, si forte contigerit ipsum serio dolentem et media adhibentem adhuc inopinato, ex abrupto, vi antiqui mali habitus, aliquam blasphemiam proferre, hoc nondum esse peccatum mortale, utpote non plene deliberatum. Quapropter idcirco animum ne despondeat sed statim actum displicentiae eliciat, dicat: « Benedictus Deus », firmum propositum renovet, et dein brevi ad confessionem redeat.

Caius parum recte egit, quia falso opinatus est, ad gravem blasphemiae malitiam contrahendam requiri intentionem formalem Deo inferendi contumeliam, uti supra (n. 91 sq.) vidimus.

97. — *Ad* 2ᵐ (supra pag. 93). — Valerius certe verba obiective graviter blasphema, eaque haereticalia, pronuntiavit. Num autem gravis peccati formalis reus sit, non adeo constat. Profecto, si haec verba deliberate et attendens ad eorum sensum pronuntiat, erit mortale; item si saepe ex consuetudine quam non dimittere conatur. Sed ordinarie a catholicis ceterum iustis in magnis illis animi afflictionibus non attenditur ad sensum blasphemum verborum, neque ea ex animo a Deo averso proferuntur; sunt potius querelae et lamentationes, dolorem internum manifestantes et significantes, Deum ita cum ipsis agere ac si eorum oblitus esset, ac si iniustus videretur. Exemplum huius loquendi rationis habes in Beato Job. Quare Titius Valerium benigne excipiat; ipsum serio quidem moneat ut ab hisce pessimis verbis abstineat; sed ceterum eum soletur, adducens exemplum sacrae Familiae pauperrimae, sanctorum Martyrum, memorans praemium aeternum in caelis etc. Hortetur ad dolorem ob haec verba prolata, ad orationem et fiduciam in divina Providentia, ad usum sacramentorum; neque absolutionem differat, nisi certus sit de eius indispositione.

ARTICULUS III.

De vitio pollutionis.

Casus propositi

98. — Titius, sacerdos pius et doctus plenusque zelo pro salute animarum, confessarius ordinarius est in quodam collegio ecclesiastico, in quo pueri et iuvenes inter 12 et 18 aetatis annos educantur. Praeter plurimos pueros castos et innocentes in materia castitatis, accedunt ad eum etiam alii qui in peccatum masturbationis vel pollutionis lapsi sunt; quos inter e. gr. hi sunt:

1° *Pollutionarius recidivus.* — Vitus, sexdecim annos natus, inde ab anno saepius in mense se polluit. Ordinarie singulis mensibus frequentat sacramenta. Initio post confessionem in tentationibus melius quidem orat et efficacius resistit. Sed post octo vel decem dies regulariter, passione devictus, iterum cedit et exinde, animum despondens, quasi nihil resistens cadere pergit usque ad proximam confessionem, singulis tamen vicibus de lapsu dolens. Titius hactenus, post debitas utique exhortationes et monitiones, poenitenti semper absolutionem concessit, quia vi passionis magis quam ex pravo habitu lapsus esse videbatur. Est ceterum Vitus puer satis pius et disciplinae observans. Ast tandem Titius, parvum vel nullum profectum cernens, a se quaerit, nonne nimis benignus erga illum sit. (Cf. resp. n. 116).

2° *Puer labi incipiens.* — Dionysius, puer 14 annorum, a sodali seductus inde a duobus mensibus hoc peccatum solitarium saepius in hebdomade committere incepit. A Titio paterne exceptus, monita salutaria libenter accipit et remedia indicata adhibere sincere promittit. Quavis septimana ad sacramenta accedit; sed, quia satis levis est indolis, parum diligenter remedia adhibet, unde semper eodem fere modo recidit, statim post, ut ait, de peccato dolens. Timet autem Titius, ne poenitens brevi pravum illius habitum sit contracturus, et quaerit quid ultra facere possit. (Cf. resp. n. 116).

3° *De instructione sexuali*. — Candidus, puer 15 circiter annorum ex familia parum religiosa oriundus, sed feliciter in collegio ecclesiastico educatus, moribus adhuc innocens, confessario ingenue loquitur de iis quae nocte sponte experiri incepit (pollutione nocturna). Titius ipsi dicit, haec illa aetate esse naturalia, monet ne de hisce rebus cogitet, neve immodeste se tangat, ut oret etc. Sed Candidus plura suspicatur et aequo curiosius modum generationis cognoscere desiderans, ea de re imprudenter etiam obvia quaedam verba facit cum quodam sodali; id quod etiam ingenue confessario dicit. Instant iam feriae, per duos fere menses domi transigendae. Titius valde timet, ne Candidus illo tempore non a parentibus negligentibus, sed ab aliis mundi amicis ea quae ad generationem spectant plene addiscat, imo etiam seducatur et per masturbationem sibi delectationem veneream sit procuraturus. Unde castis verbis ipsum prudenter et summatim de his rebus instruit. — Quid de Titii agendi ratione dicendum? (Cf. resp. l. c.).

4° *Graviter peccans ob amicitiam particularem*. — Alius iuvenis Iustinus cum quodam eiusdem collegii sodali amicitiam particularem iniit, quae tandem in tactus valde impudicos cum pollutione desinit. Factum sincere dolet et ad Titium accedit. Hic illi iniungit ut illam amicitiam plane abrumpat illumque sodalem prorsus vitet. Iustinus hoc quidem promittit, sed passione seductus id non satis exsequitur et saepius relabitur. Ceterum quia cum illo sodali in eodem scamno sedet, haec vitatio ei quasi impossibilis est. Unde Titius, postquam una alterave vice post seria monita absolutionem dedit, eam ipsi iam differt usquedum melius amicum vitaverit. — Rectene egit? (Cf. resp. l. c.).

5° *Discipulus aliorum corruptor.* — Aliquo elapso tempore Titius graviter suspicatur, adesse in collegio aliquem discipulum complurium aliorum corruptorem, sed hoc certo probare nequit. Quod quum tandem certo resciverit ex confessione Lamberti, huic iuveni imponit ut corruptorem superioribus denuntiet. Sed hic ad illam denuntiationem faciendam adduci nequit. Unde Titius anceps haeret de consilio capessendo. — Quid in casu? (Cf. resp. l. c.).

6° *De moderatore congregationis iuvenum externorum.* — Post paucos annos Titius ab Episcopo illius civitatis nominatur etiam moderator alicuius congregationis iuvenum annorum fere 14 et ultra, usquedum matrimonium ineant. Quum hisce ob suam indolem benevolam, prudentiam et pietatem sit valde acceptus, plurimi apud ipsum quoque confessionem instituunt. Quo in munere quum brevi expertus sit, quantopere vitium pollutionis inter iuventutem sit frequentissimum, omni ratione caros illos iuvenes ab illo praeservare et, qui in illud iam sunt prolapsi aut etiam eius habitum contraxerunt, ab eodem liberare et sanare nititur. Memor autem illius: « Ne innitaris prudentiae tuae » (*Prov.* III, 5), ab aliis quoque addiscere desiderat, et idcirco, occasione feriarum, adit ad egregium quemdam sacerdotem qui antea in seminario fuerat ipsi Theologiae pastoralis professor et qui praeclarae doctrinae magnam coniungit experientiam, ut amica conversatione ab eo discat, quibus mediis iuventus a peccato pollutionis sit praeservanda, et quomodo qui huic vitio iam indulgent ab eodem curandi sint. Fructus doctae illorum conversationis continetur in responsione ad sequentes quaestiones.

Quaeritur I. Quae est pollutionis malitia?
       II. Quaenam sunt huius vitii causae et effectus?
      III. Quae remedia contra hoc vitium sunt adhibenda?
      IV. Quomodo Titius in casibus propositis agere debet?

I. De pollutionis malitia.

99. — Pollutio recte definitur: completus venereorum usus extra concubitum. Per « venerea » hic intelliguntur membra corporis quatenus generationi inserviunt, videlicet in masculis erectio cum seminis effusione, in feminis contractio uteri et vaginae cum humoris vaginalis secretione. Hinc pollutio in maribus et feminis specie non differt.

Recentes moralistae acatholici plerumque aequo laxius de pollutionis malitia iudicant, utpote de re quae, nisi in actuum frequentia excedatur et sanitati noceatur, ordinem moralem non graviter perturbet. Catholici autem omnes docent, etiam singulos actus, si voluntarie et directe intenti sint, esse peccatum mortale, iuxta doctrinam S. Pauli: « Neque molles... regnum Dei possidebunt » (I *Cor.* c. VI, 10). Hinc propositio 49ª ab Innocentio XI proscripta: « Mollities iure naturae prohibita non est. Unde, si Deus eam non interdixisset, saepe esset bona et aliquando obligatoria sub mortali ».

Ratio autem *intrinseca* haec est. Usus venereorum ab Auctore naturae unice et immediate ordinatus est ad generationem vitae hominis, et ita ad conservationem et propagationem speciei humanae. Qui ergo hoc actu venereo utitur ob alium finem, quo finis a Deo intentus frustratur, puta ob voluptatem, peccat contra hunc ordinem, a. v. ponit actum, qui *per se* et *natura sua* ordinem a Deo statutum, generationem inquam vitae hominis, invertit et perturbat. Est autem haec ordinis inversio semper gravis; quia quidquid ad conservationem speciei humanae, ac proinde ad existentiam vitae hominis refertur, nulli fini intermedio, sed immediate et unice Deo subiectum est, sive haec vita iam actu existat (intra vel extra uterum matris), sive per actum positivum hominis, in casu per usum venereorum, produci debeat. Unde sicut abortus et homicidium per se et natura sua est gravis ordinis inversio, ita et pollutio. Est nimirum talis seminis effusio quasi homicidium anticipatum (anteceptum ac praecipitatum), quia semen, ut ait S. Thomas, est « homo in potentia propinqua »[1].

---

[1] En contextum S. Doctoris: « Philosophus dicit in semine hominis esse quiddam divinum, in quantum scilicet est homo in potentia. Et ideo inordinatio circa emissionem seminis est circa vitam hominis in potentia propinqua. Unde manifestum est quod omnis talis actus luxuriae est peccatum mortale ex suo genere » (*De Malo*, qu. 15, a. 2, « Respondeo »).

Ad idem reducitur haec argumentatio. Actus venereus (emissio seminis vel quasi-seminis) per se et essentialiter a Deo institutus est, non ad bonum individui — uti v. g. cibus ad nutritionem, — sed unice ad *bonum commune speciei humanae,* i. e. ad eius propagationem; quod bonum est res gravissima totius societatis. Atqui qui ita actum venereum ponit, ut haec propagatio *per se* et *essentialiter* impediatur, illo actu utitur non ad bonum commune speciei humanae, sed illo abutitur ad bonum individui, puta ad solam voluptatem. Ergo agit contra ordinem Dei, idque in re gravissima. Unde ille actus in se et natura sua, intrinsece et essentialiter pravus est, neque ulla ratione cohonestari aut ad finem superiorem et ultimum reduci potest. Huc, ni fallor, refertur etiam ratiocinatio S. Thomae: « Quanto aliquid est magis necessarium, tanto magis oportet ut circa illud rationis ordo servetur; unde per consequens magis est vitiosum, si ordo rationis praetermittatur. Usus autem venereorum... est valde necessarius ad bonum commune, quod est conservatio humani generis; et ideo circa hoc maxime attendi debet rationis ordo; et per consequens, si quid circa hoc fit praeter id quod ordo rationis habet, vitiosum erit. Hoc autem pertinet ad rationem luxuriae, ut ordinem et modum rationis excedat circa venerea. Et ideo absque dubio luxuria est peccatum» (II-II, qu. 153, a. 3)[1].

Neque obstat, quod in senectute et tempore praegnationis venereis uti licet, etsi nova vita humana generari nequeat. Nam talis actus, totus quantus, quo modo positus est, *per se* et *natura sua* hominem producere potest, ac propterea est positus secundum ordinem naturae, adeoque intrinsece honestus est. Solum in casu haec productio ex aliis circumstantiis impeditur; sed hoc est *per accidens* et actum intrinsece bonum non depravat. Ita S. Thomas: « Lex communis datur non secundum particularia accidentia, sed secundum

---

[1] Haec videtur esse etiam ultima ratio intrinseca, cur in luxuria non detur parvitas materiae. Etenim actus incompletus, puta erectio vel commotio venerea directe volita, iam est *initium* et *inceptio unius eiusdemque actus,* cuius terminus est eiectio seminis, a. v. talis actus seu motus in se et ratione obiecti unice tendit et dirigitur ad effusionem seminis seu ad pollutionem perfectam; ergo, si directe et voluntarie admittitur, est iam in se gravis perturbatio ordinis incoepta. Ita brevi et acute S. Alphonsus: « Quaevis carnalis delectatio, seu commotio spirituum generationi deserviențium, est *quaedam inchoata pollutio,* seu *motus ad pollutionem* » (*Th. Mor.,* III, 415). Atque ita patet differentia inter peccata luxuriae et peccata contra alia praecepta. In his enim v. g. leve furtum, levis inobedientia non est initium seu inchoatio actus gravis furti vel gravis inobedientiae, sed est actus in se iam *completus* et *terminatus,* qui ratione obiecti non tendit et ordinatur ad magnam ordinis laesionem contra haec duo praecepta. Ad talem magnam laesionem alii novi actus completi magisque inhonesti requiruntur. In luxuria autem directe volita actus, *etiam incompletus* (ne dicatur *imperfectus*), iam est *inchoatio unius eiusdemque actus pollutionis,* etiamsi hic actus inceptus abrumpatur et ad completum vel ultimum suum terminum non perducatur, scilicet ad seminis effusionem. Per hanc tamen gravis illa ordinis perturbatio adhuc gravior erit; non secus ac gravis in se vulneratio, continuata et perducta usque ad homicidium, adhuc gravior ordinis perturbatio fieret.

communem considerationem. Et ideo dicitur actus ille esse contra naturam in genere luxuriae ex quo non potest sequi generatio secundum communem speciem actus, non autem ille ex quo non potest sequi propter aliquod particulare accidens, sicut est senectus vel infirmitas» (*De Malo*, qu. 15, a. 2, ad 14).

II. Vitii pollutionis causae et effectus.

100. — Est triste factum psychologicum, plerosque iuvenes masculos, etiam inter catholicos, ante matrimonium in peccatum pollutionis solitariae incidisse, vel etiam per tempus plus minusve diuturnum huic vitio deditos fuisse: qui propter educationem apprime christianam, a mundi illecebris quasi separatam, ab hoc peccato prorsus illibatos se servarunt, relative pauci sunt. Etiam inter iuvenes sexus feminei permultae turpi hoc vitio sunt inquinatae. Haud immerito dici potest, hanc carnis concupiscentiam velut teterrimam pestem ac colluviem maximam iuventutis partem cuiusvis regionis et conditionis invasisse.

101. — A) Ad huius facti *causas* quod attinet, 1° praecipua certe causa eaque *generalis* est vehemens concupiscentiae voluptas quae, praesertim in statu naturae lapsae, in actibus luxuriae consummatae sentitur. — Etenim ubi quis ad aetatem pubertatis pervenit, ordinarie experiri incipit hanc naturalem ad voluptates venereas inclinationem cum tentatione ad illas explendas. Imo iam diu ante pubertatem, quando pueri delectationis proprie venereae nondum sunt capaces, crebro exsurgere solent delectationes sensibiles vel sensibiles-carnales ob tactum vel aspectum corporis sive proprii sive alieni, ob cogitationes vel phantasias impudicas etc.; quae quidem delectationes iam a longe ad illas delectationes venereas suo tempore capiendas disponunt, imo hoc tempus saepe etiam accelerant.

2° Initio pubertatis haud raro pueri quasi *ex seipsis* masturbationem addiscere incipiunt per pollutiones nocturnas, vel per ludos impudicos cum propriis genitalibus, vel etiam quasi casu per frictionem alicuius obiecti in parte genitalium. Ex nativo quodam pudore sentiunt illas immunditias minime decere, sed de iis etiam cum parentibus loqui verecundantur. Haud raro tamen circa gravitatem huius peccati adhuc in bona fide versantur, ita ut habitum iam contraxerint antequam ad plenam conscientiam eius malitiae pervenerint. Nec mirum, nam haec cognitio pertinet ad conclusiones magis remotas legis naturalis, quae difficiliore ratiocinio ex ea deducuntur.

3° Maxima autem et frequentissima huius vitii causa sunt *prava aliorum exempla*, imprimis sodalium in scholis, ludis etc., qui iam a tenera pueritia de hoc vitio loquuntur, vel etiam alter alterum ad illud excitat. Certe longe maior iuvenum pars, qui postea funesto hoc habitu obstricti vivunt, aliorum instructionibus et colloquiis turpibus ad hunc infelicem statum pervenerunt. Specialiter si duo particularem inter se amicitiam eamque sensibilem fovent, facile in hoc vitium labuntur. In talibus autem vix umquam ignorantia invincibilis supponi potest.

4° Praeterea ad hunc habitum constituendum et confirmandum valde concurrunt tot *occasiones recentis societatis*, imprimis in civitatibus, quae omnes eo maxime tendunt ut carnis concupiscentiam provocent: cinematographa, picturae lascivae, libri obscoeni, pravi sermones in officinis, fabricis, scholis aliisque consortiis, immodestus mulierum vestitus, variaque alia mundi oblectamenta. Et etiamsi per diem illae impressiones aliis haud raro occupationibus sibi succedentibus repellantur, frequenter tamen vespere in lecto, antequam somnus obrepat, quasi sponte redeunt aut libere revocantur, cum delectatione morosa et cum plena tandem concupiscentiae satisfactione per masturbationem procurata. — Quae dicta sunt praecipue valent de pueris masculis.

Apud puellas, ut iam diximus, vitium pollutionis generatim non ita frequens est atque apud iuvenes masculos. Femina enim, quum in vita sexuali partes magis passivas agat, non sentit in se passionem adeo vehementem ad capiendam plenam venereorum satisfactionem. Praeterea, praecipue si adhuc iuniores sunt, sensus pudoris magis apud illas viget quam apud iuvenes masculos. Unde primis pubertatis annis facilius se a vitio masturbationis immunes servare possunt. Nihilo tamen minus apud illas quoque, praesertim post primos pubertatis annos, hoc vitium frequenter adhuc occurrit, idque maxime propter circumstantias et occasiones externas. Aliae a prava amica seducuntur; aliae excitantur per colloquia turpia in fabricis etc.; aliae occasione chorearum aut nimiae familiaritatis in conversationibus amatoriis; aliae, praecipue ex familiis ditioribus, vitam ducentes otiosam, motibus sensualibus obviam praebent ansam, quum tempus terant vano corporis cultu et ornatu, legendis libris romanticis omne genus, sermonibus levioribus, frequentandis theatris, cinematographis, aliisque mundanis oblectationibus. Hinc fieri nequit, quin multae delectationes venereae sponte exsurgant, quibus dein per masturbationem cedunt, initio semel et iterum, pedetentim semper saepius. Quodsi semel hunc habitum contraxerunt, difficilius saepe quam mares eum dimittunt, quia in universum debiliorem quam hi habent voluntatem, et sensibus magis quam ratione ducuntur.

5° Accedit denique *haereditas*. Nostris quippe temporibus, maxime in civitatibus, parentes, mundi spiritu afflati vel saepe onanistice in matrimonio viventes, prolem sibi similem progignere solent, nervis imprimis debiliorem et neurasthenia laborantem, quae quidem valida est ad vitia carnalia praedispositio.

102. — B) De *effectibus* et *consequentiis* vitii pollutionis quoad corporis sanitatem non agimus, quia non eadem hac de re est medicorum sententia. Certum tamen videtur, excessum peccati masturbationis, sicut multorum aliorum peccatorum, sanitati, imprimis systemati nervoso, haud parum nocere.

Loquimur igitur hic de effectibus in ordine morali et religioso. Iamvero quod S. Thomas dicit de luxuria in genere, dicendum quoque est de vitio pollutionis in specie. Est scilicet pollutio, si in habitum transiit — ut hic supponitur —, vitium capitale, ex quo multa alia peccata procedunt (II-II, p. 153, a. 4); est mater multarum filiarum, quae ab ea ut infelix soboles propignuntur. Praecipuus autem effectus est mentis excaecatio et cordis obduratio quoad veritates fidei speculativae et practicae, adeoque quoad totam vitam religiosam. Imo verissime dicitur, vitium pollutionis, si perduret, esse causam potissimam collapsae vitae christianae, saepe etiam iacturae fidei apud plurimos. Hoc facile persuasum habebit qui considerat quae de natura habitus docet S. Thomas (Vide *Opus*, n. 194-204).

Est enim habitus vitiosus qualitas permanens qua quis velut natura sua in malum inclinatur, ita ut eius ratio peccatum iudicet tamquam finem suum, eiusque voluntas prompte et quasi sine resistentia in illud feratur, in eoque velut sine conscientiae remorsu quiescat. Unde peccans ex habitu difficile poenitet. Hoc maxime obtinet in vitio luxuriae; nam, ut ait S. Thomas, « per vitium luxuriae maxime appetitus inferior, scilicet concupiscibilis, vehementer intendit suo obiecto, scilicet delectabili, propter vehementiam passionis et delectationis; et ideo consequens est quod per luxuriam maxime superiores vires deordinentur, scilicet ratio et voluntas... Dum nimis detinetur carnalibus delectationibus, non curat pervenire ad spirituales sed fastidit eas » (II-II, qu. 153, a. 5). Et alibi: « Vitii habitus quasi natura quaedam inclinat in id quod est sibi conveniens; unde fit ut habenti vitium luxuriae bonum videatur id quod luxuriae convenit quasi connaturale» (*De Verit.*, q. 24, a. 10).

103. — Si quis e. g. puer 14 vel 15 annorum passione abreptus voluntarie se polluere incipit, generatim primis vicibus gravem sentit conscientiae remorsum quod peccatum mortale commisit, Dei amicitiam amisit, aeternae poenae reus factus est. Peccatum dolet et facile convertitur. Ast si per complures menses saepius in hebdomade easdem delectationes carnales ex industria sibi procurare quaerit, haec passio transit in habitum, in inclinationem permanentem et quasi naturalem. Tunc eius ratio sensim pervertitur, depravatur, excaecatur: illis delectationibus frui habet ut finem suum, in quo eius voluntas, ut in summo appetibili, plene quiescit. Res spirituales, fidei veritates, Dei gratiam, orationem, sacramenta fastidit: «Animalis enim homo non percipit ea quae sunt spiritus Dei» (I *Cor.* 11, 14); eius conscientia obtunditur et hebescit, omnem peccati horrorem amittit, vitam vere christianam nihili ducit. Nisi igitur huic vitio efficacia opponit remedia, in miserrima illa animae conditione per multos annos vivet, usquedum in matrimonio hisce delectationibus licite frui possit. Sed saepe hic nondum finis. Post aliquot enim annos, quando status coniugalis onera gravare incipiunt, facile et quasi sponte in pristinam suam circa gravitatem peccati indifferentiam, ex habitu pollutionis ortam, recidet, habitum onanismi coniugalis contrahet, in eoque per plurimos saepe annos vivet, cum tristibus illis consequentiis quae suapte natura ex hoc nefando vitio pro hac et pro altera vita profluunt.

Eadem fere est historia puellae quae, etsi forte christiano modo educata, a iuventute secreto huic pollutionis vitio dedita erat. Si dein matrimonium init, et post aliquot annos huius status onera sentire incipit, facile ad antiquum torporem religiosum redibit et unioni onanisticae consentiet, quo melius et delectationibus carnalibus et mundi gaudiis atque oblectationibus frui possit.

Caput ergo rei est efficacia adhibere remedia, quibus aut praeveniatur quominus ille pollutionis habitus contrahatur, aut semel contractus omnibus viribus exstirpetur. De hisce remediis deinceps.

III. REMEDIA CONTRA VITIUM POLLUTIONIS.

Plurima et egregia ultimis temporibus scripta sunt de educatione ad castitatem, de educatione voluntatis, deque remediis contra vitium oppositum. Quae confessariis et animarum pastoribus hac de re scire magis utilia sunt, hic in compendium reducimus.

Haec remedia alia sunt communia pro iuvenibus cuiuslibet aetatis, alia praeservativa seu prophylactica, alia curativa.

§ 1. *Remedia communia.*

104. — Generalia omnibusque communia remedia ad conservandam virtutem castitatis sunt tum supernaturalia tum naturalia.

1° Prae ceteris certe adhibenda sunt remedia *supernaturalia*, sine quibus post peccatum Adae ob vehementem luxuriae passionem castitatem servare vix sperare licet. Hinc

a) Pietas sincera et vita vere christiana, ex persuasione de fidei veritate profecta, sit fundamentum cui educatio puerorum a tenera iam aetate et deinceps innitatur. Quapropter imbuantur vero Dei rerumque spiritualium amore et magno odio erga peccatum non solum mortale sed etiam veniale plene deliberatum. Saepe excitentur ad cogitandas res suprasensibiles, erigantur ad altiora, uti dicunt, idealia: ad imitandum Christum Regem mundique Redemptorem, ad nobilem suarum passionum victoriam, ad magnam virtutis castitatis aestimationem, ad spiritum sacrificii in appetendis rebus sensibilibus, ad caritatem erga proximum, ad apostolatum per Actionem Catholicam etc. Quo magis enim nostri animi conatus intenditur in res superiores et spirituales, eo minus in appetendis rebus inferioribus et carnalibus occupatur.

b) Frequens sacramentorum usus, imo quotidianus, si fieri potest, ad S. Communionem accessus, iuxta Iesu Christi et Ecclesiae desiderium (can. 863).

Omnium maxime ad puritatem conservandam confert frequens Communio infantium, inde ab aetate qua usum rationis adepti sunt; praesertim nostris temporibus in quibus pueruli octo vel novem annorum persaepe iam multis periculis expositi sunt. Ita sponte educantur ad teneram illam conscientiam quae mali initia iam ex longinquo fugit, et eorum debilis voluntas hoc cibo caelesti roboratur. Nutritur etiam illa pietas, quae saepe vocationis sacerdotalis vel religiosae germen est. Pro! dolor, decreta S. Sedis hac de re in multis locis et dioecesibus ab animarum pastoribus nimis negliguntur, et prima Communio differtur ad aetatem, in qua pueri iam pravas contraxerunt consuetudines et morum puritas difficilius recuperatur.

c) Oratio quotidiana pro conservanda animi corporisque puritate, specialiter in primo instanti tentationis contra hanc virtutem, invocando illico nomina Iesu et Mariae (cfr. infra n. 112).

d) Tenera *devotio erga B. M. V.* Immaculatam, recitando e. gr. quotidie, mane et vespere, ter « Ave Maria », cuilibet salutationi addendo hanc invocationem: « Per immaculatam Conceptionem tuam, o Maria, redde purum corpus meum et sanctam animam meam » (Indulg. 300 dierum ex Brevi Pii X, 5 Dec. 1904).

e) Mortificatio sensuum, imprimis visus, tactus et gustus. Hi sensus saepe frenentur etiam in rebus licitis minoris momenti, ut eo facilius id fiat in illicitis. Quocirca iam infantes et pueri hac in re se exercitare discant; v. g. interdum se aliquo oblectamento privent, utputa a dulcibus, a fumando; aliquando etiam reprimant naturalem cupiditatem et curiositatem circa res indifferentes in videndo, legendo, loquendo, audiendo, tangendo etc.; assuefiant sufferre in silentio parvum dolorem physicum aut moralem etc. Haec autem ultro facere discant ex motivis fidei: ut Deo, Iesu Christo, B. M. V. gratum faciant. Mirum quantopere huiusmodi mortificationis spiritu voluntas iuvenilis magis magisque roboretur contra impetus concupiscentiae carnalis! Quapropter moneantur parentes, imprimis pia mater, ut hac in re infantibus exemplo praeeant.

f) Vitatio occasionum, uti sunt pravi sodales, libri subobsceni, choreae, cinematographa minus honesta, vani amores et familiaritas inter personas diversi sexus, etc.

105. — 2° Remedia *naturalia* quae cultui puritatis favent haec sunt:

a) Quoad *nutrimentum*: cibus sit certe sufficiens, sed praeferendi sunt generatim cibi leviores qui facile digeruntur. Magna temperantia, vel etiam abstinentia in potibus valde alcoholicis certe omnibus commendanda est.

b) Somnus etiam sufficiens sit pro varia aetate et constitutione, sed ne sit nimis protractus; praesertim mane ne pigri et vigilantes in lecto maneant; unde fixa sit hora surgendi et cubitum eundi. Somnus pomeridianus pueris et iuvenibus in universum ne concedatur, quia saepe tentationes carnales excitat. Lectus sit potius durus quam mollis. Evitetur cubitus supinus, in dorso, quo spiritus genitales facilius excitantur; sit, quoad potest, ad latus dexterum.

c) Vestitus non sit nimis calidus, nec comprimens corpus, praecipue genitalia.

d) Occupatio assidua, seu evitatio otii, quod iure dicitur omnium malorum fons, ita ut mens labore intellectuali et corpus labore servili vel exercitiis sibi propriis (gymnasticis, ludis, ambulationibus) alternatim distineatur; quo fiet ut defatigatio prompte beneficum somnum adducat.

e) Contra, *vitatio oblectamentorum* mundi, quae instinctum sexualem nimis commovent nervosque debilitant, ut supra (1°, *f*) diximus.

f) *Corporis mundities*, imprimis in partibus genitalibus, per balnea et ablutiones cum aqua frigida. — Hisce mediis naturalibus procuratur « mens sana in corpore sano », seu aequa omnium virium concordia, quae magna est contra luxuriem custodia.

Haec remedia omnibus communia sunt. Magis specialia, praesertim pro impuberibus (8-14 annorum) et pro puberibus adhuc castis et temperatis, sunt quae sequuntur.

§ 2. Remedia prophylactica seu praeventiva.

106. — 1° Ex parte *parentum* omnium primum est assidua vigilantia, quae vix sufficiens esse potest et ad minima singularia se extendat oportet. Malum facile suspicentur; est quippe valde frequens, etiam inter illos infantes qui innocentes videntur. Hinc

a) Domi attendant ad loquendi et agendi rationem domesticorum: nutricium, famulorum, fratrum et sororum natu maiorum.

b) Omnia quae infantes vident vel audiunt modesta sint et pudica: picturae, imagines, vestitus (imprimis puellarum), colloquia; prohibeatur nimia familiaritas per ludos manuum («jeux de main»); quidquid mali speciem habet, arceatur.

c) Dormiant, in quantum fieri potest, in lectulis separatis, saltem infantes diversi sexus. Utiliter suadetur ut dormiant brachiis vel manibus decussatis, aut illis super lintea positis.

d) Circa pericula extra domum maior adhuc parentum postulatur vigilantia et custodia. Diligenter ergo ac prudenter indagent, cum quibus sodalibus saepe conversentur aut ludant, quae colloquia habeant, quid ab iis didicerint. Ubi primum pravi sodalis est suspicio, eius conversationem rigorose prohibeant et inobedientiam severe puniant: « Corrumpunt enim bonos mores colloquia prava »; et nimis frequentes sunt nostra aetate pueri corruptores, etiam inter eos qui externe honesti et compositi videntur. Acatholicos vere amicos numquam habeant. Quantum possunt curent, ut tempore scholae magistri sedulo invigilent, ne quid inhonesti verbis aut actionibus accidat. Post scholam, quoad fieri potest, brevi domum redeant.

2° *Educatio ad castitatem* iam a tenera aetate incipiat. Quapropter pueri tam a confessariis quam a parentibus, praecipue a matre, magno imbuantur amore erga sanctam puritatem et vivido odio contra vitium oppositum. Doceantur, hanc virtutem Deo et B. M. Virgini esse gratissimam, eorum corpus esse templum Spiritus Sancti ac proinde cum omni reverentia et modestia tractandum. Naturalis etiam pudor sollicite in ipsis colatur, quippe quod firmum huius virtutis propugnaculum esse solet. Iubeantur idcirco nihil agere, quod a parentibus videri noluerint; partes corporis inhonestas praeter necessitatem aut iustam causam ne aspiciant neve tangant, numquam autem ex mero libitu aut curiositate; quippe quod immodestum esset Deoque displicens. Caveatur tamen, ne exaggerando falsa eorum conscientia efformetur, quasi quaevis immodestia per se et semper sit peccatum mortale. Dicatur ipsis, si quam dubitationem hac de re habeant, eam candide confessario proponant, huiusque interrogationibus semper sincere respondeant.

107. — 3° Ad *instructionem sexualem* quod attinet, paulo latius de illa loqui iuvabit, quia quaestio est valde practica et ultimis decenniis magis agitata.

Sane absonum est quod proponunt multi recentiores, praesertim acatholici vel catholici liberales, eam scilicet adhibendam esse ut summum remedium contra luxuriam in genere et contra vitium pollutionis in specie. Etenim sola mali notitia ab hoc non custodit; e contrario, propter magnam hominis in res venereas propensionem fieri nequit, quin praematura eorum quae ad generationem spectant cognitio periculosas in phantasia tentationes suscitet, quibus debilis adhuc puerorum virtus facile succumbet. Quo diutius igitur harum rerum ignari manent, eo securius castitatem servabunt, iuxta illud: « ignoti nulla cupido ». Sapientissime idcirco S. Congr. S. Officii hanc methodum seu systema ac principium condemnavit, aliaque remedia, e christiana ascesi tradita, adhibenda praescripsit.

Decretum S. Officii diei 21 Martii 1931 hoc est. Proposito dubio: « An probari queat methodus, quam vocant educationis sexualis? ». Responsum est: « *Negative*: et servandam omnino in educatione iuventutis methodum ab Ecclesia sanctisque viris hactenus adhibitam et a SS.mo Domino Nostro in Encyclicis Litteris: « De christianae iuventutis educatione » datis sub die 31 Decembris 1929 commendatam. Curandam scilicet imprimis plenam, firmam, numquam intermissam iuventae utriusque sexus religiosam institutionem, excitando in ea angelicae virtutis aestimationem, desiderium, amorem; eique summopere inculcandum ut instet orationi, sacramentis Poenitentiae et SS.mae Eucharistiae sit assidua, Beatam Virginem sanctae puritatis Matrem filiali devotione prosequatur eiusque protectioni totam se committat; periculosas lectiones, obscoena spectacula, improborum conversationem et quaslibet peccandi occasiones sedulo devitet. Proinde nullo modo probari possunt quae ad novae methodi propagationem, postremis hisce praesertim temporibus, etiam a nonnullis catholicis auctoribus, scripta sunt et in lucem edita » (*A. A. S.*, 1931, p. 118).

In memorata Encyclica SS. Pontifex haec ea de re dicit: « Passim bene multi et stulte et periculose eam tenent provehuntque educandi rationem, quae " sexualis " putide dicitur, cum iidem perperam sentiant posse se, per artes mere naturales et quovis amoto religionis pietatisque praesidio, adolescentibus a voluptate et luxuria praecavere, scilicet hos omnes, nullo sexus discrimine, vel publice, lubricis initiando instruendoque doctrinis, immo, quod peius est, mature occasionibus obiiciendo, ut eorum animus, eiusmodi rebus — quemadmodum ipsi aiunt — assuetus, quasi ad pubertatis pericula obdurescat. In eo autem isti homines graviter errant quod nativam humanae naturae fragilitatem non agnoscunt neque legem illam membris nostris insitam, quae, ut verbis utamur Pauli apostoli, mentis legi repugnat (*Rom.* VII, 23), idque praeterea temere inficiantur quod usu quotidiano didicimus, iuvenes nempe prae aliis saepe in turpia saepius incidere, non tam ob mancam mentis cognitionem quam ob infirmitatem voluntatis illecebris obnoxiae atque divinis auxiliis destitutae » (*A. A. S.*, 1930, p. 71).

108. — Nihilo tamen minus, quia cum impuberes tenera iam aetate, tum puberes primis annis nativa quasi impelluntur curiositate cognoscendi ea quae ad productionem humanae vitae referuntur, quia praeterea plerique pueri et puellae — ut nimis experientia probatur — oblata in hoc perverso mundo obvia et saepe quasi inevitabili occasione, ab aliis sodalibus et amicis, utut externe honestis, haec revera addiscunt, idque modo plane indecenti et cum gravissimo seductionis et corruptionis periculo, adeo ut huiusmodi praepostera institutio una sit e praecipuis causis latae vitii pollutionis propagationis (cfr. supra n. 101, 3°): idcirco, ad hoc multo maius malum praecavendum, prudens vitae sexualis instructio cum debitis circumstantiis data, velut antidotum et tamquam minus malum, saepenumero quasi per accidens necessaria videtur et spiritui Ecclesiae nequaquam opposita. Ita multi probati theologi recentes.

109. — Dico: *cum debitis circumstantiis data*. Videlicet fiat haec instructio:

a) Prout *necessaria* est, nimirum quando alicuius status vel conditio harum rerum notitiam exigit; vel quando grave est periculum eas brevi ab aliis modo indecenti addiscendi aut ex seipso contrahendi pravum habitum pollutionis etiam solum materialis; vel quando quis secus gravibus conscientiae angustiis et dubiis exponeretur; itaque generatim quando prudenter supponitur, pro hoc iuvene hacve puella in his adiunctis harum rerum ignorantiam maius damnum spirituale allaturam quam earum cognitionem.

b) Aetate debita, id est fiat *gradatim*, non simul omnia complete explicando, sed ea dumtaxat quae pro cuiusvis aetate vel conditione scire opus est.

c) Modo convenienti, idest non publice sed privatim, modo simplici, brevi et decenti, incipiendo v. g. a regno vegetali plantarum. Declaretur simul altum Dei consilium in instituendo matrimonio: procreare scilicet Dei filios adoptivos, in aeterna beatitudine Ipsum laudaturos. Extollatur etiam excellentia puritatis et modestiae, paucis monendo contra vitium oppositum et indicando remedia quibus huic resistant. Opportuna erit quoque occasio explicandi quaedam de admirabili mysterio Incarnationis Filii Dei et puritatis B. M. V.

d) A *personis* ad hoc destinatis, qui sunt ante omnes ipsi parentes; hisce deficientibus aut negligentibus pii magistri, aut etiam, si opus est, confessarius. Puellae instruantur a matre; ea deficiente a proxima pia parente, non vero a confessario, qui tamen, si opus est, libellum hanc rem caste tractantem ipsis dare potest.

Si instructio sub hisce conditionibus et circumstantiis traditur, phantasiam parum aut nihil excitabit, filiorum affectum et fiduciam in parentes augebit et, ut verum remedium prophylacticum, aliorum pravorum seductionem praeveniet.

110. — Quod refert ad illam instructionem *gradatim* faciendam, haec magis specialiter accipe:

a) Infantes et *pueruli* (v. g. 6-8 annorum), si instanter, unde infantes veniant, a parentibus exquirant, non fabulis ridiculis fallendi sunt, sed simpliciter solum dicatur, Deum eos dare per matrem, multis cum doloribus multisque cum curis in nutritione; quae explicatio plerumque eis iam satisfaciet valdeque affectum erga eorum genitricem augebit.

b) Pueris crescentibus (9-13 annorum), quo tempore opus erit, addi potest, infantes generari per cooperationem patris et matris et novem menses in utero matris gestari et crescere; sed ordinarie nihil dicatur de pollutione, deque copula et modo parturiendi, nisi periculum sit brevi haec aliunde addisci. Quapropter sacerdos in eorum confessionibus excipiendis valde prudens sit oportet, ne indiscretis quaestionibus aut verbis pueri malum pollutionis addiscant aut suspicentur aliosque de his interrogent.

c) Accedente tempore pubertatis, puellis menstruum fluxum et pueris pollutionem nocturnam experiri incipientibus, si ipsi sponte de iis rebus loquuntur, solum dicatur, haec illa aetate esse res naturales; nisi, ob periculum cetera a pravis sodalibus discendi, ulterior quaedam explicatio iam sit necessaria. Sed moneantur iterum, ut tactus inutiles et immodestos evitent, quae autem pro corporis cura et munditia utilia aut necessaria sunt simpliciter sine scrupulo faciant; si inter ea sponte pravi motus exsurgant, brevi orent et rectam intentionem renovent; ceterum de his ne amplius cogitent etc. Si quod dubium remaneat, hoc confessario ingenue exponant, eique obediant.

d) Post tempus pubertatis inceptae distinguendum est. 1º Iuvenibus utriusque sexus, qui post scholam elementarem studia prosequi debent in scholis publicis et laicis, in gymnasiis vel collegiis profanis, item qui laborandi causa ad fabricas, officinas, tabernas etc. mittendi sunt, generatim instructio danda est de pollutione, de copula, deque modo generationis per relativa corporis membra; secus enim fere certo haec cum magno animae periculo addiscent a sodalibus, quorum societatem et quotidianam conversationem saepe turpem vitare nequeunt. — 2º Sin autem, mali adhuc ignari, adituri sunt seminarium aut institutum vel collegium religiosum, ordinarie haec instructio nondum necessaria est, modo ibi vigeat disciplina et vita religiosa, neque adsit grave periculum ea per ferias addiscendi. Atque idem haud raro dici potest de pueris et praesertim de puellis 14-18 annorum, qui in sinu familiae vere christianae sub vigili parentum tutela adhuc manent et facile mundi pericula declinare possunt.

e) Iuvenes 18-20 annorum distinguendi sunt. 1º Iis qui post studia gymnasialia Universitates adeunt, item qui servitio militari adstricti sunt, magis ampla instructio etiam de morbis venereis danda videtur. Idem valet de puellis, quae ad aetatem nubilem pervenerunt et ad matrimonium adspirant. — 2º Qui vero se ad sacerdotium praeparant, ordinarie solum in cursu theologico plene instruendi sunt. — 3º Denique iuvenes utriusque sexus 16-20 annorum, qui ad vitam religiosam se vocatos sentiunt, si modum generationis adhuc ignorant, plerumque per totam vitam nulla ampliore instructione de modo generationis indigent.

Haec hactenus de mediis prophylacticis, quorum sedula ope infantium et puerorum castitas contra pericula interna et externa praemuniatur et a vitio pollutionis illibata servetur.

§ 3. Remedia medicinalia seu curativa.

111. — Circa eos qui vitio pollutionis iam sunt dediti, haec imprimis advertenda occurrunt.

Varii quidem in peccato masturbationis vel pollutionis gradus distinguendi sunt. Ut taceamus de infantibus et pueris qui adhuc sunt impuberes, quorum peccata, tactus impudici etc., variis ex causis saepe sunt dubie tantum mortalia —: ii qui post pubertatem acquisitam per actus plane deliberatos, praecipue per tactus, plenam luxuriae satisfactionem per seminis effusionem quaerunt, iuxta doctrinam S. Thomae (cfr. supra n. 41) ad duplicem classem redigi possunt, prout aut passio transiens aut habitus presse dictus est peccati causa. Utriusque tamen generis peccatores iisdem fere remediis curare oportet: passio siquidem, nisi efficaciter ei resistatur, facile et brevi in habitum transire solet.

Confessarius itaque, qui horum miserorum medicus spiritualis est, sequenti modo in hac cura procedat.

1° Ante omnia eorum *mentem* illustret circa tristem in qua versantur conditionem, proponendo eis varia contritionis motiva: malitiam peccati mortalis, Dei O. M. inimicitiam, poenas aeternas, item peccati luxuriae turpitudinem, huius habitus tyrannidem etc., ita ut peccata vero odio habeant, et magnum concipiant desiderium liberandi se ab hac turpitudine et vitam ducendi castam vereque christianam.

2° Tum omnibus, etiam maxime habituatis, inculcet animi *persuasionem*, eos cum divinae gratiae auxilio in pugna contra hoc turpe vitium certo victoriam esse reportaturos, modo remedia adhibere velint. Proponat eis hanc veritatem dogmaticam: « Deus impossibilia non iubet, sed iubendo monet, et facere quod possis, et petere quod non possis; et adiuvat ut possis » (*Trid.*, sess. VI, cap. 11); item illud S. Pauli: « Deus non patietur vos tentari supra id quod potestis; faciet etiam cum tentatione proventum, ut possitis sustinere » (I *Cor.* x, 13).

3° Roboret idcirco eorum *voluntatem*, exhortando ad firmum propositum quacumque ratione liberandi se ab hoc turpi et tyrannico vitio, omnibusque viribus resistendi eius tentationibus. Saepe sibi dicant: « Omnia possum in Eo qui me confortat ».

112. — 4° Quoad *tentationes*, quae per turpia phantasmata vel motus carnales sponte redeunt vel quas revocare sollicitantur, haec consilia praebeat confessarius.

Iam antequam exsurgere solent, puta vespere quum cubitum eunt, brevi, animo pacato sed firmo, propositum renovent, seque Deo commendent. Si leves tantum oriuntur motus, generatim melius est eos contemnere sine positiva resistentia. Sed ubi primum quis se gravius tentari advertit, illico actum resistentiae positivae eliciat et interno animo absolute dicat: nolo peccare; potius mori quam peccare. Tum statim recurrat ad orationem, dicendo v. g.: *Deus, adiuva me! Mi Iesu, misericordia! Domine Iesu, ne permittas ut offendam Te! Mater mea Maria, succurre mihi!* vel alia huiusmodi. « Prae omnibus autem, ut ait S. Alphonsus, sufficiet et erit remedium aptius — quia brevius et facilius — invocare *confidenter* et *pluries* veneranda et potentissima nomina Iesu et Mariae » (V, 8). Iuvat etiam vivide cogitare de morte instantanea, de igne inferni, vel de passione Christi, de Dei praesentia, de remorsu conscientiae post peccatum patratum, etc. Mentem alio vertere et distrahere conetur, cogitando de re quadam nova sibique admodum grata, de occupationibus quotidianis, de facto quodam praeterito (v. g. de itinere etc.), aliisque quibus phantasiam valde occupari ac velut percelli sciat. Quaerere enim tales distractiones iam est positiva resistentia. Interim ne manus ad genitalia admoveat, ne ad erectionem quidem comprimendam, quia plerumque inutile est et periculum adesse potest ulterius progrediendi; quodsi inadvertenter se tetigerit, illico manus retrahat et iterum instanter oret. Si pugna per longum tempus perdurat, puta per quadrantem vel etiam semihoram, ne animum despondeat, quasi resistere iam nequeat, neve etiam nervose se excitet, sed quietus et tranquillus maneat. Si repetitis actibus resistentiae positivae nimis fatigetur et magis forte adhuc nervis excitetur, sufficit resistentia negativa, quidquid accidat, modo ne adsit periculum proximum consensus. Ita S. Alphonsus (V, 6-9). Quodsi pollutio involuntarie iam incepit, optimum omnino consilium est, ob amorem sanctae puritatis plenam seminis effusionem, quantum potest, cohibere; sed ad hoc sub gravi non tenetur, modo ne positive consentiat sed passive se habeat; actum tamen simplicis displicentiae circa delectationem naturaliter concomitantem eliciat, vel cruce se signet, vel precem iaculatoriam dicat (S. Alph. III, 479).

In *dubio* num consenserit, numquam se ea de re examinet: factis enim in memoriam revocatis, facile tentatio redibit. Ceterum ait S. Alphonsus: si dubitans recordatus fuerit se orasse, pro certo habere potest se peccatum mortale non commisisse. In universum, si poenitens certe relapsus non est, aut in hac pugna progressus iam fecit, confessarius ipsi gratuletur, eiusque fiduciam iterum exacuat.

113. — 5° Si quis misere tentationi succubuit et *certo relapsus est*, iuxta monitum confessarii, statim actum contritionis eliciat et proponat quamprimum ad confessionem redire. Notare hic iuvabit, perutile esse ut recidivi eumdem fixum confessarium seligant, cui ob suam bonitatem, prudentiam et zelum plene confidant, et quocum etiam extra confessionem loqui interdum expedire potest. Hic ergo caritate vere paterna eum semper excipiat, animum addat, desiderium certamque sanationis spem denuo excitet, adducens etiam exemplum sexcentorum iuvenum qui, persistentes in usu remediorum, ab hoc vitio feliciter liberati sunt; laudans eum si iam melius restiterit et dicens: Si per octo dies restitisti, id etiam per quindecim vel viginti dies poteris. Tum brevi repetat motiva abhorrendi hoc peccatum et remedia adhibenda.

Si quis recidivus, etiam habituatus, verum habet dolorem, fieri nequit quin aliquod signum speciale vel extraordinarium contritionis praebeat, sive praeteritum sive praesens (cfr. n. 59 sq.); quo casu iam non est recidivus formalis, et regulariter absolvendus est, ut gratia sacramenti Poenitentiae et Eucharistiae magis confortetur. Raro dumtaxat, quando saepe iam est absolutus semperque relapsus, praesertim si magis negligens fuit in remediis adhibendis, iuvabit experiri brevem absolutionis dilationem ad paucos dies vel etiam horas, ut e sua segnitia excitetur, salutari timore concutiatur, et firmius propositum concipiat, meliusque remedia adhibeat (*Opus*, n. 474). Sed numquam hoc dilationis remedio confessarius utatur, si poenitens exinde animum nimis demitteret, quia tunc dilatio magis noceret quam proficeret. Sin autem hic recidivus est habituatus proprie dictus, qui raro tantum confitetur, antea iam serio fuit monitus, nullum conatum se emendandi adhibuit, et nunc quoque nulla speciali ratione se contritum ostendit, per se quidem differri debet absolutio ut melius se disponat (supra n. 59). Attamen si grave adest periculum, ne propter hanc dilationem a confessione alienetur magisque in peccatis tabescat, confessarius ipsum sub conditione absolvat, modo saltem dubie dispositus sit (n. 31 sq.); simulque eum paterne sed graviter moneat de misero suo statu et hortetur ut brevi ad ipsum redeat » [1].

Haec de pollutionariis qui certo in mortalia relapsi sunt. Inveniuntur autem interdum huiusmodi qui adeo nervis laborant tamque vehementi venereorum passione abripiuntur et quasi compelluntur, ut confessarius iure dubitare possit, num sufficiens in frequentibus eorum lapsibus fuerit mentis advertentia, adeoque voluntatis libertas. Hi psychopathici certe miserandi sunt, paterne exhortandi et ordi-

---

[1] De modo differendi absolutionem vide *Opus*, n. 383 sqq.

narie sub conditione absolvendi. Haud raro remediis physicis temporis tractu vel aetate ad saniorem conditionem redeunt.

114. — 6° Praesertim etiam confessarius hortetur omnes pollutioni deditos, sive ab ultima confessione sunt relapsi sive non, ad *frequentem sacramentorum usum*. De hisce imprimis S. Alphonsus sua facit verba Toleti dicentis: « Vix puto esse aliud efficax remedium, nisi frequentissimam confessionem cum uno eodemque confessario...; est enim hoc sacramentum maximum fraenum; et qui hoc non utitur, non sibi promittat emendationem, nisi per miraculum » (VI, 464). Imo hisce habituatis vix sufficiens erit confessio menstrua, de qua loquitur Rituale Romanum (*De Poen.*, n. 20). Sed hortandi sunt, ut singulis octo vel certe quindecim diebus ad sacramenta accedant; quia, ut ait S. Alphonsus, « multi per Communionem septimanalem liberi manent a peccatis mortalibus, non autem per Communionem menstruam». Optimum certe erit si confessarius ab iis obtinere potuerit, ut statim post relapsum ad ipsum redeant.

7° Quae supra (n. 104, *f*) diximus de *vitandis occasionibus periculosis* huius mundi, magis adhuc valent de iis qui in hoc vitio diu sunt habituati. Imo haud raro ipsis vitandae sunt etiam occasiones quae aliis sunt tantum remotae, sed quae ipsis propter suam hac in re propensionem et debilitatem proximae sunt. Ita S. Alphonsus: Confessarius, inquit, assignet « illi qui habitum pravum per longum tempus contraxit in hoc vitio, ut non solum vitet proximas occasiones, sed etiam quasdam remotas, quae sibi tam debili ad resistendum facto erunt proximae » (*Praxis*, n. 16). Huiusmodi occasiones facile sunt libri romantici, imagines et picturae nudae, musea recentis artis, cinematographa, conversationes familiares cum personis alterius sexus, imprudens curiositas in aspiciendo has personas etc.

8° Maxime etiam illis conducet frequens *meditatio veritatum aeternarum*, iuxta illud: « Memorare novissima tua et in aeternum non peccabis » (*Eccl.* VII, 40). Unde S. Alphonsus: « Oratio mentalis insinuanda est non tantum timoratis, sed etiam peccatoribus, qui saepe ob defectum considerationis redeunt ad vomitum » (*Praxis*, 124). Hinc efficacissimum pro illis remedium erit interdum peragere *exercitia spiritualia* quae *clausa* dicuntur, ubi per aliquot dies in solitudine de aeterna sua salute serio recogitent. Plurimis certe pollutionariis haec exercitia finis fuerunt antiquae vitae peccatorum et novae castaeque vitae felix initium.

9° Quum *matrimonium* iuxta S. Paulum (I *Cor.* vii, 2 sqq.) a Deo etiam institutum sit in remedium concupiscentiae, multis utique, licet non omnibus, vitio pollutionis valde deditis status matrimonialis suadendus est. Ea tamen de re praesertim etiam parentes consulendi sunt, quinimo haud raro quoque probus et expertus medicus; nam illis qui ob diuturnos masturbationis excessus viribus physicis et moralibus sunt extenuati et velut corrupti, matrimonium saepenumero erit infelix tum ipsis, tum alteri parti, tum proli procreandae.

10° De praecipuis remediis *naturalibus* ad curandum hunc morbum aptis supra (n. 105) iam egimus. — Pro illis qui nocte frequentibus masturbationibus et pollutionibus, sive voluntariis sive involuntariis, obnoxii sunt, addi potest instrumentum aliquod mechanicum, v. g. funes quibus manus ita collo ligantur ut ad genitalia pervenire nequeant.

115. — Denique, si ille pollutionis habitus ob vehementiam et diuturnitatem est valde radicatus cum haud parvo etiam sanitatis detrimento, confessarius poenitenti commendet ut *medicum* quoque fidum et probum, praesertim psychiatram, consulat, quo communi confessarii et medici opera malum, quantum fieri potest, curetur [1].

Sunt etiam quaedam medicinae seu pharmaca quae, indirecte saltem, ad hunc morbum sanandum conferre poterunt. Dico: *indirecte*: nam in hac

---

[1] Ait Gemelli: « Educatio et psychotherapia sese mutuo maxime iuvant. Et hinc fit ut medicus et sacerdos sibi invicem auxilium possint praebere; quod potissimum sane verificatur in therapia quoad incontinentiae remedium » (*Non moechaberis*, ed. 2ª, p. 185). — Caveat tamen confessarius, ne nimis fidat medicis eorumque praescriptis. Non desunt enim psychiatrae, etiam inter catholicos qui, neglectis quasi mediis supernaturalibus, graves excessus in vita sexuali, non solum cum seipsis sed etiam cum aliis commissos, nimis facile a culpa gravi excusent, eosque attribuant defectibus organicis vel psychicis, ideis fixis, hallucinationibus etc. Hanc aegritudinem, quam psychastheniam vocant, curare nituntur remediis mere naturalibus, puta distractionibus, relaxationibus, exercitiis corporalibus aliisve, balneis et ablutionibus, quiete, remissione ab omni vinculo et regula cum libertate faciendi, videndi, legendi quod cuique naturaliter magis placuerit, etiamsi graves exinde motus carnales et proximum periculum consensus exsurgant. Hisce autem saepe voluntas magis debilitatur, malum adhuc crescit; et ipsi medici tandem aegrum desperatum relinquunt. Prudens confessarius vel director spiritus utique haec remedia moderate adhiberi vult, praecipue honestas occupationes distractivas; sed quamdiu illi psychopathici in statum amentiae proximum nondum inciderint, magis efficacia habebit media supernaturalia, sine mentis contentione utique adhibita, puta orationem per frequentes preces iaculatorias, breves lectiones et meditationes spirituales, pia colloquia, sacramenta etc.; quibus mens ad altiora elevatur et voluntas actibus exercetur et roboratur. Consentiunt hac in re etiam alii optimi psychiatrae, qui longius a placitis deterministarum distant.

contra carnis concupiscentiam pugna remedia hactenus adducta, firma scilicet voluntas et Dei gratia, oratione et sacramentis obtenta, primas semper partes habeant oportet [1]. Iuxta eumdem Gemelli, qui ut medicus et sacerdos fuse hac de re tractat, haec medicamenta commendari possunt: bromura, bromurum camphorae, hyoscina, eroina, atropa belladonna, lupulinus aliaque varia, quae tamen omnia iuxta medici praescriptum sunt adhibenda (*l. c.*, p. 170 sqq.). — De somno hypnotico in casibus gravioribus alii aliter iudicant; Gemelli sentit, eius usum limitandum esse « ad eos casus dumtaxat, in quibus constat cetera media prorsus inutilia evasisse » (p. 179).

Recensitis hactenus remediis, a prudenti confessario pro variis adiunctis indicatis, sperare fas est, ut quam plurimi pollutionarii ab hoc turpi vitio curentur et ad meliorem frugem redeant. Haec sanatio generatim fit sensim ac pedetentim; aliquando tamen etiam subito, v. g. occasione missionis, exercitiorum spiritualium, transitus a mundo ad statum superiorem religiosum vel ecclesiasticum (per novitiatum aut seminarium), alicuius eventus extraordinarii, velut mortis parentis, amici etc., adiuvante utique semper Dei gratia efficaci.

IV. Casuum solutio.

Circa casuum solutionem haec nobis dicenda videntur.

116. — *Ad* 1ᵐ (supra pag. 103). — Titius, ut iudex, Vitum semper absolvere potuit, si hi lapsus revera, ut videtur, magis ex passione et ex nimia animi abiectione quam ex pravo habitu profluunt (cfr. supra n. 41 sq.). Omnem tamen adhibeat operam confessarius, ne passio tractu temporis in habitum presse sumptum transeat. Quapropter semper ei animum addat, magnam ei inspirans fiduciam et exhortans ut remedia curativa supra (n. 111) indicata adhibeat, imprimis orationem in tentatione et frequentiam sacramentorum (ib. 4°, 6°). Praesertim ipsum inducere conetur, ut non solum quovis mense, sed quavis hebdomada ad confessionem et saepius etiam ad Communionem accedat, et maxime ut post relapsum quantocius iterum confiteatur. Tamquam medicus Titius aliquando post plures confessiones remedio dilationis absolutionis uti poterit, quo volun-

---

[1] « Nullam equidem substantiam habemus, inquit Gemelli, quae virtutem directe minuendi sexualem incitationem contineat... Attamen ex pharmacopeia quaedam suppeditari possunt substantiae quae, in nerveum agentes systema, sexualis appetitus incitationem aliquatenus et solum indirecte minuant » (ib., p. 167 sq.).

tatem forte negligentem exacuat, sed raro et magna cum prudentia, ne poenitens magis adhuc animum perdat. Valet hic regula S. Alphonsi: cum recidivis ex fragilitate intrinseca praeferenda est benignitas; prudens severitas cum relapsis ex occasione extrinseca (*Opus*, n. 468 sqq.).

Ad 2^m (supra pag. 103). — Dionysio praesertim, etsi peccatum, uti censet, dolenti, ob suae indolis levitatem, postquam ter quaterve absolutus est, dilatio absolutionis ad aliquot dies valde utilis vel etiam necessaria videtur, quo salutari percussus timore a sua levitate curetur, et fortius proponat statim orare et resistere. Hoc enim in casu iam statim ab initio fortiora media sunt adhibenda, ne habitus formetur et malum per longas moras invalescat. De tali dilatione ait Lugo: « Potest certe et debet (confessarius) aliquando ut medicus hoc remedium poenitenti adhibere;... et pro pueris potissimum videtur magis necessarium, qui hoc modo melius concipiunt necessitatem perseverantiae in proposito non peccandi » (*De Poenit.*, disp. 14, n. 171). (Cfr. *Opus*, n. 474). Curet tamen confessarius, ut dilatio libenter accipiatur: secus nocere potest.

Ad 3^m (supra pag. 104). — Nostro iudicio prudenter egit Titius, si, uti probabile est, Candidus hos amicos, haud raro externe honestos, non sit vitaturus, neque parentes eum hac de re sint instructuri. Hac agendi ratione curiositati Candidi satisfactum erit, confessario suo magis fidet, iuxta huius monita omnem turpem ea de re cum amicis conversationem facilius abrumpere poterit, dicendo se iam omnia nosse, et etiam cetera Titii consilia libentius exsequetur. Secus grave est periculum, ne post ferias iam seductus et forte corruptus revertatur.

Ad 4^m (supra pag. 104). — Recte quidem egit Titius. Sed, quum illa occasio sit valde proxima et continua, poenitenti etiam imponere debuit, ut a magistro vel ab eo cui scholae invigilare incumbit, peteret scamni mutationem, praetexens se ab illo sodali in studendo nimis incommodari. Praeterea quia plena illa vitatio in eodem collegio saepe est valde difficilis, ita ut occasio sit quodammodo necessaria, Titius melius, ubi commode fieri potuit, iam statim prima vel altera vice Iustino absolutionem distulisset, usquedum hic id a scholae custode petiisset et apta remedia adhibuisset ad pravam illam amicitiam prorsus abrumpendam (cfr. *Opus*, n. 144-151).

Ad 5^m (supra pag. 105). — Titius initio recte quidem egit sub gravi obligans Lambertum ad illam denuntiationem: est enim haec necessaria propter bonum commune. Qua de re ita Aertnys: « Si quis seductor pluribus aliis condiscipulis, inscio magistro, scandalum afferret, res omnino deferenda est magistro; tunc enim ageretur de communi scandalo, quod potest esse adeo damnosum, ut etiam cum gravi incommodo impediri debeat; idque valet non solum pro scholis minoribus, sed etiam et multo magis pro collegiis, seminariis etc., uti advertit S. Alphonsus in *Regul. pro Semin.*, § 1, n. 3 »[1]. (*Th. Mor.*, II, n. 516, q. 2°). — Hanc autem denuntiationem per se ipse poenitens facere debet, neque generatim expedit ut confessarius eam faciat. Attamen si Titius bonis verbis iuvenem adducere nequit ut corruptorem deferat, ipse confessarius hoc onus in se suscipiat, petendo scilicet a poenitente licentiam, reticito eius nomine, factum seductionis et nomen corruptoris (quod nomen etiam in chartula scriptum a poenitente dari potest) superioribus deferendi. Quodsi Lambertus etiam hunc modum denuntiandi recusat, absolvendus non est, donec alterutrum fecerit.

Ad 6^m (pag. 105). — Denique quod attinet ad suum munus moderatoris congregationis iuvenum externorum, Titius supra (n. 100 sqq.) in responsionibus ad II et ad III apta consilia et monita inveniet. Ad duo tamen advertat oportet: primum ut omnibus iuvenibus quam maximam confitendi libertatem relinquat; alterum quod cum illis mundi iuvenibus haud raro aliquanto benignius in confessionali agere debet quam cum eis qui in collegio ecclesiastico educantur, quia quoad illos saepe prudens erit timor ne, si absolutio differatur, non redeant vel ne congregationem relinquant; id quod vel maius malum illis esse potest. Solum si quis inter illos esset qui turpibus colloquiis aliis magnum daret scandalum eosque etiam corrumperet, sine misericordia eum e congregatione dimittat.

---

[1] En verba S. Alphonsi: « Negent (confessarii) absolutionem etiam seminaristis qui, quando gravi scandalo mederi possunt, deferendo hoc episcopo vel rectori, id facere recusant; quia, quum hic de damno communi agatur, saepe grave incommodum vel damnum eos non excusat » (*l. c.*).

DIGRESSIO

De candidato sacerdotii vitio turpi dedito.

117. — Graviter S. Paulus discipulum Timotheum monet: « Manus cito nemini imposueris, neque communicaveris peccatis alienis » (I *Tim.* v, 22). Idcirco Ecclesia, antequam sacerdotii candidatum ad sacros Ordines admittat, probationem seriam et diuturnam praemittendam esse vult, idque praesertim de eius idoneitate ad servandam in posterum castitatem iuxta legem coelibatus. Haec inquisitio natura sua non solum ad forum externum spectat, sed etiam ad forum sacramentale Poenitentiae [1]. Unde confessariis gravis incumbit obligatio indagandi, num sui poenitentes qui ad sacerdotium aspirent solidam praebeant spem custodiendi castimoniam huic statui congruam; quodsi eos ad hoc idoneos non reputant, ascensum ad sacros Ordines sub gravi eis prohibere debent.

Casus qui frequentius occurrunt spectant ad vitium pollutionis solitariae, cui candidatus plus minusve deditus est, et quem confessarius plerumque solus, aliis non consultis, solvere debet. Accidunt tamen alii quoque casus, per se magis ad forum externum pertinentes, sed de quibus saepe etiam confessario in foro poenitentiae, ratione officii sui, iudicare contingit. Quapropter ultimis praesertim saeculis, theologi moralistae de huiusmodi candidatis sacerdotii ex professo agere solent [2]. Hinc etiam nobis utile esse videtur, multisque confessariis gratum fore, si hac occasione, fusius, idque maxime in

---

[1] Pro foro externo a S. Congregatione de Sacramentis die 27 Decembris 1930 sapientissima valdeque practica data est « Instructio ad R.mos locorum Ordinarios de scrutinio alumnorum peragenda antequam ad Ordines promoveantur », quam SS. Pontifex Pius XI confirmavit omnibusque Ordinariis observandam praescripsit (*A. A. S.*, 1931, p. 120 sqq.). Hanc instructionem etiam confessarii illorum alumnorum notam habeant oportet; quia, etsi directe ipsis lata non sit, indirecte tamen multa in ea continentur quae eos iuvabunt ad aequum iudicium in foro Poenitentiae de singulis casibus ferendum.

[2] S. Alphonsus cum aliis plurimis quaestionem sic proponit: « De Clerico habituato in vitio turpi, cupiente statim initiari in sacris » (*Th. Mor.*, VI, 63). Quoniam nos quaestionem latius pertractare intendimus, nempe etiam de alumnis seminarii minoris qui ab Ordinibus adhuc longe distant, titulum mutavimus. Nam iuxta Codicem Iuris clericus ille solus est qui tonsuram accepit (*can.* 108, § 1); tonsuram autem accipere nunc non licet « ante inceptum cursum theologicum » (*can.* 976, § 1). Deinde voci « habituati » substituimus: « candidato vitio turpi dedito », quia vox « habituati » ambigua est et facile statum quaestionis adulterare potest (cfr. infra n. 129).

ordine ad praxim, hanc gravissimam materiam pertractemus. Idcirco casui praecipue intento de vitio pollutionis solitariae, alios quoque casus practicos ad castitatem spectantes adiungemus.

Ordo igitur dicendorum hic est. Proposito casu de pollutione solitaria, primo principia generalia in hac materia exponemus; deinde indicabimus regulas magis particulares praesertim iuxta varia aetatis adiuncta; postea alios quosdam casus considerabimus et solvemus. Tandem ad casum initio propositum redibimus et obiecta contra eius solutionem refutabimus.

Occasione huius casus valde frequentis 1° referemus principia generalia de hac gravissima quaestione; 2°. regulas indicabimus magis particulares, praesertim quoad circumstantiam aetatis; 3° quatuor alios casus de hac materia exponemus et solvemus; 4° redibimus ad casum initio principaliter intentum et ad obiecta respondebimus; 5° praedicta confirmabimus Encyclica Pii XI de sacerdotio catholico.

Casus propositus de peccato solitario.

118. — Ad Titium, qui nuper confessarius ordinarius in seminario maiore est nominatus, accedit quidam alumnus Agapitus, qui animi sui statum ipsi candide exponit. Hic igitur iam in seminario minore per multos annos frequenter lapsus est in peccatum solitarium pollutionis, saepe per complures menses continuos singulis fere septimanis. Quum Agapitus in inquisitione circa ingenium, mores, disciplinam aliaque satisfecerit, admissus est in seminarium maius, ibique per primum annum vix semel aut iterum in peccatum mortale lapsus est. Sed dein per ferias domi vel alibi transactas antiqua consuetudo magna ex parte revixit et in seminario per aliquot annos est continuata, ita ut singulis fere mensibus semel aut ad summum bis reciderit, cum aliquibus tamen maioris fervoris interstitiis, in quibus se uno alterove mense abstinuerit. Confessarius eius ordinarius, qui erat ipse director spiritus, ipsum per consilia et hortationes sedulo quidem adiuvare sategerat; media adhibenda indicaverat; saepe quoque ipsi dixerat, eum, nisi hoc peccatum prorsus evitet, ad sacros Ordines ascendere non posse. Imo, quoniam hi lapsus eodem fere modo accidere pergebant, iam aliquoties ipsi grave dederat consilium redeundi in saeculum et ineundi suo tempore matrimonium. Sed hoc consilium Agapitus sequi renuit, quia, ut ait, iam a prima iuven-

tute ad sacerdotium se vocatum sentit. Ceterum, tentationibus plerumque solum post pugnam plus minusve seriam cedere solet; et quando lapsus est, statim peccatum intimo animo dolet, suamque fragilitatem deplorat, et emendationem proponit; sed plerumque sine successu [1]. Tandem post plurium annorum experimentum totque repetitos relapsus confessarius, habita etiam ratione aliorum eius indolis adiunctorum, ipsi absolute declarat, iam non esse solidam spem vitae castae in statu sacerdotali, eumque idcirco, utpote non vocatum, ad statum laicalem redire debere; quod nisi nunc firmiter proponat et superioribus seminarii apto modo significet, eum iam absolvi non posse. Agapitus hanc confessarii sui decisionem nimis rigidam et praeproperam esse arbitratur, tum quia non est habituatus in proprio sensu, sed solum ex fragilitate cecidit lapsumque semper statim doluit, tum quia adhuc integro anno distat a subdiaconatu, seque hoc tempore adhuc vere emendare potest, tum denique quia S. Alphonsus solum probationem plurium mensium postulat. Quoniam vero confessarius in sua decisione persistit, poenitens non absolutus recedit, et nunc venit ad Titium. — Postquam huic casum suum sincere exposuit, novo confessario cum lacrimis supplicat ut sui, utpote vere contriti, misereatur et secum patientiam habeat, quia, divina adiutus gratia, se plane emendaturum esse sperat.

I. Principia generalia.

119. — Certum est, ad licite recipiendos Ordines sacros requiri altiores animi dispositiones quam quae sufficiunt ad alia sacramenta. Est haec hodie communis in Ecclesia sententia theologorum et canonistarum. Non enim ad hos Ordines recipiendos sufficit bonitas negativa seu absentia ab affectu actuali peccati mortalis, sed requiritur bonitas *positiva*, « bonitas excellens », ut ait S. Thomas (*Suppl.*, q. 36, a. 1), « bonitas praecellens et habitualis », ut dicit S. Alphonsus (VI, n. 67), specialiter in materia castitatis. Ratio est, 1° ipsa sanctitas ministerii, ad quod candidatus aspirat; qua de re ita S. Thomas: « Per sacrum Ordinem aliquis deputatur ad dignissima ministeria, quibus ipsi Christo servitur in sacramento altaris, ad quod requiritur

---

[1] Agitur hic, ut supponimus, de lapsibus plene deliberatis deque peccatis certe gravibus, non de pollutionibus semi-voluntariis et dubie mortalibus.

maior sanctitas interior quam requirat etiam religionis status» (II-II, q. 184, a. 8)[1]. — 2° Nisi ordinandus iam nunc maxime in virtute castitatis sit firmiter radicatus, saepe eveniet ut postea sacrosancta sui ministerii munia, quae statum gratiae habitualis requirunt (scilicet sacrificium Missae et administratio sacramentorum), indigne et sacrilege obeat et ita sacerdos infelix evadat. Imo haud raro postea cadet in peccata luxuriae talia, quae scandalo sint fidelibus[2]. — Hinc Ius Canonicum severissime edicit: « Episcopus sacros Ordines nemini conferat quin ex *positivis* argumentis *moraliter certus* sit de eius canonica idoneitate; secus non solum gravissime peccat, sed etiam periculo sese committit alienis communicandi peccatis» (can. 973, § 3); ad hanc autem idoneitatem dein Codex imprimis postulat: « Mores ordini recipiendo congruentes» (can. 974, § 1, 2°). Ita quoque S. Alphonsus: « Ad hanc probationem ab Episcopo exquirendam, non quidem sufficit quod ipse nihil mali noverit de ordinando; sed *debet fieri certus* de eius *positiva* probitate» (VI, 803). (Cfr. infra n. 132, 1°). Nequaquam igitur de hac idoneitate in materia morum sufficiunt argumenta *negativa*, quod scilicet nihil grave contra candidati mores notum est; neque etiam sufficit ea de re *dubium positivum*, quo nempe pro utraque contradictionis parte gravis habeatur probabilitas; nam Ecclesia expresse requirit, ut Episcopus hac de re habeat *certitudinem moralem*, utique illam late dictam quam S. Thomas « probabilem », « prudentem », « opinativam » vocat (cfr. supra n. 19); qua videlicet, etsi non omnis erroris formido exulet, excludatur tamen prudens dubium, ita ut Episcopo, omnibus sedulo perpensis, certe ed notabiliter probabilius videatur, candidatum postea castitatem statui sacerdotali congruentem esse servaturum. Si secus est, valet principium: « In dubiis pars tutior est sequenda», id est dimissio e seminario.

120. — Quoniam vero haec moralis idoneitas etiam ad forum internum et sacramentale spectat, Ecclesia statuit, ut in quolibet seminario, praeter directorem spiritualem, apti nominentur confes-

---

[1] Vide hoc prolixe a S. Alphonso probatum in *Th. Mor.* VI, 63 sqq. — Pulcherrima de sublimi sacerdotii dignitate scripsit Leo XIII in Encicl. 8 Dec. 1902 ai Vescovi d'Italia. (*A. S. S.* XXXV, p. 257 sqq.) et Pius XI in Litt. Encycl. 20 Dec. 1935 *De Sacerdotio catholico* (*A. A. S.*, 1936, p. 6 sq.).

[2] De hisce sacerdotibus non vocatis dicit Catechismus Romanus: « Quo quidem hominum genere nihil infelicius ac miserius, nihil Ecclesiae Dei calamitosius esse potest » (P. 2, Cap. 7, qu. 3).

sarii, qui, si ex confessione pateat aliquem non esse moraliter certo idoneum ferendo oneri castitatis perpetuae, ipsum poenitentem tempestive moneant de gravi obligatione resiliendi a proposito sacerdotii; cui decisioni poenitens utique se submittere tenetur: ipsa enim lex naturalis prohibet quominus quis appetat gravissimum in Ecclesia ministerium, ad quod obeundum idoneus non iudicatur. Sic S. Congr. Episc. et Regul., approbante Summo Pontifice Pio X, die 18 Ian. 1908 praescripsit in *Normis* pro Seminariis Italiae: « Ad audiendas alumnorum confessiones, praeter spiritualem directorem, quidam docti atque pii sacerdotes designabuntur, qui, memores gravis suae obligationis et ad tramitem probatorum auctorum, poenitentibus suis in eorum dubiis consilia luminaque praebebunt, *imponendo obligationem se a statu ecclesiastico retrahendi* iis, qui se non vocatos ostenderint » (n. 56)[1]. Huiusmodi ergo confessarius debet in hac re decernenda religiose et prudenter incedere; debet tentatos contra castitatem hortari, eis indicare resistendi remedia, eosque, si quando lapsi sunt, non semel aut iterum, sed saepe instanterque monere, eos, utpote non vocatos, ad sacerdotium provehi non posse, nisi tempestive se prorsus emendent et de hac virtute in posterum custodienda securitatem et moralem certitudinem praebeant. Debet praeterea in hac capienda decisione perpendere omnia adiuncta, non solum candidati aetatem, lapsuumque frequentiam, sed etiam constitutionem physiologicam et psychologicam, indolem, virtutem etc. Debet interea ipsemet Deum frequenter orare, ut in hac re gravissima id decernat quod magis ad eius gloriam bonumque Ecclesiae ducat.

Ne tamen hac in re nimia relinquatur errandi libertas, ad aliqua magis particularia descendere iuvabit, tum quoad lapsuum naturam et frequentiam pro diversa aetate, tum quoad alia adiuncta quae confessarius in practico suo iudicio formando prae oculis habeat oportet.

---

[1] Cfr. *Acta Sanctae Sedis*, t. XLI, p. 221.

II. Regulae particulares praesertim quoad circumstantiam aetatis.

121. — Circa vitium pollutionis solitariae in candidato ad sacerdotium generatim haec pro varia aetate sequenda videntur [1].

a) Qui a tenera iam aetate (puta 6-12 annorum) constantem quasi habuit consuetudinem se impudice tangendi cum voluntaria delectatione sensuali vel partim sexuali, sed postea quasi numquam in pollutiones voluntarias lapsus est, certe ut candidatus sacerdotii admitti potest. Sin autem post tempus pubertatis hanc consuetudinem, licet aliquoties interruptam, per plures annos deliberatis pollutionibus continuavit, generatim a statu clericali amplectendo graviter dehortandus est; quia praecox illa diuturnaque consuetudo eius organismum valde disposuit ad excessus sexuales; unde postea conatus quasi heroici requirerentur ad eam exstirpandam vel constanter superandam. Talis autem virtus heroica per totam vitam in candidato ordinario praesupponi nequit, sed iuxta communiter contingentia de futuro iudicandum est.

b) Qui aetate pubertatis (13-16 annorum) per aliquod tempus etiam consuetudinem se voluntarie polluendi habuit, nequaquam idcirco a sacerdotio prohibendus est, modo nunc habeat fortem se emendandi voluntatem, innixam firma persuasione de sublimi status sacerdotalis dignitate, modo etiam media orationis et vigilantiae sedulo adhibeat, et paulatim saltem consuetudinem plane deponat; quod quidem, praesertim in seminario minore vel collegio religioso [2], intra unum annum iam expectari potest, etiamsi forte annis proxime sequentibus unus alterve lapsus ob circumstantiam particularem adhuc occurrat. Huiusmodi candidati, sincere conversi, saepe optimi fiunt sacerdotes; eorum « delicta iuventutis » Deus permittit, ut erga Ipsum semper vere contriti humilesque se praebeant, utque, experientia edocti, in futuris mundi periculis cum seipsis et cum aliis fiant cautiores, magisque misericordes cum miseris peccatoribus.

c) Si quis per ultimos seminarii minoris annos (17-19 anno-

---

[1] Circa sequentes regulas consilium petivimus non solum a theologis moralistis, sed etiam a quodam medico psychiatra, optimo catholico.

[2] Quae in hac quaestione de seminariis minoribus et maioribus dicimus, applicanda sunt etiam institutis religiosorum, educandis candidatis sacerdotio destinatis, sive inferioribus (collegiis, scholis apostolicis, iuvenatibus), sive superioribus pro studiis philosophicis et theologicis.

rum) adhuc frequenter relabitur, puta semel aut bis singulis mensibus, sine notabili emendatione, generatim enixe hortandus est ut a proposito sacerdotii desistat; quia ex una parte frequentes illi relapsus ob maiorem aetatem iam sunt culpae graviores, et valde verisimiliter postea quoque, etsi cum interstitiis, evenient; ex altera vero parte semper difficilior evadit egressus e seminario et inchoatio novi vitae curriculi in mundo. Unde grave oritur periculum ob rationes naturales (vitam commodiorem, beneplacitum parentum, respectum humanum) persistendi in seminario et sine vocatione supernaturali ascendendi ad sacerdotium.

d) Si quis nihilominus, ultimis etiam seminarii minoris annis ita frequenter lapsus, ex vero desiderio supernaturali sacerdotii maius seminarium aut noviciatum instituti religiosi est ingressus, fieri quidem potest, et interdum quoque fit, ut ob vitae altioris novitatem, ob media abundantiora, maioremque fervorem, mente et voluntate prorsus convertatur et abhinc, etiamsi initio ob circumstantiam specialem adhuc una alterave vice ceciderit, pravam tamen consuetudinem vere superet; quo in casu tuto procedere potest.

e) Atvero si quis deinde — ut in casu nostro Agapitus — post aliquod continentiae tempus, puta unius anni, iterum recidit, non una alterave vice tantum, sed frequenter v. g. singulis fere mensibus, idque per notabile plurium annorum tempus, vix adest solida spes futurae continentiae per totam vitam. Qui enim voluntatem habet adeo debilem, ut intra sacra seminarii maioris moenia, ubi abundant naturalia et supernaturalia castitatis custodiendae media, in hac virtute firmus stare nequeat, profecto multo minus praesumi potest, eum postea, in mediis corrupti huius mundi periculis sibi quasi relictum, vitam castam statui sacerdotali necessariam esse ducturum [1]. Imo, spectata etiam eius vita iam inde a seminario minore, graviter est praesumendum, ceteram eius vitam futuram esse velut continuam

---

[1] Nostra aetate maiores etiam quam antea in sacerdotibus requiri virtutum qualitates, ita ostendit Leo XIII: « Causae graves et omnium aetatum communes decora virtutum multa et magna in sacerdotibus postulant; verumtamen nostra haec aetas plura quoque et maiora admodum flagitat... Quum hodie magna sit et ad plures diffusa corruptela morum, singularem prorsus oportet in sacerdotibus esse virtutis constantiaeque praestantiam. Fugere quippe consuetudinem hominum minime possunt: immo applicare se propius multitudinem ipsis officii sui muneribus iubentur: idque in mediis civitatibus, ubi nulla iam fere est quin permissam habeat et solutam licentiam. Ex quo intelligitur, virtutem in Clero tantum habere virium hoc tempore debere, ut possit se ipsa tueri firmiter, et omnia cum blandimenta cupiditatum vincere, tum exemplorum pericula sospes superare » (Enc. 15 Febr. 1882; cfr. *Acta Leon. XIII*, vol. III, p. 23 sq.).

relapsuum successionem, ad summum per aliquod tempus poenitentiae interdum interruptam. Unde deest illa moralis de idoneitate certitudo, quam sacri canones et ipsa lex naturalis postulant ad licitam in Ecclesia latina Ordinum susceptionem. Tali candidato ordinarie matrimonium unicum erit remedium certum contra carnis concupiscentiam, iuxta illud S. Pauli: « Si non se continent, nubant » (I *Cor.* c. VII, 9). Confessarius ergo, ubi primum iudicaverit, debitam illam certitudinem moralem de servanda lege coelibatus prudenter expectari iam non posse, suo poenitenti paterne quidem sed absolute significet, eum suo iudicio non esse vocatum, adeoque ad saeculum redire debere; eumque, nisi hoc nunc firme proponat, a se absolvi non posse.

122. — Atvero, praeter lapsuum frequentiam, alia quoque hac in re sunt consideranda *adiuncta personalia*, quae haud raro in confessarii solutionem influere possunt. Videlicet: utrum candidatus ex quodam atavismo vel ex corporis constitutione admodum nervosa et psychopathica valde et quasi assidue propensus sit ad actus luxuriosos; quae propensio non nisi virtute heroica adeoque rarissima vinci possit [1]; — utrum fortem infractamque habeat voluntatem ex vero amore vocationis sacerdotalis profectam, superandi suam passionem, in hacque pugna vere succedat: an potius indolem habeat mollem, debilem, sensibilem, potiusque melancholicam, etsi alioquin bonus, pius et regularis videatur; — utrum studia seriasque occupationes fastidiat, suaque solatia in rebus mundanis, lectionibus frivolis etc. quaerat; — utrum in oratione et disciplina regulari levis et tepidus sit, an fervens [2]; — utrum in seminario quidem satis caste vivat sed in feriis extra seminarium peractis regulariter secum ipso peccare soleat.

---

[1] Hinc supra citata Instructio S. Congr. de Sacramentis circa candidatos sacerdotii ait: « Non parum etiam proderit... inquirere, num aliquod abnorme ex parentibus in candidatum manavisse coniici aut suspicari fas sit, ac praecipue num corporis habitus ad libidinem sit proclivis, quod atavismum sapiat » (§ 2, 7°). Et parochis inquirendum praecipit: « Num inter parentes alicuius infirmitatis indicia, ac praecipue mentis morumque pravorum adsint, quae atavismum suspicari sinant » (Mod. II, 16°).

[2] De alumno qui externam seminarii disciplinam parum curat, et defectum spiritus religiosi ostendit, Pius X in *Motu Proprio* diei 1 Sept. 1910 ita loquitur: « Hoc animo comparatum si quem deprehenderit ephebi moderator, et si semel iterumque praemonitum, experimento facto per annum, intellexerit a consuetudine sua non recedere, eum sic expellat, ut neque a se neque ab ullo episcopo sit in posterum recipiendus. Haud enim facile creditur, domesticae disciplinae contemptorem a publicis Ecclesiae legibus minime discessurum » (*A. A. S.*, 1910, p. 667). Cfr. etiam can. 1371.

Quo plura huiusmodi adiuncta aggravantia confessarius in candidato frequenti pollutioni iam dedito detegit, eo citius — idque iam in seminario minore — concludet ad absentiam vocationis seu idoneitatis ad statum sacerdotalem. Ex dictis patet, regulas pro omnibus casibus fixas et determinatas statui non posse; nam semper etiam considerandae sunt qualitates et bonae et malae cuiusvis poenitentis, relate ad pericula maiora aut minora, postea in ministerio animarum ventura [1]. Atque haec hactenus de peccato solitario.

III. Alii casus propositi et soluti.

123. — Occurrunt tamen alii sacerdotii candidati, qui secum ipsis soli raro quidem aut numquam peccare solent; sed qui cum aliis externe contra castimoniam aut saltem contra pudicitiam serio committunt, et de quibus saepe etiam confessarii in tribunali poenitentiae iudicium relate ad eorum vocationem sacerdotalem ferre debent. Casus praecipui hi quatuor sunt.

§ 1. *Pravae amicitiae particulares.*

Sunt nimirum seminaristae qui singularem prorsus experiuntur *propensionem* sensibilem vel etiam carnalem erga alias personas iuniores sive eiusdem sive praesertim alterius sexus, eamque etiam saepe externe manifestant. Huiusmodi in seminario iam amores et amicitias particulares cum aliis sodalibus fovere conantur; maxime in feriis saepe familiarius agunt cum puellis grandioribus, eisque specialia amoris et affectus signa ostendere quaerunt: oculis, verbis, iocis, litteris, manuum constrictionibus, aliquando etiam obviis osculis, complexibus, aliisque immodestiis; quae signa, licet saepenumero ad peccati mortalis malitiam non certo pertingant, nihilominus in

---

[1] Multa ex his adiunctis aggravantibus externa sunt, et confessarius, si ea ab ipso poenitente non iam audierit, quandoque ultro aliunde accipiet. Caveat autem, ne ipse apud alios ex industria de iis inquirat, et sic sigilli confessionis indirecte saltem laedendi periculo se exponat. — Ceterum confessarius nihil se ingerat oportet in seminarii gubernationem, atque idcirco dimissionem ob externa illa adiuncta solis superioribus relinquat. In dubio tamen de internis dotibus suadere potest poenitenti ut ipse, si velit, conscientiae statum candide seminarii superiori aperiat. Cfr. can. 530, § 2.

materia castitatis animum produnt valde levem et statui ecclesiastico minime congruentem, imo admodum periculosum. Si huiusmodi candidati pravis illis inclinationibus non viriliter resistunt, sed, etsi saepe serio admoniti, facile eis cedunt, iam e seminario minore removendi sunt, quippe inepti ad sacerdotium, quod valde probabiliter postea culpis certe gravibus inquinabunt.

Quapropter etiam confessarii, si quid huius rei suspicantur, in confessione sedulo inquirant de hac sui poenitentis inclinatione agendique ratione, tum per annum in seminario, tum in reditu post ferias. Eos consiliis suis adiuvent, deficientes graviter moneant, periculum pro vocatione sacerdotali eis ostendant; et tandem, nisi plane se emendaverint, eis utpote non vocatis grave dent consilium, vel etiam praeceptum recedendi e seminario, vel saltem loquendi sincere de sui animi statu cum superioribus.

§ 2. *Actus graviter impudici cum complice.*

124. — Gravior est casus, si quis per *actus graviter impudicos* cum *complice* peccavit; quod haud raro occurrit, tum in ipso seminario maiore vel minore, tum extra seminarium per ferias cum personis sive alterius sive eiusdem sexus. Qua de re notandum est, perversam illam et abnormalem propensionem veneream erga eumdem sexum, quam homosexualitatem vocant, esse quidem multo rariorem, sed in se periculosiorem et pertinaciorem quam pravum affectum erga diversum sexum. Canon 1371 generatim statuit: « E seminario... praesertim statim dimittantur qui forte contra bonos mores aut fidem deliquerint » [1]. Haec utique directe ad solum forum externum pertinent, in quo prudentia praecipit, quoad talia facta, secreto commissa sed detecta et certo explorata, statim severe procedendum esse, ne periculum contagionis occulte latius serpat. Nihilominus confessarius, ut nobit quidem videtur, merito ex hoc canone pro foro sacramentali concludet, poenitentem qui tale factum cum complice secreto commissum in confessione accusat, non solum serio monendum esse, sed etiam, si idem altera vice contigerit, ordinarie sub gravi esse obligandum ut ipsemet, tamquam non idoneus, sub aliquo praetextu e seminario recedat. Cum hisce enim semper timendum est, ne fiant

---

[1] Advertas fac, « contra bonos mores delinqui » non solum per *actiones* impudicas, sed etiam per colloquia graviter turpia, per lectionem librorum valde obscoenorum etc.

aliorum plurimorum contagionis causa. Confessarius autem non solum bonum sui poenitentis, sed etiam bonum commune seminarii prae oculis habere debet, et in conflictu bonum commune privato bono praeferre.

§ 3. *Actus completus per copulam.*

125. — Multo gravior erit casus, si forte peccatum etiam fuerit *completum per copulam.* Hoc casu certe frequens lapsus nequaquam requiritur, sed unus actus copulae (fornicationis aut sodomiae), tempore seminarii aut minoris aut maioris etiam per ferias admissus, ordinarie sufficiet, ut a confessario gravissimum detur candidato consilium vel etiam praeceptum abeundi; imo si postea etiam altera vice talis lapsus acciderit, nostro iudicio gravis obligatio e seminario recedendi, etiam sub poena denegandae absolutionis, omnino imponatur oportet. Copula enim illicite habita quo tempore quis ad vitam sacerdotalem se praeparat, animum vilem nimisque inverecundum prodit, et vehementer disponit ad iterato easdem delectationes quaerendas, ita ut semper prudens dubium de futura castitate sacerdotali permaneat.

Diversus prorsus est casus honesti vidui, qui cum uxore vivente licitam habuit copulam et postea, secundis nuptiis posthabitis, se in statu sacerdotali totum Deo tradere statuit. Imo diversus etiam est casus si quis antequam de sacerdotio ineundo cogitaverit, fornicationem commiserit; quamquam clariora in hoc ultimo casu vocationis signa postulanda sunt, qualia certe aderant v. g. in S. Augustino.

§ 4. *Dubium positivum de idoneitate morali post acceptum subdiaconatum aut diaconatum.*

126. — Tandem casus extremus esset, si quis *iam subdiaconus* vel *diaconus* ordinatus est, et interea *novum dubium vehemens* de eius idoneitate morali ad sacerdotium exortum esset, puta propter facta per ferias commissa et in scrutinio praescripto patefacta. Iamvero S. Congr. de Sacramentis in eadem Instructione 27 Decembris 1930 praecipit, ut tunc Episcopus casum cum omnibus rationibus et adiunctis S. Sedi exponat, quo haec ulterius provideat. En textum

Instructionis: «Quoties Episcopus, antequam quis ad diaconatum aut ad sacerdotium initietur, pro certo habeat ex promovendi confessionibus aut ex aliis certis indiciis et probationibus susceptis, ipsum sacra revera vocatione esse destitutum, S. Sedem adire non omittat, candide et plane referens rerum statum, seu argumenta, quibus vehemens fovetur *dubium* de subdiaconi aut diaconi idoneitate ad onera maiora digne et fideliter perferenda. Res quidem agitur tanti momenti, ut Ordinariorum conscientia graviter onerata maneat de hac obligatione, ut periculum amoveatur manus imponendi Diacono vel Presbytero, qui gravissimo ss. Ordinum oneri sustinendo impar sit» (*A. A. S.*, 1931, pag. 126). Est hoc, quod sciamus, primum S. Sedis documentum publicum circa dispensationem a lege coelibatus pro iis qui iam subdiaconi aut diaconi ordinati sunt.

Idem quoad substantiam praeceptum repetivit S. Congr. de Religiosis, in Instructione 1 Dec. 1931 ad supremos Religionum moderatores dicens: « Licet pro diaconatus et presbyteratus ordine opus non sit informationes adeo amplas atque nova requirere testimonia, advigilent tamen Superiores et videant utrum, in intervallo ab unius et alterius ordinis sacri collatione, nova acciderint quae vel patefaciant *dubiam* ad sacerdotium vocationem, vel nullam prorsus commonstrent. Hoc in casu, perscrutatione perquam diligenter peracta, adhibitoque virorum prudentum consilio, novi ordinis susceptionem penitus interdicant, remque ad hanc Sacram Congregationem referant, a qua, pro singulis casibus, quod opportunius in Domino visum fuerit, decernetur » (*A. A S.* 1932, p. 81, n. 29). Fac advertas S. Sedem hic Ordinarios et Superiores maiores Ordinum religiosorum *graviter* in conscientia obligare, ut etiam si quam vocationem ad sacerdotium graviter *dubiam* habeant, casum ad se referant.

127. — In praeclaro *Commentario* de illa Instructione S. C. de Sacramentis, ab Emin. Card. Jorio, tunc temporis Secretario, nunc Praefecto eiusdem Congregationis, vulgato, de hoc casu haec leguntur: « Studeant Ordinarii diligentissime inquirere de candidatorum moribus, quod viro prudenti difficile non erit, et quatenus aliquid in eis *contra castitatem* invenerint, *etiam si quis eorum sit in sacris,* ad ascensum candidato viam praecludere satagant; et *S. C. consentientem et providentem iure meritoque invenient* » (l. c. pag. 61). Et postea: « Dubium debet esse positivum seu rationibus suffultum, etsi rationes in contrarium militent, non quoad factum, quod adhibitis inquisitionis mediis certum supponitur, sed circa candidati vocationem, stante praesertim tali facto, ex quo ortum est dubium de vocationis exsistentia in subiecto » (l. c. p. 150 sq.). Duos tunc casus novissimos ex anno 1933 auctor adducit, priorem subdiaconi, posteriorem diaconi, qui per ferias « levitatem familiaritatesque inhonestas » ostenderant, et idcirco a Summo Pontifice a lege caelibatus dispensati et ad statum laicalem redacti sunt; quamquam in casu illius diaconi « Ordinarius de cetero

eum poenitentem dicebat, aliasque qualitates in eo commendabat » (ib. p. 151)[1].
— Facta haec utique ad solum forum externum spectabant; sed indirecte indicare videntur, etiam confessarium in foro sacramentali ita iudicare debere, si talia facta aliave positiva argumenta (puta renata consuetudo se polluendi) de candidati morali idoneitate vehemens dubium positivum ingererent. Quo casu confessarius ei, sive subdiacono sive etiam diacono, gravissimum consilium imo etiam praeceptum dare debet, un antea saltem per complures v. g. sex menses se iterum probet, vel melius adhuc, si permaneret vehemens illud dubium, ut poenitens, sive per se, sive per alium, a S. Sede reductionem ad statum laicalem cum dispensatione a lege caelibatus petat. Qua de re, ad normam eiusdem Instructionis, ita idem Emin. Jorio: Sunt candidati « qui, esto bona fide, usque ad limen presbyteratus perveniunt, sed vel quia impares ad sustinenda onera se credunt, vel quia vitiis aut moribus saecularibus se implicarunt, preces admovent, ut ad statum laicalem Apostolica Sedes eos misericorditer reducat. Et hoc quidem consilium inierunt ad maius malum Ecclesiae sibique praecavendum: *unde sunt valde laudandi* » (l. c. p. 152)[2].

Tanta ergo est Ecclesiae pro decore sacerdotii sui cura, ut candidatis, magnis saepe impensis per plurimos annos educatis, si tandem, fini proximi, eius onera se portare non posse crediderint, dispensationem ab ipsa lege coelibatus ultro offerat, imo eam acceptari velit, ne forte secus et ipsi infelicissimam ducant vitam et christifidelibus scandalo fiant. — Haec omnia plus satis ostendunt, quanta diligentia tum seminarii superiores tum etiam confessarii gravissimum suum officium explere debeant, ut Ecclesia intentum suum finem consequatur.

IV. Casus initio propositi ulterior solutio et responsio ad obiecta.

128. — Nostro iudicio prudentia praecipit, ut Titius decisionem prioris confessarii simpliciter confirmet, neve ultra novum proba-

---

[1] Ex his verbis videre est, gravia delicta et peccata mortalia externa contra sextum praeceptum non requiri ut quis subdiaconus vel diaconus a sacerdotio excludatur, sed sufficere « levitatem familiaritatesque inhonestas » in interstitiis commissas, ut ab Ecclesia non idoneus, adeoque non vocatus ad tantam dignitatem habeatur.

[2] Verba Instructionis haec sunt: « Sunt qui bona fide minores et sacros Ordines susceperunt, sed antequam presbyteratum consequantur, experiuntur se impares esse oneribus S. Ordinationis sustinendis, aut se vitiis vel moribus saecularibus implicarunt: in his, nimirum, facilius et apertius sanctae vocationis patebit defectus, iidemque ipsi, ut suae miserrimae conditioni consulatur, ultro efflagitabunt » (§ 3, n. 4, l. c.).

tionis experimentum cum Agapito sumat. Primo quidem, quia praesumptio stat pro sententia prioris confessarii, cui Agapitus confiteri solebat et cui, etiam ut directori spiritus, optime notus erat; ab huius igitur sententia sine gravi ratione recedere nefas est.

Deinde, nedum talis gravis ratio adsit, prior ille confessarius minime aequo severius, sed valde prudenter hunc casum solvisse videtur. Etenim hactenus poenitens frequenter seria monita et consilia a suo confessario acceperat; multa etiam probationis experimenta antecesserant, iam inde a seminario minore; sed haec omnia fuerunt irrita, quia regulariter, post aliquot menses continentiae iterum atque iterum relapsus est, idque in circumstantiis valde favorabilibus seminarii (supra, n. 121 sq.). Sunt haec indicia moraliter certa voluntatis nimis infirmae candidati, undecumque haec infirmitas oriatur. Etiamsi ergo Agapitus ob magnum sacerdotii desiderium aliasve rationes forte humanas per sex menses ante subdiaconatum se contineret — id quod fieri quidem poterit —, nulla idcirco haberetur moralis securitas de eius idoneitate ad portandum onus perpetuae castitatis extra seminarium. Quinimo grave erit periculum, eum, forte iam tempore interstitiorum ante diaconatum aut presbyteratum, vel saltem post hos Ordines receptos, mediis in mundi occasionibus iterum relapsurum esse. Id nimia experientia constat tot sacerdotum infelicium. Caveat igitur Titius, ne novis poenitentis promissis, vel etiam lacrimis et supplicationibus ad falsam misericordiam moveatur, eiusque precibus iteratae probationis accedat. Solent enim hi candidati ab uno ad alium transire confessarium, donec aliquem minus cautum inveniant, qui cordis magis affectum quam prudentem rationem sequitur, et iterum atque iterum novam concedens emendationis probationem sententiam finalem diutius differt, quoad tandem, brevi tempore ante ordinationem aliquis inveniatur confessarius, qui, praeteritam poenitentis vitam non satis cognitam habens, ob rationes quas hic et nunc graves reputat, ipsum ulterius procedere sinat, cum infelici plerumque exitu tum pro ipso candidato tum pro Ecclesia.

Fieri quidem potest, ut iuxta hanc severam praxim unus alterve ab Ordinibus amoveatur qui postea bonus esset sacerdos. Sed, nostro iudicio, saepius adhuc occurret, ut iuxta praxim contrariam faciliorem candidati ad sacerdotium provehantur, qui postea sibi infelices aliisque scandalo futuri sint, sed qui, ad Ordines non admissi, boni laici fierent.

Quapropter pro praxi hoc advertere utile ducimus. Si quis candidatus sacerdotii, in mortalia lapsus, ab ordinatione non longe distans, v. g. unum tantum annum, accedit ad confessarium extraordinarium, sive intra sive extra seminarium, puta per ferias aut tempore exercitiorum spiritualium, hic, antequam ipsum absolvat, admodum prudenter procedat. Ne omittat eum interrogare, quando sacros Ordines suscepturus sit, num ultimis adhuc temporibus, mensibus aut annis, in peccata gravia contra sextum sit lapsus, quid confessarius ordinarius de eius ordinatione et vocatione sacerdotali sentiat; neve de eius idoneitate sententiam ferat, sententiae huius confessarii contrariam. Nisi hoc faciat, facile continget, ut quis non idoneus contra mentem Ecclesiae ad sacros Ordines admittatur.

129. — Neque quae Agapitus *opponit* Titium movere debent. Quod iam a prima pueritia vocationis primordia et inclinationem habuerit, transeat; nunc certe non est vocatus, utpote non idoneus.

Frequentes eius lapsus non ex habitu proprie dicto, sed ex sola fragilitate et passione provenisse, nihil refert; sufficit liberam eius voluntatem adeo infirmam esse, ut absit certitudo moralis servandi in sacerdotio castitatem perpetuam.

Qua de re advertere velit benevolus lector, ea quae in *Opere* (thesi 10ª) et supra (n. 41 sq.) iuxta doctrinam S. Thomae et S. Alphonsi scripsimus de natura habitus et peccatoris habituati deque huius lapsus facilitate et frequentia, nequaquam applicanda esse clerico qui dicitur « habituatus » in peccato turpi. Videlicet S. Alphonsus ad habitum proprie dictum in hoc vitio constituendum generatim quidem postulat, ut quis circa quinquies per mensem labatur, idque brevi post confessionem sine ulla fere resistentia (*Praxis*, n. 70). Qui non ita frequenter neque ita facile recidit, erit recidivus ex fragilitate et passione, non ex habitu stricto sensu, ac proinde facile habebit verum dolorem firmumque propositum, id quod sufficit ut absolvi possit (cfr. *Opus*, n. 204). Verum enimvero S. Doctor ibi solum agit de dispositionibus necessariis ad sacramentum Poenitentiae, minime vero de dispositionibus ad ss. Ordines requisitis [1]. In hac ultima quaestione cum communi doctorum sententia longe superiores postulat conditiones, ut initio (n. 119 sq.) vidimus. Hinc vox « habituati », quae est ambigua, hic sumitur sensu ampliore, etiam pro eo qui ex sola fragilitate et non ita frequenter cadit, sed qui ostendit voluntatem nimis debilem ad portandum onus castitatis perpetuae. Quanta lap-

---

[1] Hoc expresse dicit in *Hom. Ap.*, tract. ult., n. 16.

suum frequentia et per quantum tempus ad hoc requiratur, pendet ab adiunctis. Sufficit iam non haberi neque prudenter expectari posse moralem certitudinem de eius idoneitate ad statum sacerdotalem; id quod generatim accidit, si quis post plurimos lapsus in iuventute adhuc in seminario maiore per plures annos singulis fere mensibus relapsus fuerit. Brevi, requiritur, ut prava consuetudo iam a longo tempore sit plane devicta, neque gravis adsit timor eius reviviscentiae in reliqua vita.

130. — Neque Agapito favet, quod S. Alphonsus loquitur de praemittenda probatione « longi temporis saltem plurium mensium » (*Hom. Ap.* l. c.); quod iam haberetur v. g. post sex menses. Etenim nequaquam S. Doctor significat, talem probationem semper sufficere. Eam ut quid minimum postulat (« saltem »); et ob specialia adiuncta aliquando sufficere poterit, praesertim tempore S. Alphonsi, quando permulti clerici extra seminarium in suis familiis vivebant, neque umquam postea curam animarum suscipiebant, sed ante ordinationes solum « aliquam petebant domum religiosam, ut spiritualia agerent exercitia » (*ib.*, n. 17). Ubi vero, ut nostra aetate communiter, agitur de candidatis qui intra moenia seminarii a mundo quasi segregati per multos annos ad sacerdotium se praeparant, ut postea in medio huius saeculi periculis confessarii aliaque vitae pastoralis officia obeant, generatim pro vitio turpi assuetis probatio castitatis per sex solum menses sufficere non videtur, ut habeatur moralis illa de servanda in sacerdotio vita casta certitudo, quam cum sacris canonibus etiam S. Alphonsus postulat (cfr. supra n. 119)[1]. Multo minus hoc tempus sufficiet, si prioribus iam annis saepius huiusmodi experimenta praecesserunt, et tamen post plurium mensium continentiam iterum atque iterum graves relapsus contingere solebant, uti vidimus in casu Agapiti. Pro hisce probatio unius saltem anni, saepe etiam

---

[1] Scite hoc advertit etiam Em. Jorio: « Animadvertendum est, inquit, S. Alphonsum loqui de clericis, qui sua aetate extra seminaria degebant, sacrosque Ordines recipiebant, praeviis tantum spiritualibus exercitiis in aliqua domo religiosa peractis. Assueti igitur probationis tempus, vetito eidem a confessario accessu ad sacros Ordines, saltem ad sex menses coarctari poterat, quia probatio non in seminario, sed extra seminarium, idest in familia locum habebat, praecise in iisdem conditionibus, in quibus turpis habitus contractus fuerat... Sed quid de iuvene qui, contracto habitu ad turpia seminarium ingreditur, theologicis studiis incumbit, et Ordines accipere vult? In casu mutantur conditiones: quapropter probationis tempus produci debet, exacto ad hoc convenienti temporis spatio extra seminarium transigendo; non enim emendatus censetur fur, dum in carcere poenam eluit » (*op. cit.*, p. 157 sq.).

diuturnior, necessaria nobis videtur. Generatim iam duobus annis ante subdiaconatum instantissimum saltem consilium abeundi dandum esse videtur, praesertim, si — ut in casu nostro — agitur de candidato, cuius voluntas, natura iam debilis, per consuetudinem semper magis fuit debilitata, vel si adsunt alia adiuncta aggravantia de quibus supra (n. 122) [1].

Denique immerito prorsus Agapitus opponeret casum plane exceptionalem, de quo agit S. Alphonsus (*Th. Mor.*, VI, n. 69 sqq.), quo quis nempe conversione adeo extraordinaria a Deo donetur, ut statim absque alia probatione sacros Ordines suscipere possit. Sunt haec velut miracula in ordine supernaturali, quae aetate S. Doctoris cum illis ordinandis « aliquando » sed « raro », ut ait, contingere potuerint, quia tunc permulti per totam vitam simplices sacerdotes manebant, solumque sacram Missam dicebant. Nostra autem aetate pro candidatis in seminariis educatis, qui nempe quasi omnes destinati sunt ut postea officiis ministerii pastoralis in mundo fungantur, talia miracula supponere valde imprudens esset, vel ita rarissima essent, ut confessarii, qui iuxta communiter contingentia iudicare debent, in praxi sacri tribunalis vix ullam eorum rationem habere possint. — Quapropter iterum recolendum est, dubium positivum, seu solidam utrimque probabilitatem circa futuram sacerdotis castimoniam minime sufficere, ut Episcopus licite manus imponat, sed certitudinem moralem late dictam de ea, ex lege naturae et Ecclesiae, requiri (supra n. 119 sq.); secus via tutior est tenenda.

Concludimus igitur gravibus hisce verbis saepe laudati Emin. Cardinalis Jorio: « Sciant confessarii sibi gravissimum onus fuisse impositum de quo strictissime Deo rationem reddere debent: agitur enim de ingenti malo Ecclesiae et Christifidelibus, nedum ipsis candidatis ad Ordines praecavendo; quapropter exorto de vocationis dubio, quod aliter removeri non possit, tutior via eligatur oportet, quae alia esse nequit nisi eiusmodi candidatorum a sacris suscipiendis Ordinibus reiectio » (*l. c.*, pag. 159).

---

[1] Medicus ille psychiatra, de quo supra (n. 121, nota 2), in casibus etiam ordinariis postulabat duos saltem annos intermissae pravae consuetudinis, ut quis tuto ad subdiaconatum procedere possit. Si accedebant alia adiuncta aggravantia, praesertim psychologica, etiam citius concludebat candidatum ad sacerdotium idoneum non esse.

V. Confirmatio praedictorum ex Encyclica Pii XI « De Sacerdotio Catholico ».

131. — Quae hactenus exposuimus, plene confirmantur ex praeclara Encyclica « de Sacerdotio catholico » die 20 Decembris 1935 a Summo Pontifice Pio XI ad omnes mundi Ordinarios locorum data. Ex ea haec pauca excerpere iuvabit.

1° Requirit Summus Pontifex *certitudinem moralem* de positiva vitae bonitate, ut quis candidatus ordinari possit. « Saluberrimum, inquit ad Episcopos, S. Ioannis Chrysostomi monitum amplectamini: "Non post primam probationem, nec post secundam, vel tertiam, sed postquam circumspexeris et accurate examinaveris, tunc impone manus"[1]. Quod quidem de candidatorum sanctimonia in primis intellegatur oportet. Auctore enim piissimo Episcopo et Doctore, Alphonso nempe Maria de Ligorio: "Non sufficit quod Episcopus nihil mali noverit de ordinando, sed *debet fieri certus* de eius positiva probitate"[2]. Hac in causa nimiae austeritatis invidiam, quae facile inde oritur, posthabentes, ita concredito vobis iure officioque utamini, ut hanc *experimentis cognoscendam probitatem* in antecessum expostuletis, et si *quid dubii relictum fuerit,* ad aliud tempus sacrorum ordinum collationem prolatetis » (*A. A. S.,* 1936, 42 sq.).

2° Expositis verae vocationis signis, Sanctitas Sua graviter monet Seminariorum moderatores et *confessarios,* ut qui ea signa non praebeant opportuno tempore e seminario recedendos curent, utque in dubio de vocatione tutiorem partem sequantur. Videlicet, praeter alia postulat in candidato «solidam pietatem et *probatam vitae castimoniam* ». Quapropter ad hoc sacrum munus ineundum aptus non est « qui *peculiari modo ad libidinis illecebras sese pronum* impertiat, neque *iam diu experiendo* ostenderit illius dehonestamenta effugere posse ». Hinc concludit: « Perpendant igitur Seminariorum rectores, animadvertant ii qui in id genus domiciliis vel *iuvenum animis moderantur* vel *sacras confessiones excipiunt,* quam magni periculi — ad Deum, ad Ecclesiam et ad ipsos iuvenes quod attinet — auctores fiant, si suas cuiusque partes omni ope non expleant, ne eiusmodi erratum perpetretur. ..... Quamobrem ipsi — tum praesertim cum externae rei moderatores vel neutiquam vel enervate ac languide suas partes peragant — non aptos aeque atque indignos, humano nullo habito respectu, *pro officio iubeant,* e sacris Seminarii saeptis, dum tempus est, *recedere;* eaque in causa pertractanda *tutiorem semper sententiam amplectantur;* quae quidem, ad rem quod attinet, multo magis sacrorum alumnis favet, cum eos ex itinere avertat, per quod ad aeternam ruinam adduci possent.

« Quodsi interdum non luculenter satis huiusmodi officium pateat, eam

---
[1] *Hom. 16 in Tim.*
[2] *Theol. Mor. De sacram. Ordin.*, l. VI, n. 803.

saltem iidem auctoritatem adhibeant quae ex sibi credito munere paternaque in alumnos caritate oritur, ut eos ad sponte sua ab instituto recedendum inducant, quos non ita, ut oportet, animatos noverint. Habeant alte confessarii illa in animis insculpta, quae S. Alphonsus de Ligorio haud absimili de causa docuit: "Ut plurimum, quo severius (hac in re) confessarius cum poenitentibus agit, eo tutius ipsorum saluti consulit; ac contra, eo se duriorem poenitentibus praestat, quo ipsis se faciliorem impertit. S. Thomas a Villanova confessarios id genus, aequo nempe leniores, *impie pios* vocabat. Huiusmodi caritas contra caritatem repugnat" » (ib. p. 40 sq.) [1].

3° Tandem respondet obiectioni, scilicet metuendum esse, ne, adhibita illa severitate, necessaria sacerdotum copia imminuatur.

« Nec quidquam de debita severitate Episcopi vel religiosarum sodalitatum rectores remittant eo ducti metu, ne aut in Dioecesi aut in religioso Instituto sacerdotum copia imminuatur. Hanc opinionis captionem S. Thomas Aquinas, ut iam occupaverat, ita, quo erat ingenii acumine sententiarumque planitate, revicerat: "Deus numquam ita deserit Ecclesiam suam, quin inveniantur idonei sufficientes ad necessitatem plebis, si digni promoverentur et indigni expellerentur" [2]. Ceteroquin praeclarissimus idem Doctor, verba Concilii Oecumenici Lateranensis IV ex verbis propemodum reddens, peropportune monet: "Si non possent tot Ministri inveniri, quot modo sunt, melius esset habere paucos Ministros bonos quam multos malos" » [3]. Quod quidem idem Pontifex iam alias monuerat: « Videlicet pluris esse procul dubio unum tantummodo sacerdotem haberi, qui sit omni ex parte ad sacerrimum officium suum institutus, quam plures, qui aut nihil aut parum sint ad idem conformati. In his enimvero nihil spei Ecclesia reponere potest, ut ei non sit potius harum causa effuse lugendum. Reformidandae equidem aliquando, Venerabiles Fratres, a nobis reddendae erunt rationes Pastorum Principi eidemque supremo animarum Episcopo, si populos rectoribus inertibus imperitisque magistris permiserimus » (ib. p. 44).

---

[1] *Opere asc.*, vol. III (ed. Marietti, 1847, pag. 122). — Applicat hic SS. Pontifex verba quae S. Alphonsus dicit de confessario qui nimis facile absolvit versantem in occasione proxima. Cfr. *Th. mor.*, VI, n. 452 (ed. Gaudé, III, p. 459).
[2] *Summa Theol., Suppl.*, q. 36, a. 4, ad 1.
[3] L. c.

ARTICULUS IV.

De onanismo coniugali.

132. — In magna quadam dioecesi latissime iam propagatus est onanismus coniugalis et maioris adhuc huius vitii diffusionis periculum instat tum in civitatibus tum ruri. Episcopus, de hoc periculo valde sollicitus, praecipit, ut per integrum annum sacerdotes in conferentiis moralibus hoc argumentum tractent, speciatim etiam rationem et methodum qua huic vitio obsistendum sit. Sacerdotes enim non omnes idem hac de re sentiunt, quum alii aliis in praxi sint indulgentiores aut severiores. Varios idcirco casus eis solvendos proponit, exemplis quae sequuntur similes:

Casus propositi

1° *Duo parochi diverse populum de onanismo instruentes.* — Ad Caium parochum, confessionem audientem, accedit Arthur, vir matrimonio iunctus, quem confessarius graviter quidem suspicatur peccatum onanismi committere, sed quia de eo certus non est, eum non ulterius interrogat, vel, si quandoque interrogat, quaerit solum, num nihil accusare habeat circa vitam coniugalem. Et ita cum omnibus his facere solet. Interdum etiam praedicat quidem de matrimonii sanctitate, sed, ne auditores offendat, verbis utitur adeo generalibus, ut nemo fere intelligat eum etiam peccatum onanismi indicare velle. Eodem obscuro modo loquitur in instructione nupturientium. Praeterea, occasione missionis, timens ne missionarii libere de hoc peccato loquantur, ab his instanter petit, ut de illo in particulari non praedicent, ne conscientiarum confusio oriatur. — Titius contra, item parochus, saepe adeo clare de hoc peccato praedicat, ut multi fideles id aegre ferant et propterea sacramenta relinquant. Eodem modo agit in confessionali. — Quid de utriusque parochi agendi ratione dicendum? (Cf. resp. infra n. 174).

2° *Recidivus formalis*. — Germanus dicit, se utpote bonum catholicum praeceptum paschale omnino implere velle. Accedit ergo ad Sempronium confessionem instituturus. Post debitas interrogationes confessario constat, Germanum duos filios habentem a tribus annis in matrimonio onanistice vivere. Iam bis absolutus fuit, sed, licet quotannis serio sit monitus, nihil emendatus est. Iterum graviter ipsum admonet Sempronius, et efficacissimis rationibus ab hoc peccato dehortatur. Roganti deinde confessario, num peccatum vere doleat firmeque proponat abhinc illud relinquere, Germanus sine fraude et dolo respondet modo ordinario: affirmative. Quapropter confessarius iterum ipsum absolvit, tum quia iuxta aliquot auctores nondum est recidivus sensu theologico, tum quia tempore paschali confitetur, quod signum extraordinarium esse Sempronius censet. — Rectene egit? (Cf. resp. n. 175).

3° *Sponsi sine ratione continentiam periodicam exercentes*. — Iulius et Iulia, iuvenes ditioris conditionis sponsi, quum iam duos filios habeant, consensu mutuo plane libero inter se conveniunt non amplius procreare prolem, sed abhinc matrimonio uti servata continentia periodica iuxta methodum Ogino-Knaus. Nullam quidem gravem habent rationem vitandi prolem numerosiorem, sed, quum vitae mundanae sint satis dediti, onus plurium infantium refugiunt. Quam methodum quum iam per menses complures desiderato successu secuti sint, tempore paschali accedunt ad Titium, confessarium, suamque agendi rationem ingenue ipsi manifestant. Titius perpendens, hos coniuges nullam habere iustam causam ita agendi, sed solum moveri maiore vitae saecularis commoditate, omnibus modis conatur eos a proposito avertere, adducendo varias rationes, puta hanc methodum nondum esse certo efficacem ad hunc finem obtinendum, illam non carere periculis, sive incontinentiae tempore fertili, sive deminutionis mutui amoris, denique illicitum esse sine gravi ratione ob solam voluptatem uti hoc systemate, quia ita finis primarius matrimonii, quae est procreatio prolis, ex proposito excludatur. Sponsi autem hisce rationibus non cedunt, dicentes talia pericula pro ipsis timenda non esse, quia firmum habent propositum numquam grave peccatum in usu matrimonii committendi, eosque idcirco proponere non posse se hanc praxim dimissuros esse. Titius arbitrans se matrimonii sanctitatem et finem primarium debere tueri, verbis urbanis ipsis significat, hoc casu se dolere quod absolutionem concedere non possit. Sponsi ergo recedentes alium quaerunt confessarium Caium. Hic quoque, postquam eos brevi sed incassum ad nobiliorem matrimonii usum hortatus est, dicit illam praxim continentiae periodicae non esse per se grave peccatum, ac proinde ipsis absolutionem impertit. Simul tamen eos excitat ut post aliquod tempus iterum ad se redeant, quo frequentiore sacramentorum usu in vita vere christiana confirmentur; quod ambo quidem libenter promittunt. — Quid de utriusque confessarii agendi ratione dicendum? (Cf. resp. n. 176).

4° *Onanista dubie dispositus.* — Cornelius, vir 40 annorum, per multos iam annos onanismum exercet; habet enim quatuor filios, nec plures habere vult, quia, ut ait, eos iuxta conditionem suam educare non potest. Praeteritis annis semper absolutus erat, quia post confessionem per aliquot hebdomadas non utens matrimonio se ab hoc peccato abstinuerat; quod et hoc ultimo anno fecit. Per reliquum annum semper de industria onanistice vixit. Confessarius eum iterum validis rationibus hortatur et tandem ipsi absolute dicit ut, aut debitum coniugale rite impleat, aut deinceps ab usu matrimonii prorsus se abstineat. Ad primum respondet Cornelius, hoc sibi impossibile esse; ad alterum dicit, se iterum conaturum hoc facere. Confessarius graviter quidem de firmitate huius alterius propositi dubitat; sed timens ne poenitens, si absolutio ei differatur, sacramenta prorsus relinquat et in peius ruat, ipsi dat absolutionem sub conditione. — Quid de hac solutione dicendum? (Cf. resp. n. 177).

5° *Confessarius usum matrimonii praescribens.* — Titius confessarius onanistis recidivis, qui rite iam moniti semel et iterum abso-

luti sunt sed parum vel nihil emendati, absolutionem post paternam
exhortationem differre solet, usquedum prius aliquoties debitum coniugale iuxta Dei legem perfecerint. — Caius e contrario hanc agendi
rationem ut nimis severam damnat, quia, inquit, poenitens ut vitet
peccatum, ad alterutrum tantum tenetur: aut rite uti matrimonio,
aut ab eius usu se abstinere; ergo confessarius ius non habet iniun-
gendi primum modum vitandi peccatum. Unde ipse numquam onanistis, etiam saepissime recidivis, obligationem imponit rite utendi
matrimonio priusquam eos absolvat. — Quid iuris in hac contro-
versia? (Cf. resp. n. 178).

6° *Onanista publicum dans scandalum.* — Lucianus publice
notus est ut onanista et onanismi fautor. Nam huius vitii praxim aliis
commendat, libellos etiam hac de re spargit etc. Quia tamen fidem
nondum prorsus amisit vel ex alia quacumque ratione, occasione missionis saepius concionibus assistit, et tandem, praedicatione veritatum
aeternarum Deique gratia valde commotus, etiam ad confessionem
accedit. Missionarius videt, Lucianum revera contritione extraordinaria esse donatum; sed dubitat, num ipsum statim absolvere possit,
quia poenitens publicum scandalum dedit, neque illud hactenus re-
paravit. — Quid confessario faciendum? (Cf. resp. n. 179).

7° *Medicus onanismum suadens.* — Damianus medicus, in gubernii civilis Universitate liberalia principia edoctus, sed externe saltem
Ecclesiae praecepta adhuc servans, tempore paschali accedit ad Titium
confessarium. Hic iam aliunde novit, poenitentem haud raro coniuges
contra pericula novi partus praemunire, et idcirco praescribere vel
suadere media quibus in usu matrimonii conceptio impediatur, uti
lotiones cum aqua frigida statim post copulam, etc. Titius credit,
Damianum, propter liberalem suam institutionem, hac de re in bona
fide versari, eumque non ulterius interrogat, nec monet, quia graviter timet ne poenitens, qui certe in exercitio suae artis a sacerdotibus pendere non velit, ex monitione offendatur, sacramenta prorsus
deserat, et forte maius adhuc fidelibus damnum afferat. — Rectene
egit Titius? (Cf. resp. n. 180).

8° *Matrona onanismum commendans, accedens ad sacramenta.*
— Florentia, matrona mundana, duorum filiorum mater, et a pluribus procreandis ob vanas rationes abhorrens, iam per multos annos onanismum artificialem exercet, saepe apud maritum querens de doloribus partus, de onere numerosae prolis, ipsique etiam rectum matrimonii usum petenti resistens. Item frequentans societates aliaque mundi oblectamenta saepe verbis lepidis ridet de illis quae multos habent filios, eas stolidas vocans etc.; aliquibus etiam familiaribus media conceptionis praeventiva suadet. Vult tamen haberi catholica; parocho dat subsidia pro ecclesia, pro scholis aliisque caritatis operibus; imo etiam, sicut aliae matronae, aliquibus anni solemnitatibus ad sacramenta accedit. Suo ergo tempore iterum adit Titium, solitum suum confessarium, in illa civitate celebrem propter suam urbanitatem et benignitatem. Accusat quaedam peccata minora; de onanismo vero aut tacet aut vago quodam modo dicit, se aliquoties in matrimonio minus decenter se gessisse. Titius, qui iam aliunde levem eius vivendi loquendique rationem noverat, ne conspicuam poenitentem offendat et a sacramentis aliisque bonis operibus alienet, nihil amplius eam interrogat, sed tantum in genere hortatur, ut omnia peccata sincere doleat eaque iam non committere proponat, utque aliis quoque, verbo et opere, non malum sed bonum exemplum praebeat. Quod quum Florentia promittat, Titius de debita dispositione quidem dubitat, sed ad maiora, ut censet, mala vitanda ipsam sub conditione absolvit. — Quid de Titii agendi ratione dicendum? (Cf. resp. n. 181).

9° *Mater filiae onanismum suadens.* — Birgitta duos solum habet filios, quia per multos annos inito cum marito consilio onanismum exercuit, atque idcirco etiam praxim sacramentorum prorsus neglexit. Quum nunc iam in ea sit conditione ut novam prolem generare nequeat, iterum ad confessionem accedit, accusans peccata vitae ante actae. Confessarius eam ulterius examinans reperit, eam filiae suae nuptae identidem dixisse, ut in usu matrimonii sedulo caveat, ne plures infantes habeat. — Quid confessario est faciendum? (Cfr. resp. n. 182).

10° *Uxor peccatum patiens et permittens.* — Berta, bona christiana et multorum filiorum mater, ob rei familiaris inopiam plures adhuc habere non desiderat, neque id vult eius maritus, qui idcirco ab aliquo tempore onanismum cum ipsa committit. Haec quidem mariti peccato positive non consentit, sed nihil dicit, imo gaudet quod proles iam non nascatur. Quia tamen hac de re haud raro conscientia angitur, casum suo confessario exponit. — Quid hic respondere debet? (Cf. resp. n. 183).

11° *Parochus nuper nominatus in paroecia huic vitio dedita.* — Florimundus, sacerdos pius et tenerae conscientiae, nuperrime nominatus est parochus in quadam paroecia, ubi vitium onanismi latissime grassatur, atque idcirco relative pauci ad sacramenta accedunt: per multos enim annos clerus ibidem populum de officiis coniugum et praesertim de hoc vitio instruere neglexit. Valde dolet Florimundus hanc nominationem; deficit ipsi animus ob desperatam huius paroeciae conditionem, et hanc designationem renuntiare vult. Antequam vero Episcopum adit, consilium petit a suo confessario. — Quid consilii hic ipsi est daturus? (Cf. resp. n. 184).

Quaeritur I. Quaenam est huius peccati malitia?

II. Quanta est huius imprimis peccati impugnandi necessitas?

III. Quae sunt confessarii in hoc vitio impugnando munia?

IV. Quae remedia ab aliis animarum pastoribus sunt adhibenda?

V. Quid in casibus propositis faciendum?

I. De huius peccati malitia.

133. — Onanismus est voluntaria seminis effusio in actu copulae eo fine effecta ut conceptio impediatur [1]. Vocatur etiam *Neo-Malthusianismus*, quod nomen originem ducit a Malthus (1766-1834), pastore Ecclesiae Anglicanae et celebri oeconomista, qui in opere «*Essay on the Principles of Population*» (1796), falsis innixus rationibus oeconomicis, censuit, populi incrementum per minorem infantium numerum limitandum esse, sed, ut ipse volebat, per voluntariam ab usu matrimonii abstinentiam. Nomen Neo-Malthusianismi inde a 60 fere annis datum est praxi onanismi coniugalis, qui eamdem prolis limitationem obtinere vult per media in se inhonesta. Onanismus dicitur *nativus* (seu naturalis), quando copula honeste quidem incipit, sed ab alterutro coniuge de industria abrumpitur ita ut semen extra vas effundatur. Hic iam notus erat antiquis Graecis et Romanis et tempore collapsae moralitatis valde usitatus. Nostra aetate adhuc frequentissimus est. Sed inde a medio saeculo elapso valde frequens quoque est onanismus *artificialis*, quo instrumentis arte factis, sive a viro sive a muliere adhibitis, impeditur ne semen ad uterum perveniat. Eodem recidunt lotiones, quibus semen expellitur, et iniectiones substantiae chimicae, quibus spermatozoida in semine destruuntur.

134. — Iamvero, inter doctores et theologos catholicos numquam dubitatum est, quin onanismus coniugalis seu Neo-Malthusianismus a lege Dei prohibeatur. Communiter etiam censent, hanc praxim iam in antiqua lege graviter fuisse prohibitam, atque Onan ob huius legis transgressionem a Deo morte fuisse punitum: «Idcirco percussit eum Dominus, eo quod rem detestabilem faceret» (*Gen.* c. xxxviii, 10). Pariter docent, illum actum esse intrinsece graviter malum ita ut nulla ratione cohonestari possit.

Ex acatholicis quamplurimi, praesertim inde a medio saeculo elapso, hanc praxim tuentur valdeque propagant, variis ducti rationibus, sive oeco-

---

[1] A medicis pollutio vel masturbatio saepe etiam vocatur onanismus, isque solitarius; parum recte tamen, quia Onan in ipso actu copulae semen effudit (*Gen.*, xxxviii, 9).

nomicis, sive aliis specie gravibus, sive turpibus, ut nempe sine frequentis prolis onere licentius voluptatibus carnis mundique oblectamentis frui possint. Imo inter ipsos protestantes qui adhuc in Evangelium credere contendunt, multi talem matrimonii usum, in aliquibus saltem difficilibus vitae adiunctis, licitum esse ducunt. Sic e. gr. anno 1930 maiore suffragiorum numero decisum est in congressu Episcoporum Anglicanorum, qui « Lambeth conferentia » dicitur. Idem fere brevi post decretum est a variarum sectarum protestantium Pastoribus in Statibus Foederatis Americae Septentrionalis.

135. — Contra horum omnium errores Summus Pontifex Pius XI infallibilem suam sustulit vocem in Encyclica « Casti Connubii », diei 31 Dec. 1930, eosque omnes condemnavit, ut legi divinae et naturali prorsus contrarios.

« Nulla profecto ratio, ne gravissima quidem, efficere potest, ut quod intrinsece est contra naturam, id cum natura congruens et honestum fiat. Cum autem actus coniugii suapte natura proli generandae sit destinatus, qui, in eo exercendo, naturali hac eum vi atque virtute de industria destituunt, contra naturam agunt et turpe quid atque intrinsece inhonestum operantur.

« Quare mirum non est, ipsas quoque Sacras Litteras testari Divinam Maiestatem summo prosequi odio hoc nefandum facinus illudque interdum morte puniisse, ut memorat Sanctus Augustinus: "Illicite namque et turpiter etiam cum legitima uxore concumbitur, ubi prolis conceptio devitatur. Quod faciebat Onan, filius Iudae, et occidit illum propter hoc Deus" [1].

« Cum igitur quidam, a christiana doctrina iam inde ab initio tradita neque unquam intermissa manifesto recedentes, aliam nuper de hoc agendi modo doctrinam sollemniter praedicandam censuerint, Ecclesia Catholica, cui ipse Deus morum integritatem honestatemque docendam et defendendam commisit, in media hac morum ruina posita, ut nuptialis foederis castimoniam a turpi hac labe immunem servet, in signum legationis suae divinae, altam per os Nostrum extollit vocem atque denuo promulgat: quemlibet matrimonii usum, in quo exercendo, actus, de industria hominum, naturali sua vitae procreandae vi destituatur, Dei et naturae legem infringere, et eos qui tale quid commiserint gravis noxae labe commaculari » (A. A. S., 1930, p. 559 sq.).

136. — Ad haec duo advertere liceat. Haec Encyclicae pericopa, nostro iudicio, definitionem Romani Pontificis « ex cathedra » loquentis continet. Namque, uti ex contextu clarere videtur, Summus Pontifex hic loqui intendit ut « omnium christianorum Pastor et

---

[1] S. August., De coniug. adult., lib. II, n. 12; cfr. Gen., XXXVIII, 8-10; S. Poenitent. 3 April., 3 Iun. 1916.

Doctor pro suprema sua Apostolica auctoritate ». Etenim occasione
doctrinae « nuper » (scil. ab Episcopis Anglicanis) « solemniter » prae-
dicatae, sed « a christiana doctrina iam inde ab initio tradita manifesto recedentis », nomine Ecclesiae catholicae quae a Deo infallibilis
morum magistra instituta est (« cui ipse Deus etc. »), ipse Romanus
Pontifex, tamquam huius Ecclesiae caput (« per os Nostrum ») promulgat: « quemlibet etc. ». Ergo clare hic loquitur ratione et vi sui
magisterii supremi et extraordinarii omnes christianos ad submis-
sionem obligantis. — Praeter traditionem « numquam intermissam »,
SS. Pontifex etiam rationem intrinsecam illius erroris indicat, videlicet tali abusu « actus matrimonii, suapte natura proli generandae
destinatus, de industria naturali sua vitae procreandae vi destituitur »,
a. v. actus ille est contra ordinem naturalem seu contra finem primarium et immediatum a Creatore statutum. Quae quidem ratio redit
in illam, ob quam, ut supra (n. 99) ostendimus, pollutio est intrinsece
mala: onanismus enim coniugalis est vera pollutio, per tactus impudicos alterius corporis dedita opera procurata; et, quia fit inter duos,
maius est peccatum quam pollutio solitaria. Haec de *obiectiva* huius
peccati malitia.

Ad culpam *subiectivam* quod attinet, haec ordinarie multo
maior est quam in plurimis aliis peccatis, quia onanismus est plerumque peccatum malitiae, i. e. ordinarie non committitur voluntate
momentanea passione abrepta, sed consulto et ex industria seu voluntate iam diu ante habitualiter determinata ad impediendam prolis
generationem.

II. De urgenti illud impugnandi necessitate.

137. — Hanc necessitatem quivis facile perspiciet qui perpendit,
hoc vitium imprimis inde a 50 annis admodum increvisse, maxime
inter Europae et Americae populos qui se aliis cultiores esse gloriantur; idque inter homines cuiusvis conditionis, doctos et indoctos,
nobiles et plebeios, ditiores et pauperes, mercatores et operarios,
catholicos et acatholicos. Imo quotannis adhuc sensim sed certo gradu
progreditur, a civitatibus transiens ad pagos rurales nondum adeo
infectos, neque iuxta humanam praevisionem in suo cursu sistet
donec familiae pleraeque omnes systema, uti aiunt, limitationis in-

fantium in praxim duxerint, uti tristis experientia constat ex statistica in Gallia, Belgio aliisque regionibus [1].

Neque mirum, causae enim sunt frequentissimae et potentissimae: triplex concupiscentia, luxuria, avaritia et superbia, quae in hoc conspirant, cupido semper crescens luxus et oblectationum, horror ingenitus incommodorum vitae, mollis infantium educatio, prava aliorum exempla, cooperatio multorum medicorum, pharmacopolarum et obstetricum, quotidiana propagatio per turpiloquia et verba saepe derisoria in societatibus, officinis etc., commendatio publica per diaria et libellos saepe nomine scientiae latissime sparsos, praxis onanistica a permultis iuvenibus in conversationibus amatoriis ante matrimonium iam adhibita. Accedunt causae specie validissimae: angusta plurimorum conditio oeconomica, salaria nimis depressa, paupertas, defectus sufficientis habitationis, uxoris infirmitas, etc. Certe qui non vivida fide et fiducia in Deum est munitus, in his periculis et occasionibus vix firme stabit, sed tot tantisque sollicitationibus succumbet. Omnes hae causae suapte natura efficient, ut nefandum hoc crimen velut sordida colluvio sensim sine sensu integrum fere mundum sit inundaturum, nisi eidem remedia quam maxime efficacia opponantur.

Consectaria autem huius crescentis semper mali pro Ecclesia Catholica et animabus sunt gravissima. Est enim haec matrimonii violatio una ex causis praecipuis derelictionis sacramentorum, iacturae fidei et apostasiae, tum in singulis individuis — morum enim pravitas, praecipue in habitum traducta, proxime ducit ad abiiciendum lumen fidei iuxta illud Christi: « Omnis qui male agit, odit lucem » (*Ioan.* III, 20), — tum in integris familiis: mala enim arbor, tali vitio radicitus corrupta, bonos fructus ferre nequit. Probat etiam experientia multarum regionum, ubi ob hoc praesertim vitium ingens catholicorum multitudo ab Ecclesia est alienata vel in incredulitatem delapsa (cfr. plura infra n. 165 sq.).

---

[1] Statisticae pro variis regionibus ubique inveniuntur. — In Borussia, cuius regionis tertia pars est catholica, hoc vitium post bellum etiam valde invaluit et increvit, licet multo magis inter protestantes quam inter catholicos. Iuxta statisticam, a R. P. Krose accurate confectam, numerus infantium ab anno 1913 usque ad 1927 ita decrevit: in matrimoniis mere protestanticis a 3,02 ad 2,08 pro quovis matrimonio in universum, in matrimoniis mere catholicis a 4,79 ad 3,31, in matrimoniis mere israeliticis a 2,29 ad 2,14, in ceteris matrimoniis praesertim mixtis a 2,20 ad 1,34. Cfr. nostrum opus *de Matrimoniis mixtis*, p. 161.

138. — Sunt utique viri politici, qui multifariam variisque legibus invalescenti malo obviam ire conantur. Hi quidem conatus spernendi non sunt, sed vere efficaces non erunt, quia motivis mere humanis nituntur. Quae dicitur « gloria patriae », ex maiore incolarum et militum numero proveniens, si umquam, certe paucissimos movebit coniuges ad plures filios pro militia civili procreandos. Neque corrupti mores legibus externis, sed sola vera animi religione corriguntur. Hanc autem religionem multi gubernatores politici aliis saepe pravis legibus, v. g. de educatione, insectantur, et ita malum adhuc augent.

Sola igitur Ecclesia Catholica, infallibilis morum magistra, sua doctrina et opera huic invadenti undique malo aggerem opponere poterit; ipsa sola est arx inexpugnabilis in sacro illo bello pro servanda matrimonii sanctitate. Soli igitur etiam Ecclesiae ministri et sacerdotes, ardenti animati zelo pro Dei gloria animarumque salute, sedula cura pastorali, assidua doctrina et recta sacramenti Poenitentiae administratione, una cum probis laicis ab hisce institutis, progredienti usque malo obsistere, illudque inter catholicos saltem cum Dei auxilio efficaciore modo curare poterunt. — Quo modo hoc ipsis sit faciendum, deinceps exponemus.

III. De muniis confessarii in impugnando hoc vitio.

139. — SS. Pontifex in eadem Encyclica « Casti Connubii » graviter monet sacerdotes, confessarios animarumque pastores, ut pro suo officio fideles contra hos errores diligenter praemuniant, neve sive directe sive indirecte in eis conniveant. Post solemnem illam turpis huius vitii condemnationem statim sic prosequitur:

« Sacerdotes igitur, qui confessionibus audiendis dant operam, aliosque qui curam animarum habent, pro suprema Nostra auctoritate et omnium animarum salutis cura, admonemus, ne circa gravissimam hanc Dei legem fideles sibi commissos errare sinant, et multo magis, ut ipsi se ab huiusmodi falsis opinionibus immunes custodiant, neve in iis ullo modo conniveant. Si quis vero Confessarius aut animarum Pastor, quod Deus avertat, fideles sibi creditos aut in hos errores ipsemet induxerit, aut saltem sive approbando sive dolose tacendo in iis confirmarit, sciat se Supremo Iudici Deo de muneris proditione severam redditurum esse rationem, sibique dicta existimet Christi verba: "Caeci sunt, et duces caecorum; caecus autem, si caeco ducatum praestet, ambo in foveam cadunt"[1] » (A. A. S., 1930, 560).

---

[1] Matth. xv, 14; S. Offic. 22 Nov. 1922.

Quod primum attinet ad *confessarios*, eorum hac in re munia ad tria illa reducuntur, quae circa omnia quidem gravia peccata sunt communia, sed pro rei momento circa hoc vitium magis specialiter sunt explicanda.

§ 1. *Quoad interrogationem.*

140. — Hac de re celebre habemus responsum S. Poenitentiariae 10 Martii 1866 [1] ad hoc quaesitum:

« I. Quando adest fundata suspicio, poenitentem, qui de onanismo omnino silet, huic crimini esse addictum, num confessario *liceat* a prudenti et discreta interrogatione abstinere, eo quod praevideat plures a bona fide exturbandos, multosque sacramenta deserturos esse? Annon potius *teneatur* confessarius prudenter ac discrete interrogare?

« Sacra Poenitentiaria, attento vitium nefandum, de quo in casu, late invaluisse, ad proposita dubia respondendum censuit, prout respondet:

« Ad I. Regulariter *negative* ad primam partem: *affirmative* ad secundam ».

Ratio est bonum commune, quod praevalere debet bono privato, etiam multorum singulorum. Nisi enim qui forte adhuc in bona fide versantur interrogantur, hoc vitium, quod iam ita late invaluit, ut ait S. Poenitentiaria, semper magis adhuc spargetur in magnum animarum damnum, quia silentium confessariorum fideles facile habebunt ut rei approbationem aut tolerantiam, vel saltem concludent, onanismum non esse tantum peccatum, et ita haec nefanda praxis semper magis propagabitur. Unde regulariter facienda est interrogatio etiamsi « confessarius praevideat plures a bona fide exturbandos, multosque sacramenta deserturos esse ». Huiusmodi « fundata suspicio » seu prudens dubitatio plerumque habetur in illis locis, ubi onanismus iam valde est diffusus, quod quidem patere potest, si maior ibi familiarum pars paucos tantum habet infantes, vel etiam si confessarius advertit, poenitentem in vita christiana esse valde tepidum. Nam nostra aetate onanismus saepe committitur etiam ab iis qui iam complures, puta quinque vel sex, habent infantes; fit quoque per intervalla, ne infantes cito sibi succedant.

---

[1] Cfr. *Nouv. Revue Théol.*, 1886, p. 536 sqq.

141. — Dicitur « regulariter » esse interrogandum, quia in casu quodam extraordinario admodum raro, puta si quis bona fide crederet, ob mortem imminentem in novo uxoris partu unionem onanisticam non esse prohibitam, ab interrogatione abstinere licet, modo tamen absit aliorum scandalum qui id audirent et inde concluderent hoc casu onanismum esse licitum. Ceterum, in casibus ordinariis bona fides seu ignorantia invincibilis nostris temporibus vix habetur, vel saltem diu perstare nequit, quia iam ubique publice de hoc vitio loquuntur et scribunt, et fideles scire solent, Ecclesiam illud prorsus reprobare et condemnare. Quo citius autem haec interrogatio et instructio fiet, eo melius; quia secus diutius in hoc periculosissimo habitu perseverant, et postea gravem huius peccati malitiam edocti multo difficilius ad vitam vere christianam redibunt, multoque facilius omnem religionem missam facient, quemadmodum tristi experientia in Gallia praesertim comprobatum est. Unde merito monet Concilium Prov. Mechliniense anni 1920: « Hac in re praestat severitate uti magis quam indulgere laxitati » (d. 85).

142. — Quoad *modum* interrogandi, certe hic prudens et castus sit oportet, sed etiam ita clarus ut poenitens sensum intelligat; secus enim inutilis esset huiusmodi interrogatio. Quapropter generalis illa quaestio: « Num in matrimonio omnia recte fiunt? », vel: « Habesne forsan aliquem scrupulum circa matrimonium? » nostra aetate, nisi agatur de poenitentibus confessario notis ut vere christianis, ordinarie non erit sufficiens, utpote nimis vaga et indeterminata, quae facile intelligeretur de pace et concordia inter coniuges etc. Sufficere poterat tempore S. Alphonsi (*Praxis*, n. 35, 41), quando hoc vitium erat potius rarum. Nunc vero, quum sensus moralis apud multos adeo obtusus sit, si existit illa « fundata suspicio », clarius loquendum erit. Unde post breves quasdam quaestiones, num poenitens matrimonio iunctus sit, num filios habeat etc., interrogari potest v. g. « Num in usu matrimonii impedisti ne infantes nascerentur? », « Num in debito coniugali explendo aliquid fecisti ad praeveniendam generationem infantium? ». Praeterea uxor interrogetur: « Num apud maritum questa es de numero infantium etc.? ». Talibus quaestionibus nemo iure offendi potest, quia haec a parocho doceri iam debent in instructione sponsorum quando matrimonium contrahunt (cfr. infra n. 168, 4°; n. 172, 2°).

§ 2. *Quoad monitionem*.

143. — De hoc confessarii officio eadem S. Poenitentiaria respondit ad alterum quaesitum:

« II. An confessarius, qui, sive ex spontanea confessione, sive ex prudenti interrogatione, cognoscit, poenitentem esse onanistam, *teneatur* illum de huius peccati gravitate, aeque ac de aliorum peccatorum mortalium, *monere*, eumque (uti ait Rituale Romanum) paterna charitate reprehendere, eique absolutionem tum solum impertiri, cum sufficientibus signis constet eumdem dolere de praeterito, et habere propositum non amplius onanistice agendi?

« Ad II. *Affirmative* iuxta doctrinas probatorum auctorum ».

144. — Age vero, iuxta probatos auctores confessarius tenetur poenitentem monere de alicuius peccati gravitate in his tribus casibus:

a) Si poenitens dubitans de actus liceitate interrogat, quia tunc iam non est in bona fide. « Si poenitens, inquit S. Alphonsus, interrogasset, tunc confessarius tenetur pandere veritatem. In eo enim casu ignorantia non esset omnino invincibilis, prout requiritur ad hoc ut omitti possit admonitio » (*Praxis*, n. 9). Et alibi: « Tunc dissimulatio confessarii esset erroris approbatio » (*Th. M.*, VI, 616). Quapropter, confessarius, qui in hoc casu daret responsum aequivocum, ex quo poenitens concluderet hanc actionem non esse graviter prohibitam, « circa gravissimam hanc Dei legem eum errare sineret » et « in falsis opinionibus conniveret », ut supra (n. 139) ait SS. Pontifex.

b) « Si ex ipsa ignorantia (scil. etiam invincibili) redundandum esset damnum contra bonum commune; quia tunc confessarius, cum ipse constitutus sit minister in bonum reipublicae christianae, tenetur praeferre bonum commune bono privato poenitentis, licet praevideat correctionem huic non esse profuturam ». Ita S. Alphonsus (*Prax.*, ib.). Atqui bono communi per gravissimi huius erroris propagationem certe damnum inferretur, si confessarii generatim de hoc vitio non monerent; item si in casu particulari prudenter timetur, ne propter confessarii silentium idem error divulgetur. Huic regulae consonat quod supra (n. 140) dicit S. Poenitentiaria de interrogatione facienda, etiamsi confessarius « praevideat plures a bona fide exturbandos, multosque sacramenta deserturos esse »[1].

c) « Si brevi esset poenitens admonitioni assensurus, licet in principio non acquiescat ». S. Alph. (ib.)[2]. Hic casus facile accidit cum illis onanistis qui nondum adeo vitio sunt habituati, et qui, licet nunc dispositi nondum sint ad peccatum relinquendum, probabiliter tamen brevi post de paterna confessarii monitione, de remediis indicatis deque absolutione dilata serio recogitantes, vere resipiscent et in Dei gratiam revertere volent. Contra, si hi non monentur, hanc praxim, uti patet, continuabunt, eidem semper magis adhaerebunt, vitamque etiam oeconomicam iuxta eam instituent, ita ut postea, quando aliunde certe audituri sunt hanc praxim esse graviter peccaminosam, eorum conversio futura sit multo difficilior.

Ex hisce consequitur, confessarium solum a monitione abstinere posse, quando hae tres conditiones simul adsunt: poenitens sit certo in bona fide — id quod nunc temporis raro quidem accidit, interdum tamen apud rudes in religione contingere potest; — desint praeterea tum solida spes fructus, tum periculum scandali aliorum ob silentii confessarii divulgationem. Huiusmodi autem casus erit admodum rarus (cfr. supra n. 141). In omnibus ergo aliis casibus ordinarie contingentibus confessarius non monendo graviter peccabit, quia « circa gravissimam hanc Dei legem fideles sibi commissos in falsis opinionibus dolose tacendo confirmabit », ac proinde « supremo Iudici Dei de muneris proditione severam redditurus est rationem ». Ita supra (n. 139) SS. Pontifex Pius XI.

145. — Denique fac advertas, S. Poenitentiariam dicere confessarium teneri poenitentem « monere de *huius peccati* gravitate ». Quapropter graviter suo officio desunt illi confessarii qui, ubi poenitentem peccatum onanismi accusantem audierint, nihil de hoc peccato in particulari monent, sed tantum ad dolorem et propositum excitant de omni peccato in genere. Hoc etiam constat ex responso S. Poenitentiariae diei 14 Decembris 1876, scilicet: non satisfacere muneri suo eos confessarios, qui, « quando poenitens solummodo accusat onanismum, altum silentium servant et, finita confessione

---

[1] Cfr. *Opus*, n. 101, 3°. — Graviter igitur falluntur illi qui censent, confessarium, qua talem, ad solum bonum sui poenitentis attendere debere, et non ad bonum commune.

[2] De tribus his casibus S. Alphonsus in editione italica suae *Praxis* dicit: « iuxta communem sententiam » (cfr. ed. Gaudé, IV, p. 531); item in *Th. Mor.*, VI, n. 615, 616.

peccatorum, illum verbis *generalibus* ad contritionem excitant illique asserenti se detestari omne peccatum lethale, sanctam absolutionem impertiunt ». Huiusmodi enim monitio generalis ordinarie nihil efficit [1].

146. — Sed ad illud monendi officium praeterea pertinet, ut ait S. Poenitentiaria, poenitentem « paterna charitate reprehendere », id est omni ratione excitare ad verum dolorem et ad firmum propositum non amplius onanistice agendi. Idcirco confessarius paterno zelo ipsi ostendat: *a*) gravissimam huius vitii malitiam, utpote contra naturam legemque Dei expressam et fini primario matrimonii oppositam ita ut sit velut homicidium anticipatum; *b*) eius turpitudinem, qua vir uxore utitur velut vili meretrice, solum ut ad instar animalium sordidis voluptatibus satisfaciat; *c*) vindictam Dei quam hoc peccatum provocat, tum aeternam, tum etiam temporalem propter consequentias in hac vita, quales sunt: assidui conscientiae remorsus ob naturalis ordinis inversionem, verorum gaudiorum domesticorum privatio, amoris coniugalis diminutio (unde saepe graves suspiciones, adulteria vel etiam divortium), detrimentum sanitatis (puta morbi uterini), nervorum debilitas, haud raro praematura prolis mors vel infirmitas, insolens eius indoles, morum dissolutio etc.

147. — Si poenitens ad se excusandum rationes opponit, confessarius magna certe caritate eum audiat, illasque rationes quoad potest refellat. Sic *a*) si medicus obiter tantum dixerit, prudentiam esse adhibendam quoad novum partum, melius esse eum vitare, pro adiunctis reponere potest, medicos saepe hac in re exaggerare, experientia constare eos frequenter falli, contrarium haud raro contingere, imo praxim onanisticam saepe sanitati esse magis nocivam. Si tamen contingeret, mulierem praegnantem in gravi versari mortis periculo, eiusque vitam solo abortu directe procurato salvari posse, tunc praesertim confessarius tum maritum tum uxorem excitet ad heroi-

---

[1] Obiter hic advertere opus est, confessarium non solum ipsum patrantem onanismum monere debere, sed etiam ad hoc peccatum cooperantes, sive formaliter, puta consilio vel approbatione, uti sunt medici aliique, sive materialiter tantum, ut esset coniux, qui alterius coniugis peccatum solum permitteret, sed ipsum prudenti monitione ab eo avertere nihil conaretur. (Cfr. infra casus n. 183). Uterque enim cooperandi modus verum peccatum est, et praeterea saepe multum confert ad onanismi propagationem, quam confessarius quoque pro viribus impedire debet, utpote qui vi officii sui etiam bono communi societatis christianae debet prospicere (n. 144, b).

cam in Deo fiduciam, ad nobilem sacrificii spiritum, ad spem remunerationis aeternae [1].

b) Si poenitens opponit rationes oeconomicas, difficultatem alendi prolem numerosiorem, recogitet confessarius eas quoque saepe non esse plene veras; unde primum respondeat, Deum si plures infantes dare vult, etiam subsidia daturum quibus hos nutrire et educare possit, revocans eis infallibilem sententiam et promissionem Christi: « Ne solliciti sitis animae vestrae quid manducetis . etc. ...Quaerite ergo primum regnum Dei et iustitiam eius et haec omnia adiicientur vobis » (*Matth.* vi, 24 sq.). Addat quotidiana experientia comprobari, familias vere christianas cum frequentiore prole parce viventes generatim multo feliciores esse quam quae peccando eius numerum consulto limitant; amorem coniugalem per novum partum fieri firmiorem; item multorum infantium educationem valde conferre quo eorum animi informentur ad vigorem, ad strenuum laborem, ad temperantiam et parsimoniam, ad fovendam etiam unionem mutuamque caritatem, ad excolendam indolem facilem et civilem; ad haec, iuniores e multis filiis quos Deus ipsis destinarit, haud raro parentibus aetate provectis maiora praebere gaudia et solatia. Imprimis vero eorum mentem ad alteram erigat vitam, in qua per infinita saecula tanto erunt feliciores quanto plures genuerint infantes, qui cum ipsis Dei gloria gaudebunt, ipsisque aeternam suam beatitudinem acceptam referent.

148. — *c)* Sin autem re vera urgentes praesto sunt rationes, ob quas novus partus sit vitandus, puta valde probabile mortis periculum in novo partu, nimis infirma uxoris sanitas, difficultates oeconomicae adeo graves ut plures infantes ut fas est educari nequeant, hortetur confessarius ad continentiam sive perpetuam sive temporariam, prout adiuncta postulant, eisque media ad eam servandam assignet. Sunt autem fere eadem tum supernaturalia tum naturalia, quae supra (n. 104 sqq.) contra vitium pollutionis solitariae indicavimus. Praesertim eos hortetur ad magnam fiduciam in Deo ponen-

---

[1] Perpulchre hac de re ita Pius XI: « Pia Mater Ecclesia optime intelligit atque persentit quae de matris sanitate, vita periclitantis, dicuntur. Ecquis non miserenti animo haec perpendere possit? Quis non summa afficiatur admiratione, si quando matrem cernat vix non certae sese morti heroica fortitudine offerentem, ut proli semel conceptae vitam conservet? Quod ipsa fuerit perpessa ut naturae officium plene impleret, id unus Deus ditissimus et miserentissimus retribuere poterit, dabitque profecto mensuram non tantum confertam sed supereffluentem » (*A. A. S.*, 1930, p. 561).

dam, qui certe daturus est gratiam continentiae si, quum ipsi quae possunt faciunt, humili prece hanc gratiam ab ipso postulant, iuxta illud Tridentini: « Deus impossibilia non iubet, sed iubendo monet et facere quod possis et petere quod non possis, et adiuvat ut possis » (Sess. VI, cap. 11). Ita eadem Encycl. (*l. c.*, p. 561 sq.). Quibus adde haec alia media: dormiant si possunt in lectis separatis; generatim abstineant a tactibus valde impudicis qui eos in proximum pollutionis periculum inducerent; sint moderati in aliis quoque actibus pudicis, blanditiis, osculis, amplexibus cum periculo pollutionis, nisi gravis adsit causa [1].

149. — Quia vero plurimis coniugibus diuturnam servare continentiam supra modum videtur arduum, praesertim quum media assignata, propter fragilitatem humanam, raro rite adhibeant, practice fit, ut illi coniuges in continuo et maximo versentur periculo committendi onanismum; in quo periculo, pro! dolor, ingens eorum numerus succumbit, vel etiam habitualiter in hoc nefando crimine vivit. Quapropter in fine huius paragraphi, ubi agitur de confessarii erga onanistas officiis, magis ex professo et prolixius in speciali *digressione* loquemur de ultimo remedio, quod confessarius suadere potest, vel interdum etiam debet, ad hoc adeo pervulgatum vitium impugnandum, videlicet de *continentia periodica;* quae quaestio postremis annis denuo inter medicos et theologos est agitata. Vide infra n. 156 sqq.

---

[1] De actibus extra copulam inter coniuges licitis vel prohibitis agunt theologi. Caveat tamen confessarius ab opinionibus hac in re aequo remissioribus. Quas inter haec esse videtur, quae coniugibus, prolem habere nolentibus, permitteret, ad fovendum mutuum amorem vel sedandam concupiscentiam, per vaginae penetrationem inchoare copulam quam tamen ne infans nascatur consummare nolunt, etiamsi frequenter pollutio extra vas oriatur, modo hanc non directe intendant neque huic consentiant. Nam huiusmodi actus adeo turpis est et « ita ad pollutionem tendit ut sit quasi pollutio inchoata », quo casu etiam Thomas Sanchez (*De Matr.,* lib. IX, disp. 45, n. 34) eum sub mortali prohibet, tam in petente quam in reddente. Quare merito Merkelbach: « Si (hoc) licitum esset, inquit, coniuges impune possent onanismum materialiter exercere: talis enim praxis aequivalet onanismo, a quo sola intentione explicita differt, cum in onanista formali pollutio sit in se voluntaria, hic autem solum voluntaria in causa. Et ideo aeque prohibentur sub gravi » (*De Castitate,* ed. 3ᵃ, p. 120). Cfr. etiam S. Alph. (VI, 934). Neque confessario licet suadere vel simpliciter licitam declarare copulam dimidiatam, quae in se quidem apta esset ad conceptionem, sed tamen notabiliter minus aptam. Ita S. Officium 23 Nov. 1922. Cfr. Wouters, *De Castitate,* ed. 2ᵃ, n. 116.

§ 3. Quoad absolutionem.

150. — Tertium confessarii munus in hoc vitio impugnando spectat ad *absolutionem*. Quum plerique onanistae sint in hoc vitio recidivi, summopere necesse est, ut confessarius circa eos tuta principia normasque sequatur. Secus enim imprudenti sua agendi ratione non solum impediet, quominus hoc sacramentum veros poenitentiae fructus proferat, sed etiam efficiet ut illud in damnum cedat cum ipsius poenitentis, tum saepe quoque boni communis seu societatis christianae, quia per praeproperam eorum qui scandalum dant absolutionem ipse confessarius ad maiorem adhuc huius vitii diffusionem haud parum contribueret. Quare hoc tertium munus prae duobus prioribus in praxi adhuc difficilius maiorisque momenti est.

Iamvero certe tuto prudenterque suo fungetur officio si hac in re sequitur saepe a Sede Apostolica commendatam doctrinam S. Alphonsi de occasionariis et recidivis, quam sapienter quidam vocavit « doctrinam traditionalem Ecclesiae »[1], quamque in nostro *Opere* variis thesibus exposuimus et probavimus.

151. — Praecipua huius doctrinae capita relate ad absolutionem onanistis dandam vel differendam ad haec reducuntur.

1º Qui prima vice habitum onanismi confitetur, statim absolvi potest, si ordinaria dispositionis signa praebet (thesis 12ª). Attamen, quia versatur in conditione admodum periculosa, si commode fieri potest et nihil damni timetur, confessarius, ut medicus, prudenter absolutionem differet usquedum poenitens suae obligationi satisfacere vel remedia praescripta adhibere iam coeperit, praesertim ille cuius habitus est valde radicatus (supra n. 46, 7º; *Opus*, thesis 7ª, n. 235). Practice tamen nostris imprimis temporibus haud raro incommoda obstabunt, quominus huic iam statim ab initio absolutio differatur.

2º Ordinarie loquendo, confessarius eos qui ad praeveniendam conceptionem utuntur instrumentis artificialibus ne prius absolvat quam ea destruxerint. Huiusmodi enim instrumenta sunt ipsis occasio proxima « in esse », eaque plane libera, quae quum peccatum

---

[1] Vide supra *Prooemium*, p. VI.

multo facilius reddat, prius eliminanda est (thes. 5ª). Exceptiones vide ib. n. 123 sqq.

3° Differatur absolutio eis qui in hoc vitio sunt recidivi formales, i. e. qui semel iam rite moniti in eumdem habitum eodem quasi modo relapsi sunt nec quicquam fere ad se emendandum fecerunt (thes. 13-15, 22). De horum enim debita dispositione graviter saltem et prudenter dubitandum est (*l. c.*, n. 258-263; cfr. etiam supra n. 48 sqq.); quod tristi quoque experientia sacri tribunalis comprobatur (*l. c.*, n. 264 sq.). — Notandum autem est, permultos esse nostra aetate huiusmodi recidivos formales, qui scilicet hoc peccatum committunt, non ex voluntate momentanea passione abrepta, sed ex malitia et habitu proprie dicto ac veluti ex systemate, quo sibi statuerunt in matrimonii usu novae prolis generationem consulto et de industria vitare. Quae quidem animi dispositio certo praesumenda est apud illos coniuges, qui per plures annos, etsi tempore paschali ad confessionem accesserint et forte absolutionem ab inconsiderato confessario carpserint, numquam actum coniugalem iuxta Dei legem perfecerunt. Horum sane conversio est perdifficilis, tum ob habitum radicatum, tum ob occasionem semper praesentem, tum ob externa adiuncta quae eos ad prolis augmentum vitandum incitant, puta vita oeconomica restringenda, respectus humanus aliorumque dicteria etc.

Neque confessarius simplicibus eorum de dolore et proposito testimoniis facile fidat: hi enim, etiamsi fraudulenter agere positive non velint, seipsos decipiunt, naturalem quamdam displicentiam et velleitatem pro vera peccati detestatione firmoque proposito habentes; eorum autem facta verbis contradicunt (*Opus*, n. 280 sqq., n. 289). — Quam funestas consequentias inferat facilis horum recidivorum absolutio, vide ibidem n. 266 sqq.

152. — 4° Nihilo tamen minus, si quis huiusmodi recidivus per certa signa specialia et extraordinaria verum dolorem firmumque propositum ostenderit, a confessario ut iudice statim absolvi potest (supra n. 49, 51; *Opus*, thes. 16ª). Talia signa extraordinaria praecipue sunt: *a*) Verba, uti aiunt, cordialia et significatio novae cognitionis propriae iniquitatis et periculi damnationis. Si quis poenitens e. gr. post fervidam confessarii exhortationem quasi sponte intimo ex animo diceret: « Gratias tibi, Pater, ago pro hisce monitis... Hactenus huius peccati gravitatem numquam ita consideravi; nunc video quantum

malum fecerim... Iam finitum est cum hoc peccato; ...abhinc, firma mea fide hoc tibi promitto, in matrimonio iuxta Dei leges me victurum esse » (*Opus*, n. 361, 367, 9°). — *b*) Si quis inde ab ultima confessione saepius rite matrimonio usus est, etsi per reliquum tempus ex fragilitate intrinseca relapsus sit: hic enim non est recidivus formalis. — *c*) Si quis ad confessionem accedit ductus aliquo motivo extraordinario adeoque cum extraordinaria contritione, v. g. occasione mortis amici, tempore pestis, terraemotus, etc.; hoc omnium maxime accidit tempore missionis vel exercitiorum spiritualium, quae per Dei gratiam persaepe dispositiones extraordinarias plenamque voluntatis mutationem producunt (*Opus*, n. 366). — Qui ergo talia specialia doloris et propositi signa praebent absolvi possunt; quo casu simul a confessario ferventer sunt exhortandi, ut brevi redeant et per sacramentorum usum gratiam et fortitudinem accipiant in bono proposito perseverandi. Num confessarius, ut medicus, hisce interdum absolutionem differre possit aut debeat, pendet ex variis adiunctis prudenter pensandis (cfr. *Opus*, n. 451 sqq., n. 457-475).

Contra, pro vero contritionis signo per se haberi nequit *a*) quod quis tempore paschali confitetur: multi enim hoc tempore ex mero usu, ex quodam respectu humano aliove motivo naturali confiteri solent, sed sine firmo proposito plane valedicendi praxi onanisticae; unde semper iidem onanistae manent (*Opus*, n. 365). *b*) Neque in hac onanismi materia pro certo signo extraordinario habendum est, quod quis per aliquot hebdomadas sive ante praesentem confessionem sive post ultimam ab usu matrimonii prorsus se abstinuerit; si enim reliquo anno onanistice vixerit, gravem ingerit suspicionem se solum ut facilius absolutionem obtineret ita egisse. Quapropter hoc signum: « minor numerus peccatorum » vel « studium adhibitum ad emendationem » in hac onanismi materia cum magna cautela accipiendum est (*Opus*, n. 362, nota). Multo facilius hoc signum admittitur in aliis peccatis, v. g. pollutionis, in quibus voluntas saepe per passionem carnalem abripitur, sed brevi post peccatum vere dolet. In statu coniugali facile contra hanc passionem habetur remedium, scilicet rectus usus matrimonii, quippe quod etiam ad sedandam hanc passionem a Deo institutum est. Hoc autem remedio « instante necessitate » (I *Cor.* VII, 26 et 37) habitualiter recte uti non velle, sed solum perverse, indicium est voluntatis, non a simplici passione motae, sed ex habitu permanenter ad perversum usum matrimonii inclinatae et determinatae. Quae voluntas vere quidem mutata ostenditur per actus positivos recti usus matrimonii, utpote huic habitui directe contrarios, non autem per solum actum negativum abstinentiae per breve tempus aliquot hebdomadarum (cfr. supra n. 61).

153. — 5° Quando vere *graviter* timetur, ne ex absolutionis dilatione maiora mala oriantur, puta omnimoda sacramentorum derelictio, constans Ecclesiae huiusve ministrorum alienatio, iis qui dubiae saltem dispositionis signa praebent, absolutio *sub conditione* concedi potest, imo generatim prima saltem vel altera vice etiam dari debet, modo tamen — hoc fac advertas — aliorum scandalum exinde non proveniat (*Opus*, n. 484 sqq.). Notetur tamen, dispositionem debere esse saltem *positive* dubiam; quia si haec est tantum *tenuiter* probabilis eiusque defectus moraliter certus, absolutio simpliciter differenda est. Tenui enim probabilitate solum in extrema necessitate, puta periculo mortis, uti licet (*Opus*, n. 484, 502). Accedit quod si huiusmodi onanistae habituati semper sub conditione absolvuntur, ipsi, hac absolutione contenti, generatim non magis se emendandos curabunt, per plurimos annos eodem modo in turpi hac consuetudine sordescere pergent magisque obdurati evadent, facile quoque verbo et exemplo aliis scandalum dabunt. Sunt et haec magna mala, imo ordinarie maiora quam quae ex absolutionis dilatione timentur. Contra, absolutionis dilatio hos peccatores, si fidem adhuc habent, haud raro salutari timore concutiet, et, licet initio offensi et reluctantes eam subeant, postea tamen mente sedata de misero suo statu deque verbis confessarii recogitantes, resipiscent et peccatum prorsus relinquere sincereque ad Deum redire efficaciter proponent.

154. — 6° Qui sua loquendi agendique ratione aliis *publicum scandalum* dederint et ita causa fuerint propagationis huius vitii, generatim ne absolvantur, nisi prius per scandali reparationem veram poenitentiam ostenderint. Secus enim alii ex illorum accessu ad sacramenta facile concludent, onanismum tantum peccatum non esse, « cum quis, ut ait Benedictus XIV, arbitretur ea sibi licere, quae ab iis qui Ecclesiae sacramenta frequentant, impune exerceri animad- -vertit » (Const. « Apostolica », 26 Iunii 1749, § 20). Huiusmodi autem onanistae scandalosi in hac nostra corrupta societate habentur bene multi, v. g. qui hanc praxim aliis commendant, qui publice gloriantur se paucos habere filios, se plures habere non velle, qui derident alios numerosam prolem habentes, etc. Severe igitur hos scan-

dalosos corripiat confessarius, quia raro sincere poenitentes sunt et
valde contribuunt, ut hoc detestabile vitium inter christifideles semper
latius diffundatur. Unde sedulo caveat confessarius, ne nimia sua indulgentia vel doloso silentio, ut supra (n. 139) monet Summus Pontifex, alienis peccatis se oneret huiusque vitii propagationi cooperetur.
Numquam tamen caritatem a severitate seiungat. — De modo differendi absolutionem vide *Opus*, n. 384 sqq.

Hae sunt normae practicae circa absolutionem, iuxta doctrinam S. Alphonsi peccatoribus onanistis applicatae. Concludimus cum verbis S. Doctoris:
« Utinam omnes confessarii cum huiusmodi poenitentibus ita se gererent!
Multo quidem minora crimina committerentur, et longe plures animae perdi-
tionem vitarent » (VI, 456). Uniformis certe illorum agendi ratio multum
contribueret ad tanti mali principiis obstandum, ad curandos complures hoc
vitio iam infectos, ad praeveniendum etiam, ne onanismus, ratione scandali,
semper magis invalescat et bono communi societatis christianae immensum
damnum afferat. E contrario, pauci in aliqua civitate vel regione confessarii
iusto laxiores sufficient, ut omnium aliorum sacerdotum labor circa nefandum
hoc crimen quasi inanis reddatur, quia omnes onanistae utriusque sexus ad
illos confluent et absolventur, semper iidem peccatores manentes et persaepe
suis verbis et exemplis malum latius usque propagantes.

§ 4. *Quoad directionem spiritualem coniugum.*

155. — Verum enimvero, ad hactenus exposita non restringitur
boni confessarii officium. Non solum peccata praeterita remittere,
sed etiam ne nova accidant praevenire debet, adeoque quantum potest
efficere, ut coniuges minora quoque peccata evitent et in utendo
matrimonio *christiane* et *temperate* vivant.

Hinc *a*) eos prudenter hortetur ad moderationem et temperantiam in utendo matrimonio. Sicut enim intemperantia in edendo
et bibendo, etsi ad gravis peccati reatum nondum accedat, est tamen
peccatum veniale et saepe sanitati nocet, ita quoque nimis frequens
et immodicus matrimonii usus. Hocque eo magis moneat, quia complures in vita coniugali occurrunt circumstantiae, in quibus absoluta
continentia prorsus necessaria est, v. g. morbus, nimia uxoris infirmitas post partum, diuturna alterutrius coniugis absentia etc. Quod
ut tunc facilius facere possint, aliis quoque temporibus concupiscentiam frenare discant, maxime primo post initum matrimonium
tempore. Hoc etiam advertit Pius XI in eadem Encyclica, coniuges

expresse monens de « iuribus per coniugium acquisitis non nisi christiane semper et moderate adhibendis, primo praesertim coniugii tempore, ut, si quando postea rerum adiuncta continentiam postularint, uterque iam assuetus continere faciliore negotio se queat » (*A. A. S.* 1931, p. 583). Maximi momenti hoc monitum reputet confessarius pro iunioribus coniugibus. — Ceterum, de huius actus frequentia fixa regula dari nequit, quum a tot circumstantiis pendeat; generatim dici potest, semel vel etiam bis in hebdomade nondum esse usum immoderatum, esset vero habitualiter eo quotidie uti, etsi nondum per se sit peccatum grave.

b) Ad « christianum » matrimonii usum pertinet etiam abstinentia ab actibus valde impudicis extra copulam, quales passim in lupanaribus exercentur, quippe qui, licet coniugibus, praecipue eos patientibus, non semper graviter sint illiciti, tamen sine urgenti ratione a veniali excusari nequeunt, ac proinde, utpote christianos plane dedecentes, quoque carpendi sunt (supra n. 148 *nota*). Confessarius autem de his ne loquatur nisi interrogatus, sed solum in genere ad temperantiam hortetur.

c) Maxime vero eos doceat, ut in hoc usu finem nobiliorem prae oculis habeant: procreare nempe et educare futuros Dei filios et adoratores, mutuum fovere amorem.

d) Denique pro sua prudentia apta eis det consilia quoad alias virtutes: orationem, usum sacramentorum, moderationem in aliis mundi oblectamentis, luxu, cibo, potu etc., eosque ita in vita « devota » idest vere christiana dirigat. Hisce virtutibus eruditi et exercitati coniuges certe a Deo gratiam impetrabunt qua, si quandoque temporaria et forte diuturna continentia fuerit necessaria, castitatem integram illibatamque custodiant [1].

Antequam de remediis a parochis contra hoc vitium adhibendis agamus, hic in speciali *digressione* fusius tractemus oportet de *continentia periodica iuxta novissimam methodum,* quippe quod saepe ultimum et vere efficax est remedium, a confessariis contra onanismum prudenter suadendum vel interdum etiam praescribendum.

---

[1] Perpulchre de castitate et vita coniugali agit S. Franciscus Salesius: « *Introductio in vitam devotam* », P. III, cap. 12, 13 et 39.

DIGRESSIO
De continentia periodica iuxta novissimam methodum.

156. — Abhinc fere sexaginta quinque annis medicus Capellmann evulgavit sententiam, iuxta quam copula coniugalis certis cuiusvis mensis diebus a se indicatis esset sterilis, aliis autem diebus fertilis; cui sententiae etiam alii quidam medici adhaeserunt. Multi theologi sentiebant, coniuges in usu matrimonii hanc sententiam sequi posse, saltem si iusta esset causa, ad novum partum praecavendum. Aliis hac de re dubitantibus S. Poenitentiaria die 16 Iunii 1880 respondit: « Coniuges praedicto modo matrimonio utentes inquietandos non esse, posseque confessarium sententiam de qua agitur illis coniugibus, caute tamen, insinuare quos alia ratione a detestabili onanismi crimine abducere frustra tentaverit ». Annorum autem decursu praedicta sententia experimentis saepissime monstrabatur contraria; unde paulatim medici iam censebant fixum huiusmodi sterilitatis tempus non existere, omnesque cohabitationis dies aequalem fere conceptionis probabilitatem praebere.

Atvero versus annum 1930 duo biologiae et gynaecologiae professores, Ogino (Nipponensis) et Knaus (Austriacus), publicarunt investigationes, per multos annos ab ipsis separatim factas, quae quoad substantiam in eo conveniunt quod in mulieribus quolibet fere mense duae existunt distinctae et determinatae sterilitatis et fertilitatis periodi. Iam statim ab illo anno 1930, haec inventa ulterius indagavit Dr. Smulders (Batavus), eaque exinde optato cum successu applicavit pluribus millibus mulierum, eo praesertim fine ut honestis coniugibus, qui ob rationes vere graves novam prolem procreare non desiderent, praxim indicaret, quae efficax esset contra neo-malthusianismum remedium [1]. In variis scriptis suam methodum pervulgavit et ab oppugnantibus vindicavit. Interim in multis regionibus earumdem scientiarum professores et doctores, aliique medici periti paulatim, propriis studiis et innumeris experimentis confirmati, huic sententiae expresse et publice suffragati sunt, eamque, quoad capita principalia, declararunt physiologiae legem moraliter certam quae raro fallit.

---

[1] Est hic Smulders medicus optime catholicus, ipsemet numerosae prolis paterfamilias, qui expresse reprobat uti continentia periodica sine rationibus relative gravibus.

§ 1. *In quo haec nova methodus consistat.*

157. — Quae inter fautores huius methodi satis constant haec sunt. Tempus ageneseos seu sterilitatis habetur per 11 dies *ante* proximam menstruationem (11-1), tempus vero fertilitatis per 8 dies hos praecedentes (19-12), quando fit ovulatio; dies, qui ovulationem antecedunt (20 et praec.), sunt iterum tempus sterile. Ut autem sciatur quo die cyclus ordinarius proximae menstruationis pro quavis muliere incipiat — differt enim hic cyclus pro variis mulieribus plurium dierum spatio (puta a 23 ad 35 vel plures dies) —, opus est pro singulis accurata observatione per aliquot menses. Unde, initio praesertim, in designando tempore sterilitatis et fertilitatis votum medici, in hac materia periti, expetendum est; cuius consilio etiam opus est, quando aliae irregularitates in ovulatione et menstruatione occurrunt. Si talis periti medici praescripta accurate observantur, tempus sterilitatis cum morali certitudine statui potest. — Ita hi recentes medici et gynaecologiae periti, quorum numerus semper magis crescit, aliis tamen satis multis adhuc haesitantibus vel etiam repugnantibus.

Itaque, si cyclus supponitur esse 28 dierum — sicut frequenter est — et computatio incipitur a primo die menstruationis habitae, tempus sterile erit a die 1 ad 9, et iterum a die 18 ad 28; tempus autem fertile a die 10 ad 18 ab eadem incepta. Quia vero hi dies non semper ita omnino accurate cognoscentur, idcirco, securitatis causa, iuxta medici indicationem tempus fertilitatis saepe per aliquot dies extenditur, puta a die 8^a usque ad diem 20^m huius cycli, ita ut ordinarie saltem duae septimanae sterilitatis restent. Praeterea, ut diximus, propter irregularitates possibiles conceptio numquam plane exclusa est, quemadmodum neque est in praxi neo-malthusianismi [1].

Non abs re erit complures adducere peritos qui recenter novam hanc sententiam diserte in scriptis publicis tuentur. Praeter Ogino et Knaus, qui novis semper experimentis antea inventa confirmarunt, ipse Smulders, cuius praecipuum opus scientificum iam septies Neerlandice est editum et in alias quoque linguas (germanicam, gallicam) translatum, anno 1935 haec scribit: « Mea methodus vastissima nititur experientia propria per quinque annos in pluribus millibus casuum ex Hollandia et Europa hausta » (« Priester », Nymegen,

---

[1] Quo securius hae duae periodi computentur, ad usum coniugum typis impressum habetur kalendarium, quod « datometer » vocatur.

p. 11). In Hollandia praeterea Dr. Holt (gynaecologus) scribit: « Praecipua capita methodi Ogino-Smulders invicte stabilita sunt » (ib. p. 13). Prof. gynaecologiae Engelhard (Groningen): « Immerito dicitur huic systemati requisitam basim scientificam deesse » (ib. p. 12). — In Belgio celeber gynaecologus de Guchteneere (Bruxellis) variis scriptis eamdem theoriam probat et commendat. (Cfr. « Saint Luc Médical » 1933, n. 3). Dissertationem scientificam, versioni gallicae operis Smulders additam, ita concludit: « Chez la femme normale, la conception n'est possible, à chaque cycle, que pendant un nombre limité de jours, don l'échéance est invariable par rapport à la menstruation suivante. Cette théorie, défendue d'abord par Ogino, repose sur des bases physiologiques solides; elle se confirme par l'étude du cycle reproductif des primates et par l'observation clinique » (apud Smulders « La Continence périodique dans le Mariage », Paris, Letouzey, 1933, p. 217). — In Gallia eam tuetur Dr. Picard (« Bulletin Soc. S. Luc » 1934, pag. 346-352). Dr. A. Marchal in opere pervulgatissimo « La liberté de la Conception » (Librairie Médicin, 1935) fuse tuetur et contra obiectiones vindicat eamdem methodum, quam, rite applicatam, practice certam et securam esse dicit: « L'abstention des rapports sexuels pendant la période génésique de la femme est une pratique qui s'est développée assez rapidement au cours de ces dernières années... N'oublions pas cependant, que *cette extension n'est possible que grâce à l'absolue sécurité du système*. Comme le dit Smulders: "Le scepticisme le plus opiniâtre finit également par disparaître devant la sécurité de la méthode" » (p. 175: nouv. Ed., 204e Mille). Et paulo post: « Nous pouvons dire qu'en pratique, il n'existe que des *exceptions pathologiques* à la loi d'Ogino » (p. 182). — In Germania Dr. Albrecht, notissimus gynaecologus, antea huic methodo adversarius, postea pristinam suam oppositionem revocavit et scripsit: « *legem biologicam* hac de re hodie stare firmam » (Münchener Medizin. Wochenschrift. 27 Oct. 1933). — In Cecoslovachia Dr. I. E. Georg, Prof. Pragensis, eam solide sustinet in opere bohemice ter edito et in linguam germanicam translato. (« Eheleben und natürl. Geburtenregelung » Prag. 1934). — In Hispania Dr. Zavala Saenz asserit, methodum Ogino-Smulders scientifice esse excellentem et moraliter bonam (« El problema de los hijos » p. 11). — In Statibus Unitis Americae Septentrionalis Prof. Miller (Hobart) testatur se eamdem methodum in amplius quam mille casibus vidisse confirmatam. Adducit 97 casus mulierum ex octo variis nationibus cum duodecim diversis menstruationum cyclis, qui omnes sine exceptione eamdem theoriam probabant. (Cfr. « The Conception Period in Normal adult Women » 1933). Gynaecologus Dr. Latz, Prof. in Loyola-University Chicago, eamdem methodum approbat in opere pervulgato: « The Rhythm of sterility and fertility in Women ».

Sed, ut diximus, alii medici et periti adhuc dubitant vel magis moderate loquuntur, et ex parte tantum novae methodo favent. Sic in Italia celeber Prof. Bolaffio (Modena) partim solum eidem adhaeret, dicens: « E' con l'inizio della mestruazione che — con periodo di 26-30 giorni — comincia la *possibilità* dell'ovulazione e della fecondazione; essa aumenta nei giorni successivi e raggiunge un massimo fra l'8° e il 10° giorno, si mantiene ancora alta fin verso il 14° giorno per declinare e *perdersi quasi completamente nell'ultima decade del periodo* » (« La Clinica Ostetrica », 1934, num. 3, p. 160). Alii illustres critici italici et gallici censent, solum in quatuor circiter ex quinque casibus (4/5) novam methodum esse probatam. Unde cl. Gennaro post adducta eorum verba concludit: « Ci piace però constatare che in definitiva essi (critici) sono d'accordo con Ogino-Knaus, pur tenendo conto di fatti, ai quali Ogino-Knaus forse non hanno badato o non hanno attribuito quella importanza che effettivamente meritano. Intanto gli illustri critici, con criterii diversi magari, in 4/5 dei casi vanno d'accordo con Ogino-Knaus. Saranno certo i casi normali di donne con ciclo costante o forma di cicli costanti alternanti. Il restante quinto dei casi nei quali essi s'accordano con Ogino-Knaus saranno i casi patologici dei quali si occupa Smulders » (« Perfice Munus » 10 Sett. 1935, p. 660 sq.).

Quae quum ita sint, hae duae scholae non adeo multum inter se distare videntur ac prima specie putari possit. Etenim etiam novae methodi fautores admittunt, in hac lege, quum non sit mechanica, sed biologica, irregularitates et exceptiones dari posse; quae quidem, iuxta cuiusvis peritiam vel prudentiam, plures minoresve numero censeri poterunt; unde et ipsi dicunt, exceptiones a lege, a. v. praegnationem in periodo reputata sterili, semper esse *possibiles,* etsi non probabiles. Ex altera parte novi illi critici concedunt, leges illas recenter inventas in casibus *longe plurimis,* — scil. circa 80 ex 100 — esse experientia probatas. Itaque etiam iuxta hos adversarios dicendum esset, novam illam continentiae periodicae methodum habendam esse saltem *admodum probabilem* vel *probabilissimam* aut lato sensu *moraliter certam.* Quapropter merito quoque cl. Vermeersch scribit: « Concludimus, inquit, systema quod tuetur Smulders, *omnem fiduciam mereri,* quae legi physiologicae convenire potest (ita Dr. De Guchteneere). Eam *moraliter certam esse dicere possumus.* Accidentales tamen exceptiones accidere possunt » (« Periodica », 1934, p. 241*). — Hoc igitur sensu etiam nos in hac digressione novam illam methodum, tamquam remedium contra onanismum, accipimus [1]).

158. — Nemo non videt, quantopere haec nova methodus continentiae periodicae, uti vocatur, in praxi utilis esse possit ad sedandas angustias et anxietates multorum coniugum christianorum, qui ob graves rationes novam prolem creare non possunt, sed quibus, utpote matrimonio iam iunctis, totalis continentia gravissimum et vix fe-

---

[1] Qui medici usum huius methodi absolute et simpliciter reiiciunt potissimum sunt neo-malthusianismi fautores (v. g. ille Van der Velden, cuius opus « perfectum matrimonium » inscriptum in Indicem relatum est); idcirco praesertim quod media anti-conceptionalia, licet haec sanitati nociva agnoscant, reputent tamen securiora vel saltem usu faciliora. Contra plures professores et doctores acatholici expresse concedunt, hanc novam methodum catholicis maiorem praebere facilitatem in casibus difficilioribus utendi matrimonio iuxta eorum fidem et conscientiam. Imo haud pauci honesti acatholici, naturali lege quasi ducti, eam in usu matrimonii sequuntur.

rendum onus videtur. Ex una enim parte moderata illa continentia per duas circiter hebdomades singulis mensibus generatim ab ipsis non ita gravis habetur, et ex altera parte licitus matrimonii usus per reliquum tempus ipsis sufficit tamquam remedium concupiscentiae ad vitandum peccatum, tum etiam ad mutuum fovendum amorem et ad promovendam salutiferam illam animae et corporis conditionem, ex legitimo matrimonii usu profluentem.

Notandum tamen est ex imprudenti novae huius methodi praxi damna et incommoda quasi per accidens consequi posse, ut infra (n. 163 sq.) dicemus.

§ 2. *De eius moralitate.*

159. — Quod spectat ad *moralitatem* huius systematis continentiae periodicae, haec dicenda videntur.

1° Ut per se patet, haec praxis essentialiter differt a praxi onanismi coniugalis. In illa enim « salva semper est intrinseca illius actus natura ideoque eius ad primarium finem debita ordinatio », uti in Encycl. « Casti Connubii » (p. 561) dicitur; in hac vero actus intrinsece corrumpitur et sic voluntarie privatur suo effectu primario, quae est prolis procreatio. In hac ergo privatio prolis obtinetur per actus coniugalis corruptionem, in illa autem per abstinentiam ab actu.

2° Quia ergo actus substantia salvatur, hic actus per se est indifferens, etiamsi tempore sterilitatis exercetur. Fit autem tunc honestus et licitus per bonum finem secundarium, qualis est mutui amoris significatio, vel sedatio concupiscentiae, non secus ac apud coniuges, qui ex aetate vel aliunde sunt steriles.

3° Abstinentia ab hoc actu est quoque per se indifferens, etiam tempore fertilitatis. Sed iterum fieri potest honesta et licita propter bonum finem, v. g. ex virtute temperantiae (castitatis), ex caritate erga consortem qui solo tempore steril copulam habere desiderat; etiam propter alias iustas vel graves causas, uti sunt infirmitas unius partis, grave periculum in novo partu, graves difficultates nutriendi et educandi prolem numerosiorem; item propter rationes eugeneticas, ne nascatur proles infirma et misera mente vel corpore instructa.

4° Solo autem tempore fertilitatis ab hoc actu abstinere inhonestum et illicitum est, si fit ob *pravum* finem, puta ut sine onere plurium infantium liberius fruantur voluptatibus et delectationibus carnalibus; item ob alias circumstantias, v. g. quia deest liber consensus mutuus, quia adest periculum proximum incontinentiae (pollutionis solitariae, adulterii), quia ita nimis frigescet mutuus amor.

160. — Circa hactenus dicta theologi satis communiter consentiunt. Disputant adhuc aliquomodo circa hanc quaestionem: utrum electio temporis sterilis pro usu matrimonii et exclusio huius usus tempore fertili sine causa relative gravi, sed propter *solum* finem vitandi prolem et fruendi liberius huius vitae voluptatibus, sit peccatum veniale an mortale?

Quod est saltem *veniale*, omnes iterum concedunt, quia deest omne motivum honestans actionem per se indifferentem; unde proscripta est ab Innocentio XI haec propositio 9ª: « Opus coniugii ob solam voluptatem exercitum omni penitus caret culpa ac defectu veniali ». Huiusmodi ergo praxis coniugibus vere christianis plane indigna est et reprobanda. Imo omnes pariter admittunt, hanc agendi rationem posse fieri *mortalem*, si accedunt circumstantiae supra indicatae, videlicet si deest mutuus consensus, vel si habetur proximum incontinentiae periculum aut notabilis deminutio amoris mutui.

Si hae circumstantiae absunt ita ut relinquatur *solus finis* fruendi magis delectamentis huius saeculi, pauci quidam theologi recentes opinantur illam praxim continentiae periodicae, saltem si sit habitualis et diuturna, graviter esse illicitam. Aliis vero theologis, iisque plerisque omnibus, haec praxis, etiam per longum tempus et velut systema adhibita, videtur solum leviter, non vero graviter prohibita; a. v. erit *per se* solum peccatum *veniale habituale*, non vero mortale. His et nos assentimur.

161. — Etenim, si haec praxis, in singulis actibus vel per breve tempus applicata, non est mortalis, logice consequi videtur, ut neque in repetitis singulis actibus seu in serie horum actuum per longum tempus, per annum vel etiam per vitam, adsit *per se* gravis deordinatio seu peccatum grave. Actus enim natura et substantia eadem manet, etiamsi multiplicatur; a. v. exclusio finis primarii seu frustratio prolis non fit per *corruptionem* actus coniugalis, sed per *abstinentiam* ab hoc actu tempore fertili. Nulla autem ratione probari potest, omnes et singulos coniuges aliquo vitae suae tempore finem primarium obtinere debere, atque idcirco ponere actum coniugalem diebus fertilibus.

Immerito igitur *obiicitur*: gravis est inordinatio, in vita coniugali sine gravi ratione habere intentionem per longum tempus excludendi finem primarium matrimonii. — *Responsio* facilis est: haec intentio erit inordinatio gravis, si exclusio finis primarii fit in ipso usu matrimonii per actus corruptionem, uti accidit in onanismo; non autem erit, si fit per abstinentiam ab hoc actu tempore fertili, etiam si per totam vitam id fiat [1].

Itaque illa intentio, seu ille actus voluntatis et propositum habituale eligendi semper solum tempus sterile pro copula, erit utique peccatum veniale, si fit sine causa rationabili ex *sola* voluptate; gratis autem asseritur, hoc propositum esse peccatum mortale seu gravem inversionem ordinis moralis etiam si per longum tempus perdurat, quia singulis vicibus ipse actus copulae perficitur iuxta legem naturalem et per se aptus est ad generationem seu ad primarium matrimonii finem, licet per accidens, propter circumstantiam temporis electi, hic finis non obtineatur. Ceterum, in casu nostro huiusmodi coniuges, utentes matrimonio solo tempore sterili, semper adhuc habent intentionem recipiendi et educandi prolem, si forte per exceptionem conceptio fiat. Nulla est igitur intentio excludendi positive et absolute primarium finem matrimonii. Electio solius temporis sterilis, si haec ex *sola* voluptate fiat, erit, ut diximus, venialis; sed si fit ex intentione finis secundarii obtinendi erit *honesta,* modo primarius finis in ipso actu copulae non positive excludatur. Intendere ante omnia finem primarium et idcirco nullatenus attendere ad tempus sive fertile sive sterile, erit ordinarie quidem *honestius;* sed nemo sub gravi obligatur, relicto honesto, eligere id quod est honestius.

162. — Haec conclusio confirmari potest ex ipso responso S. Poenitentiariae diei 16 Iunii 1880 (supra n. 156). In hoc enim certe agitur etiam de coniugibus qui habitualiter per longum tempus praxim continentiae periodicae exercebant, eorumque permulti id utique faciebant sine iustis causis ex solo fine vitandi onera matrimonii. Iamvero in *prima* parte huius responsi sine distinctione simpliciter dicitur hos coniuges non esse inquietandos; quod certe significat, eos saltem peccati gravis reos non esse. Praeterea in *secunda* parte dicitur, hanc methodum — utique habitualiter per longum tempus adhibitam — caute insinuari posse onanistis habituatis et obstinatis. Non videtur autem, quomodo S. Congregatio hoc positive sine ulla distinctione permittere et suadere potuerit, si censuisset illam praxim sine gravi causa per longum tempus adhibitam esse peccatum grave.

---

[1] Eodem modo respondetur, si quis hic opponeret decisionem S. Officii 23 Nov. 1923 de « copula dimidiata » (supra n. 148, *nota*): in hac enim primarius finis excluditur in ipso actu copulae, non autem per abstinentiam ab hoc actu, sicut fit in continentia periodica.

§ 3. De huius methodi periculis et commodis.

163. — Aliqui theologi, confessarii, imo etiam laici honesti ab hoc systemate continentiae periodicae quasi in antecessum abhorrere videntur, idcirco quod plura damna ex eo pro bono communi et privato oriri possunt; uti sunt deminutio numeri fidelium, periculum incontinentiae tempore fertilitatis, imminutio amoris mutui, facilis transitus ad onanismum si postea haec limitata continentia ipsis nimis molesta videatur.

Concedimus haec damna ac pericula non esse simpliciter spernenda, praesertim si haec praxis omnino irrationabiliter adhibetur; sed tamen neque exaggeranda sunt, quemadmodum saepe fit. Etenim

164. — 1° Quod multi boni catholici sine rationibus gravibus per continentiam periodicam infantium numerum sunt constricturi, parum probabile videtur: tum quia haec praxis iam grave imponit sacrificium abstinentiae per binas fere hebdomadas continuas singulis mensibus; tum quia coniuges, ex sanae naturae instinctu, infantes sibi similes procreare in iisque sibi supervivere delectantur, libenterque curas et labores ad hoc suscipiunt, ut videre est apud simplices agricolas aliosque, et apud populos magis naturales, recentis aetatis hypercultura nondum corruptos; tum quia boni christiani, ab Ecclesiae ministris edocti, etiam ex motivis supernaturalibus, pro maiore nempe Dei gloria suaque propria felicitate aeterna, numerosam prolem educare cupiunt. Deminutio ergo fidelium, et idcirco vocationum sacerdotalium et religiosarum ex hoc capite non serio timenda videtur. — Periculum incontinentiae et imminutio mutui amoris parum vel nihil aderit, si ob rationes graves et ex mutuo consensu hanc continentiam limitatam exercent. Si quandoque tale periculum incontinentiae vel transitus ad onanismum foret vere grave et proximum, utique solum ob causas relative graves et adhibitis debitis cautelis se huic periculo exponere licet. — Denique, illi christiani tepidi et imperfecti, qui mera voluptate et futilibus rationibus ducti hac praxi abutuntur et sic facilius ad onanismum perducuntur, plerumque etiam sine illa ad idem crimen committendum dilabuntur.

2° Ex altera tamen parte praxis continentiae periodicae sua etiam commoda et naturalia et supernaturalia habere potest. Sic enim quasi sponte discent coniuges non sine freno se voluptatibus carnalibus tradere, suasque passiones facilius repriment quo tempore Deus hoc, e. g. ob circumstantias oeconomicas, ob sanitatem, iubere videtur; quae moderatio in usu matrimonii praesertim iunioribus coniugibus a Summo Pontifice summopere commendatur (supra n. 155 *a*). Haec maior temperantia saepe sanitati quoque corporis animique aequilibrio proderit; quod aequilibrium non raro turbatur per nervorum irritationes ortas ex timore novae conceptionis, quae rationabiliter vitanda videtur, sed quae in casu solum per praxim continentiae periodicae vitari potest. Certe omnium consensu praxis neo-malthusianismi sanitati corporis et felici animorum harmoniae multo magis obstat quam continentia periodica [1].

3° Sed praeterea incommoda et pericula, novo systemati obiecta, maxime *exaggerata* videbuntur, si quis ea comparaverit cum ingentibus commodis quae ex hac praxi, nostra praesertim aetate, pro conservatione et incremento fidei et morum merito expectari possunt. — Re sane vera.

165. — Primo quidem sedulo considerandum est, detestabile onanismi crimen, praesertim inde a semi-saeculo, in omnibus regionibus cultis ubique iam invaluisse, semperque quotannis magis in civitatibus pagisque etiam inter catholicos propagari, et Ecclesiae animabusque maximam inferre cladem. Est enim hoc semper crescens peccatum una ex praecipuis causis derelictionis sacramentorum, indifferentiae religiosae et perditionis fidei: mores enim corrupti sponte ducunt ad incredulitatem (cfr. supra n. 137). Multi ex hisce coniugibus qui adhuc catholici nominantur, vellent quidem, primis praesertim annis, ad sacramenta accedere; sed quia iam, quacumque ex ratione, plures infantes habere refugiunt, nec se prorsus a matrimonii usu abstinere possunt, melius iudicant sacramenta

---

[1] Apposite Smulders: « Les pratiques néo-malthusiennes, à cause de leur caractère contre-nature et repoussant, peuvent susciter, en même temps que l'antipathie réciproque, toutes sortes de troubles psychiques et somatiques. Elles n'encouragent pas, il s'en faut de beaucoup, le « mariage complet » (alludit hic Auctor ad opus medici Van der Velden, damnatum a S. Officio). Au contraire, dans la continence périodique, les relations conjugales, honnêtes et naturelles, viennent renforcer tous les penchants naturels, consolider et ennoblir l'amour véritable. Elles contribuent, par conséquent, à rendre le ménage plus solide, physiquement et moralement, par l'accord des esprits et l'union des coeurs; à en faire une vie dont seraient exclus les soucis, la crainte, la misère et la limitation forcée » (*De la continence périodique dans le Mariage*, Paris, Letouzey, 1933, p. 96).

omnino relinquere quam ea sacrilege accipere, et sic paulatim perveniunt ad missam faciendam omnem religionem. Si hisce, ubi primum de onanismo exercendo cogitant, proponeretur moderate uti matrimonio per duas solum septimanas temporis sterilis, quando probabilis non est conceptio, multis ex illis hoc ad concupiscentiae sedationem sufficeret, et ita peccatum onanismi, maximam eorum indifferentismi causam, evitarent, et facile boni christiani manerent.

166. — Accedit quod, nostra praecipue aetate, ob crisim oeconomicam, infinito quasi numero catholici ubique terrarum durissimis premuntur difficultatibus alendi et praesertim rite educandi prolem frequentiorem, adeoque urgentes habent rationes limitandi familiae augmentum [1]. Ingens quoque est numerus uxorum, quibus ob infirmam salutem novus partus est periculosus vel etiam mortalis. Ab omnibus illis expectare, ut ab usu matrimonii se prorsus abstineant, eorum vires morales superat; virtutem quasi heroicam perpetuo exercere deberent. Hi ergo omnes quotidie in gravissimo versantur periculo et occasione proxima recurrendi ad onanismum, et, experientia teste, plurimi, pro! dolor, hisce tentationibus succumbunt.

Iamvero hi plerumque in continentia limitata seu periodica, a. v. in moderato matrimonii usu iuxta novam methodum, satis efficax contra onanismum remedium invenient. Quo casu hac methodo uti, non solum possunt, sed etiam sub gravi tenentur, utpote remedio naturali et ordinario quod est in eorum potestate. Neque dicatur: orent et Deus ipsis dabit gratiam continentiae constantis vel etiam, si opus est, perpetuae. Utique dabit Deus hanc gratiam, si praesto non sit aliud remedium vitandi hoc peccatum. Sed, quum Deus ita constituerit physicam mulieris naturam, ut ordinarie singulis mensibus per dimidium fere tempus sit fertilis, per alterum dimidium sterilis, vult etiam ut, si graves adsunt novam conceptionem vitandi rationes, ipsi coniuges hoc remedium naturale adhibeant, a. v. ut solo tempore sterili copulam exerceant. Neque Deus tenetur eis, etiam petentibus, concedere gratiam extraordinariam continentiae totalis, utpote ipsis ad salutem aeternam non necessariam, quando per conti-

---

[1] Probe advertendum est, ad primarium matrimonii finem pertinere non solum prolem procreare, sed etiam eam per multos annos rite et religiose *educare* ad eorum aeternam salutem; hoc autem educationis officium multos saepe sumptus postulat. Quapropter recta ratio et prudentia praecipit matrimonio ita moderate uti, ut parentes hoc quoque officium ut fas est implere possint.

nentiam limitatam se salvare possunt. Quam ob rem S. Paulus vult
ut qui coniuges ob sanctam causam aliquo tempore se continuerint,
iterum ad matrimonii usum revertantur, ne proximo peccandi periculo voluntarie se exponant: « Nolite fraudare invicem, nisi forte
ex consensu ad tempus, ut vacetis orationi; et iterum revertimini in
idipsum, ne tentet vos satanas propter incontinentiam vestram »
(I *Cor.* vii, 6). Valet hic iterum primarium hoc Concilii Tridentini
principium quod totum ordinem moralem et oeconomiam salutis
dirigit: « Deus impossibilia non iubet, sed iubendo monet et facere
quod possis, et petere quod non possis; et adiuvat ut possis » (sess. VI,
cap. 11). Faciant ergo quod possint hi coniuges: servent continentiam
partialem seu periodicam iuxta novam methodum. Teste experientia,
permultis haec medicina sufficit ut caste vivant. Si nihilominus adhuc
saepe in gravi incontinentiae periculo versantur, ferventer petant;
tunc Deus eos adiuvabit, dando gratias ulteriores quibus incolumes
e periculo evadere possint.

Ex omnibus hactenus dictis concludere fas est, bonum et commune et privatum maxime esse profuturum ex prudenti usu novae
methodi continentiae periodicae, tamquam remedium valde probabile contra onanismum coniugalem. Hac quippe ratione ingens ubique
terrarum catholicorum numerus, qui aut illo nefando crimine iam
sunt irretiti aut gravissimis huius peccati periculis quotidie sunt expositi, per usum sacramentorum in fide et Dei gratia perseverare, vel,
si eas propter hoc peccatum iam perdiderint, recuperare possunt.
Quapropter si incommoda et commoda praxis continentiae periodicae
inter se comparantur, sic brevi dicendum nobis videtur: perpauci per
eam, leviter adhibitam, ad onanismum aliave peccata perduci poterunt; permulti vero per eam, rationabiliter adhibitam, ab onanismo
aliisque peccatis abducentur et salvabuntur.

167. — Neque dicatur, confessariis in hac re commendanda
expectandum esse, donec scientiae biologicae et medicae periti una-
nimi consensu hanc novam methodum ut certam thesim admiserint;
secus accidere posse quod accidit hypothesi doctoris Capellmann,
quae iam ab omnibus reiicitur. Namque dispar est utriusque re conditio. Quae enim inde ab anno 1930 inventa et publicata sunt, non
sunt merae hypotheses seu coniecturae plus minusve probabiles, sed
sunt facta, quae accurata experientia plurimorum peritorum in mil-

lenis casibus per hos ultimos annos sunt confirmata. Haec autem demonstrant, non solum certam esse duarum illarum periodorum distinctionem, sed etiam utriusque durationem morali illa certitudine, quae raro fallit, determinari posse. Maiorem adhuc expectare certitudinem vel omnium medicorum hac in re consensum, spectata personarum rerumque humanarum conditione, inane esset et imprudens videtur.

Namque interim multa centena millia peccatorum contra matrimonii sanctitatem committi pergent, quae per prudentem huius methodi applicationem vitari possent. Quotannis iterum ingens novorum matrimoniorum numerus contrahitur, quorum coniuges, post aliquot saltem annos, ob varias causas gravissimis neo-malthusianismi exponuntur periculis, in quibus permulti succumbunt et paulatim in ipsa fide naufragium faciunt, propterea quod eorum confessarii irrationabiliter silere pergunt de hoc continentiae periodicae remedio, quod natura, vel potius ipse Deus, eis ministrat.

Diximus tamen: *ex prudenti huius methodi usu*. Prudentia enim sicubi in hac praesertim lubrica materia perquam necessaria est, ut pericula et damna quae ex hoc systemate oriri possunt, praecaveantur vel saltem, quoad eius fieri potest, admodum minuantur. Quapropter in fine huius digressionis haec monita pro praxi, ad usum maxime confessariorum, addere liceat.

§ 4. *Monita practica circa hanc materiam.*

168. — 1° Quum finis primarius matrimonii christiani sit procreatio infantium, qui Dei laudes in aeternum sint celebraturi, praedicatores et confessarii hunc altum finem populo saepe ob oculos ponant, ita ut numerosam habere prolem in publica opinione decus habeatur atque honor, utpote opus Deo O. M. gratissimum omnique laude dignum.

2° Numquam idcirco publice aut privatim simpliciter commendent continentiam periodicam, ac si esset opus per se honestum et licitum, quod quisque pro libitu peragere possit. Haud raro enim, ut vidimus (n. 160), ob varias circumstantias graviter potest esse prohibitum; saepius saltem leviter erit illicitum. Hinc populus christianus, theologiae ignarus, facile scandalum capere poterit. Alii contra temere et leviter hanc praxim exercentes periculo graviorum peccatorum se exponerent. Quapropter etiam in scriptis popularibus de hac delicata materia non nisi magna cum cautela ac reverentia debitisque cum distinctionibus tractandum est. De ea tamen omnino silere, in universum certe non expedit. Quum enim Ecclesiae adversarii impudenti animosoque studio neo-malthusianismum eiusque media ubique praedicent et pervulgent cum immenso animarum damno, etiam catholici hoc novum antidotum prudenti zelo notum faciant oportet, quo quamplurimas animas ab hac peste et a gehennae faucibus eripiant.

Medici praesertim et gynaecologiae periti, non solum ubi graves occurrunt rationes consulentibus se opportunum dabunt consilium, sed etiam lucubrationes scientificas, utique lingua vulgari, utiliter de hac re publicabunt, ut quae hactenus acquisita sunt novis experimentis illustrentur vel confirmentur, et ita plura semper exhibeantur facta, quibus theologi conclusiones morales practicas superstruant.

3° Praedicatores, data occasione, prudenter quidem et caste, sed claris verbis fideles instruant de gravissima onanismi malitia, dicentes e. g.: « grave esse peccatum in usu matrimonii seu in implendo debito coniugali aliquid ex industria facere ad limitandum numerum infantium, seu ad praeveniendum familiae incrementum ». Agnoscant quidem graves occurrere posse difficultates ad obediendum hac in re legi Dei, sed eos hortentur ad magnam in Divina Providentia fiduciam (supra n. 147 sq.). Tum subiiciant, in maximis etiam difficultatibus et sanitatis periculis, continentiam *saltem limitatam* certisque periodis definitam esse servandam. Addant denique ut, si quid non rite intellexerint, aut dubitationes aut speciales difficultates hac in re habeant, fidenter cum confessario de his loquantur, qui scitu necessaria magis explicaturus sit eosque suis consiliis adiuturus. Sic tectis verbis nova haec methodus satis clare in sacra praedicatione indicari posse videtur.

4° Eodem modo loquatur parochus in instructione coniugali occasione nuptiarum facienda (can. 1033). Clare dicat, peccatum esse mortale actum matrimonialem seu copulam ita perficere ut de industria conceptio et generatio prolis impediatur. Commendet tamen in recto usu moderationem, praecipue per primos annos (supra n. 155 *a*). Addat iterum, si de qua re dubitent, vel si postea in gravibus difficultatibus circa usum matrimonii versaturi sint, confessarium interrogent suumque casum ei exponant.

De onanismo coniugali

5° Confessarius igitur, ad quem potissimum spectat solvere dubia et quaestiones circa continentiam periodicam, prudenter etiam ac caute procedat. Quapropter ne simpliciter dicat, hanc praxim non esse peccatum; contra, coniuges moneat eam esse saltem leviter illicitam, nisi aliqua iusta causa excusetur. Hinc enixe eos hortetur ut recta intentione sine periodorum discrimine matrimonio utantur, quippe quod Dei ordinationi magis conveniat, magisque etiam conferat ad mutuum amorem et concordiam.

Si tamen coniuges rationes aut difficultates moveant contra regularem hunc usum, confessarius eos benigne et patienter audiat, et quantum potest eas solvere conetur, ut supra (n. 147) diximus. Si hoc ei non succedit, aut si ipsemet etiam has rationes vere graves esse iudicat — uti saepe revera sunt (cfr. n. 166) —, ipsis proponere potest matrimonio uti solo tempore sterili iuxta novam methodum. Praeterea, quando illae rationes videntur certe graves et urgentes, et confessarius censet coniuges difficultatibus oppressos in gravi versari periculo committendi onanismum, — uti etiam persaepe erit —, eis continentiam periodicam enixe commendare non solum potest, sed etiam debet, nisi aliae graviores rationes opponantur. Si enim ipsi coniuges in tali gravi periculo hoc medio ad vitandum peccatum uti debent — ut supra (n. 166) diximus —, etiam confessarius eos illud remedium ignorantes docere debet, ut ita salvet animas magno labendi periculo expositas. — Sed in hac quoque commendatione caute iterum incedat confessarius. Videlicet

169. — *a*) Ne proponat hanc praxim ut medium omnino infallibile contra novam conceptionem, sed solum ut admodum probabile et moraliter satis certum.

b) Quapropter promittant coniuges ut, si forte quasi per exceptionem conceptio nihilominus contingat, prolem libenter accipiant, fidentes in divina Providentia.

c) Enixe hortetur ut coniuges de accurata huius methodi applicatione, primo saltem tempore, probum medicum catholicum huius rei peritum consulant. Dico: *probum* medicum; quia etiam inter catholicos aliquando inveniuntur medici parum religiosi qui, neglecta hac nova methodo, in casibus difficilibus simpliciter onanismum ut magis facilem et securum suadeant. Sit hic medicus etiam in hac quaestione *peritus*, ut eo securius remedium habeat successum;

quod tum maxime necesse est, quando agitur de muliere, cui novus partus esset valde periculosus.

d) Maxime curet, ut mutuus sit hac in re utriusque coniugis consensus, quod facile erit si adsunt rationes vere graves. Tunc enim ambo coniuges sacrificium limitati usus libentius sibi imponent et reliquo tempore per orationem aliaque media passiones facilius frenabunt, atque ita periculum incontinentiae vitabunt. Tunc etiam parum aut nihil frigescet mutuus amor; imo hic crescere quoque potest quando, transacta periodo debitae abstinentiae, venit iterum periodus congressus coniugalis.

e) Expresse eis commendet, ut illam praxim solum sequantur quanto tempore durant illae graves rationes, puta angustiae oeconomicae, defectus operae et mercedis, debilitas uxoris, etc., deinde ad usum indistinctum redeant.

f) Quodsi confessarius advertat, rationes quas adducunt coniuges nullas esse aut leves, et frustra tentaverit eos a detestabili onanismi crimine abducere, iuxta supra (n. 156) citatum S. Poenitentiariae responsum, eis optime hanc methodum « caute insinuare » poterit; quae vox significare videtur, hanc praxim non quidem ut in se positive bonam esse commendandam — est quippe hoc casu saltem leviter prohibita —, eam tamen esse per se tantum peccatum veniale, ac proinde, utpote remedium concupiscentiae, sine peccato adhiberi posse ab iis qui secus onanismum committerent.

g) Denique commendet coniugibus, ne de particulari suo casu conscientiae cum aliis loquantur, et ut brevi ad ipsum redeant, quo magis suis consiliis adiuventur.

CONCLUSIO

170. — Si haec consilia practica a confessariis sedulo observantur, certe damna et pericula, quae ex hac nova methodo oritura timentur, valde deminuentur, atque prorsus minora videbuntur relate ad damna ingentia, quae hactenus ex frequentissimo usu onanismi pro Ecclesia et animarum salute iam orta sunt, et quae, omissa et neglecta hac methodo, semper magis orientur. Aliis verbis, merito sperandum est ut per novum hoc systema, debita prudentia adhibitum, praesertim hac nostra aetate, velut agger opponatur contra hoc nefandum semperque magis invalescens vitium, ac proinde validum

abeatur subsidium pro reformandis corruptis moribus, protegenda
matrimonii sanctitate et pro conservanda vel etiam paulatim restauranda in multis regionibus fide catholica. Quo magis enim decrescet
inter catholicos numerus onanistarum, eo magis etiam paulatim crescet numerus et qualitas christifidelium.

V. DE REMEDIIS A PAROCHIS ALIISQUE ECCLESIAE MINISTRIS ADHIBENDIS.

171. — Sed etiam extra confessionale Ecclesiae ministri, imprimis parochi aliique sacerdotes animarumque pastores, sua doctrina
: opera omni ratione detestabili onanismi crimini obsistere debent.
Media ad hoc adhibenda alia directa sunt alia magis indirecta.

A) Praecipuum remedium directum est *doctrina*.

Videlicet ante omnia fideles *instruantur* oportet de huius peccati
malitia intrinseca deque eius consequentiis. Hoc eo magis necesse
est, quia inimici Ecclesiae omnem movent lapidem ad pessimos hac
e re errores spargendos, eo etiam fine, ne Ecclesia catholica maiore
semper fidelium numero crescat. Graviter idcirco Pius XI in citata
encyclica eos qui curam animarum habent admonet, « ne circa gravissimam hanc Dei legem fideles sibi commissos errare sinant »,
fortiterque reprehendit illos qui « fideles dolose tacendo in iis (erroribus) confirmaverint » (supra n. 139). Damnandum igitur est altum
e hoc vitio servare silentium sub praetextu quod multi fideles e
bona fide exturbarentur et veritatem edocti sacramenta desererent.
Hoc principium iam supra (n. 140) a S. Poenitentiaria reprobatum
vidimus. Certe quo magis de hoc vitio, quod ubique divulgatur, a
sacris ministris tacetur, eo magis fideles illud in praxim ducent, eo
magis etiam illud in integra paroecia et regione propagabitur. Unde
bonum societatis christianae prorsus postulat hos errores depellere,
etiamsi bonum privatum aliquorum vel etiam multorum exinde
damnum pateretur. Ecclesiae enim eiusque ministris, ex ipsius Christi
praecepto (*Matth.* XXVII, 20), gravis incumbit obligatio in re adeo
gravi, quae spectat ad ipsius familiae christianae originem intimamque
rationem, veritatem Evangelicam servare incorruptam. Ceterum, ut
jam supra (n. 144) vidimus, bona fides nostra aetate rarissima est et
ex diu perstare potest. Quantas funestas consequentias hoc « altum
silentium » producat, experientia constat in illis Galliae regionibus,

ubi saeculo imprimis praeterito multi animarum pastores, illa praetexta ratione seducti, fideles ea de re instruere et monere neglexerunt. In hisce enim onanismus semper plus plusque diffundebatur et nunc etiam in pagis ruralibus a longe maiore familiarum parte exercetur. Contra, in aliis eiusdem reipublicae locis et regionibus, ubi populus a clero rite fuit institutus, hoc vitium multo minus invaluit [1]. Per claram igitur instructionem legisque Dei expositionem, tam apud singulos quam apud omnes. fideles communiter, huic vitio iam a principio fortiter obstandum est, ne sero medicina paretur et malum quasi insanabile evadat.

172. — Huiusmodi instructio facienda est:

1° Per *praedicationem ordinariam*, praesertim quando de matrimonio agitur. Fieri autem debet prudenter utique ut nemo iure offendatur, sed etiam ita praecise ut omnes ad quos spectat persuasum habeant, neo-malthusianismum semper et ubique grave esse in se peccatum, nullaque umquam ratione cohonestari posse, neque Ecclesiam vel Summum Pontificem in eo dispensare posse, quippe quum sit contra legem divinam et naturalem.

2° Potissimum vero, occasione sacramenti Matrimonii ineundi, in *instructione sponsorum* parochus breviter sed clare et distincte exponat principia de iis quae in matrimonii usu licita sunt, quae graviter illicita, ita ut uterque sponsus rem rite intelligat (cfr. can. 1033). Dicat quoque expresse grave esse peccatum, non solum onanismum artificialem, ope instrumentorum, sed etiam nativum, a. v. quemcumque matrimonii usum cum intentione impediendi prolis procreationem. In aliquibus dioecesibus sponsis praelegitur apta instructio, auctoritate Ordinarii composita. Legatur autem clare et distincte, brevi explicatione, si opus est, addita.

3° Opportuna prae ceteris occasio fideles de hoc vitio instruendi sunt *missiones paroeciales*, in quibus populus, per praedicationem veritatum aeternarum ad salutarem Dei timorem excitatus,

---

[1] Recolenda sunt hic verba Spiritus Sancti ad prophetam Ezechielem: « Et tu, fili hominis, speculatorem te dedi domui Israël: audiens ergo ex ore meo sermonem, annuntiabis eis ex me. Si me dicente ad impium: Impie, morte morieris, non fueris locutus, ut se custodiat impius a via sua: ipse impius in iniquitate sua morietur, sanguinem autem eius de manu tua requiram. Si autem annuntiante te ad impium, ut a viis suis convertatur, non fuerit conversus a via sua, ipse in iniquitate sua morietur: porro tu animam tuam liberasti » (cap. xxxiii, v. 7-9).

magis dispositus esse solet ad accipiendam severam doctrinam evangelicam de matrimonio christiano. Hac quippe occasione identidem agitur de hac materia, cum per transennam in practicis conclusionibus, tum in instructionibus specialibus, pro solis utriusque sexus coniugibus, vel simul vel separatim congregatis, in quibus hoc argumentum solide exponitur et probatur, rationesque contrariae refelluntur. Per illas certe missiones, si ab idoneis missionariis aptoque modo dantur, permulti etiam attinguntur fideles laxiores, qui raro ecclesiam adeunt et alias vix quidquam hac de re audiunt; alii contra hoc vitium eiusque causas praemuniuntur; alii haud pauci eodem iam implicati et diu ab Ecclesia alieni conversione extraordinaria resipiscunt et ad Deum redeunt, uti diuturna experientia in variis regionibus comprobatum est [1].

173. — *B*) Sed praeter instructionem directam de onanismi malitia parochi eorumque cooperatores aliis quoque mediis magis *indirectis* hoc vitium oppugnent oportet.

1° Generatim advertendum est, *causam praecipuam* onanismi non esse rei familiaris inopiam — saepe enim hoc vitium magis serpit inter familias ditioris et mediae conditionis quam inter pauperiores et operarios —, sed spiritum mundanum, desiderium oblectamentorum huius vitae, luxum immoderatum, horrorem sacrificii, a. v. defectum spiritus fidei. Unde imprimis fideles imbuere oportet vivida persuasione circa veritates aeternas, finem hominis, brevitatem gaudiorum huius vitae (I *Cor.* VII, 29 sq.), alteram vitam in perpetuum aut felicem aut infelicem, infinitam peccati mortalis malitiam, item circa necessitatem submittendi se legi Dei, vincendi pravas concupiscentias quo caelum meritetur, vitetur infernus, etc. Ad talem firmam animi persuasionem excolendam maximopere iterum conferunt missiones paroeciales et exercitia spiritualia. — Loquendo de matrimonio christiano, exponant altiorem eius finem supranaturalem ac aeternum, eius dignitatem et sanctitatem, solidum eius fundamentum, quod non est amor sensualis sed animorum cor-

---

[1] Acatholicus quidam auctor in Germania testatur, praeter sacramentum Poenitentiae praesertim missionibus popularibus maximam efficaciam in pugna contra neo-malthusianismum tribuendam esse. Ita Krose (« Kirchliches Handbuch » V, 420) qui addit: « Curandum igitur est, ut hoc remedio magis adhuc quam usque in praesens utamur » (Cfr. opus nostrum *De Matrim. mixtis*, p. 162, nota 1). De usu remedii sacramenti Poenitentiae supra (p. 159 sqq.) egimus.

diumque coniunctio, gravia eius officia quae mutuo amore Deique gratia dulcia et levia evadunt.

Praesertim vero parochus *iuventutem* iam a longinquo ad castum coniugium praeparet, ac proinde eam *educandam* curet ad vitam seriam et alienam a voluptatibus mundanis (amoribus, choreis, theatris, cinematographis etc.), ad animi fortitudinem, ad pietatem frequentemque usum sacramentorum, ad sobrietatem (maxime in usu alcoholicorum), ad mortificationem (saepe etiam in rebus licitis), ad castitatem et continentiam (qua haud raro postea in matrimonio quoque opus habebunt), ad parsimoniam etiam (quo postea numerosam prolem alere possint)[1]. — Omnium vero maxime iuvenes avertat a praematuris et diuturnis procationibus seu conversationibus intuitu matrimonii; in hisce quippe persaepe onanismus exercetur, quam postea frequentiore abusu continuabunt[2]. Ad talem vero christianam iuventutis educationem aptissimae sunt, imo haud raro necessariae congregationes et associationes pro utroque sexu separatim, in quibus utile dulci misceatur, sub ductu sacerdotis et apostolatus laici. Imprimis hic commendantur associationes, in quibus actio Eucharistica pro frequenti Communione cum actione pro sobrietate coniungitur. Mirum quantum his duobus mediis et voluntatis firmitas et mentis gravitas atque nobilitas inter pueros et iuvenes provehuntur et excoluntur.

2° Singulariter animarum pastor promoveat *apostolatum laicorum*, efformando nimirum utriusque sexus laicos selectos, qui eius in hac pugna sint adiutores ac velut commilitones. Erudiat eos excolatque in christianos ferventes et fortes, qui sanctissimas Dei leges sine respectu humano privatim et publice verbo vel scripto defendant. Ad hunc finem maxime conducunt exercitia spiritualia, in aliqua domo clausa habita.

3° Propaget *libellos et opuscula* contra neo-malthusianismum

---

[1] Ad talem parsimoniam ita hortatur etiam Pius XI: « Curandum tamen est, ut vel ipsi coniuges, idque iam diu antequam matrimonium ineant, futura incommoda necessitatesque vitae praevertere aut saltem minuere studeant » (*A. A. S.* 1930, p. 587).

[2] Praeclare Pius XI in Encycl. « Casti Connubii » ita de iuvenum ad matrimonium praeparatione loquitur: « Illud negari non potest, felicis coniugii firmum fundamentum, et infelicis ruinam, iam pueritiae et iuventutis tempore in puerorum puellarumque animis instrui ac poni. Nam qui ante coniugium in omnibus seipsos et sua quaesiere, qui suis cupiditatibus indulgebant, timendum est, ne iidem in matrimonio tales futuri sint quales ante matrimonium fuerint » (*A. A. S.*, p. 584). — De iuvenum educatione ad castitatem vide etiam quae supra p. 112 sqq. diximus de vitio pollutionis; de procationibus autem confer *Casus I*, n. 128 sqq., n. 132 sqq.

scripta, qualia iam in omni lingua plurima variaque existunt. Hoc enim et Ecclesiae inimici, praecipue occasione novi partus, facere solent, ut hoc vitium spargant. Praesertim vero omnibus nupturientibus brevem distribuat instructionem vel catechismum de matrimonii christiani natura, fine et obligationibus.

4° Interdum per annum in sua paroecia vel civitate instituendas curet *conferentias*, uti vocantur, pro solis adultis, in quibus a sacerdotibus et potissimum a doctis laicis hoc argumentum sub omni respectu, scil. morali, oeconomico, sociali, medico, paedagogico, demographico etc., iuxta principia catholica tractatur et illustratur, refutatis quoque obiectionibus. Eodem spectant qui dicuntur « vesperi parentum », qui in multis iam locis saepius per annum vel per aliquot dies continuos habentur, et in quibus valde opportune etiam de hac materia aliquoties agitur.

5° Quantum potest nitatur, ut *publica opinio* seu aestimatio disponatur in favorem familiarum quae numerosam habent prolem. Has data occasione laudibus extollat, quippe quae sint gloria et corona suae paroeciae, Deique beneficia mereantur. Harum associationes et coetus verbo atque opere commendet. Contra graviter sed prudenter reprehendat illos qui hac in re publicum praebent scandalum, sive directe, suadendo onanismi praxim, sive indirecte, deridendo alios multos filios habentes, ostendendo falsam misericordiam uxoribus novum partum expectantibus etc.

6° Omnem operam det, ut *medici* de doctrina Ecclesiae circa matrimonium rite instituti sint, utque occasione partus iuxta eam consilia praebeant, imo coniugibus etiam pro futuro animum addant, insinuando onanismi detrimenta pro sanitate etc. (cfr. n. 164). Sint medici etiam edocti novissimam methodum *continentiae periodicae* (supra n. 169 *c*); in eaque applicanda, si graves adsunt rationes vitandi novam conceptionem, fidelibus consilio sint. Idem de *obstetricibus*, quae tum arte sua tum religione bene instructae sint oportet. Hos medicos vere catholicos, probasque obstetrices pro re nata suis fidelibus commendet.

7° Saepe utile erit ut ipse quoque vel eius cooperator post novum partum coniuges visitet, eis congratulans eosque confortans bonis verbis et motivis ex fide praesertim petitis.

8° Pro viribus adiuvet *familias pauperes grandiores* infantium numero, imprimis occasione morbi aut novi partus, eas commendando ditioribus vel societatibus caritatis, S. Vincentii, S. Francisci Regis, S. Elisabeth etc.[1].

9° Quantum pro sua conditione potest procuret etiam, sive per se sive per alios, ut a gubernio civili vel a municipio aut magnis «industrialibus» leges ferantur vel institutiones capiantur, quibus *conditio oeconomica* et materialis familiarum copiosam prolem habentium sublevetur, v. g. per habitationes magis aptas, per immunitionem contributionum iuxta numerum infantium, per praemia, per iusta salaria, per curam infirmorum, per prohibitionem operae uxorum in fabricis: hae quippe saepe onanismum propagant, etc.[2].

10° In compluribus regionibus latae sunt leges poenales contra eos qui vendunt, exponunt, propagant, commendant instrumenta ad praegnationem praeveniendam vel libellos etc. ea de re agentes. Utile est, ut ministri Ecclesiae has *leges cognoscant*, et data occasione pro sua prudentia earum applicationem urgeant.

11° Denique parochi aliique animarum pastores persuasum habeant, hanc causam, pugnam inquam contra onanismi vitium, esse *opus plane supernaturale* humanasque vires supergrediens, cuius felix exitus omnium maxime a Dei gratia sit expectanda. Hanc igitur gratiam semper postulent orationibus et propriis et alienis, vita devota, multisque sacrificiis. Aliarum quoque virtutum exemplis, praesertim sobrietatis et temperantiae, gregi suo praeeant, omnemque caritatem et benevolentiam ipsi exhibeant, imprimis pauperibus, infirmis, humilibus operariis, ut ita eius affectum et sympathiam sibi acqui-

---

[1] Hac de re ita Encycl. « Casti Connubii »: « Quando familiae, praesertim si grandior sit aut minus valeat, sumptus aequare non possunt, amor proximi christianus requirit omnino, ut ea quae desunt indigentibus christiana compenset caritas, ut divites praecipue tenuioribus opitulentur, neve qui superflua habent bona in vanos sumptus impendant aut prorsus dissipent, sed in sospitandam vitam et valetudinem eorum convertant qui etiam necessariis carent » (*A. A. S.*, 1930, p. 587).

[2] Huiusmodi actio indirecta omnino est ad mentem Pii XI, qui in eadem Encyclica eam reipublicae gubernatoribus ita enixe commendat: « Quoniam non raro perfecta mandatorum Dei observatio et coniugii honestas graves inde patiuntur difficultates, quod coniuges rei familiaris angustiis et magna bonorum temporalium penuria premantur, eorum necessitatibus, meliore qua fieri potest ratione, subveniendum profecto est... Quod si privata subsidia satis non sunt, auctoritatis publicae est supplere impares privatorum vires in re praesertim tanti momenti ad bonum commune, quanti est familiarum et coniugum condicio hominibus digna. Si enim familiis, iis in primis quibus est copiosa proles, apta desunt domicilia; si laboris victusque acquirendi occasionem vir nancisci nequit; si ad quotidianos usus nisi exaggeratis pretiis res emi non possunt; si etiam materfamilias, haud exiguo domesticae rei nocumento, necessitate et onere premitur pecuniae proprio labore lucrandae; si eadem in ordinariis vel etiam extraordinariis maternitatis laboribus, convenienti victu, medicamentis, ope periti medici aliisque id genus caret: nemo non videt, si quidem coniuges animo deficiant, quam difficilis eis reddatur convictus domesticus et mandatorum Dei observatio » (ib. p. 586 sqq.).

rant. Quo magis in hac vita supernaturali ipsi profecerint, eo maiores etiam Dei benedictiones eorum studia et opera in hac sacra pugna obtinebunt.

Haec de mediis ab animarum pastoribus adhibendis, ut crescenti semper onanismi malo obsistant.

V. Casuum solutio.

174. — Post longiores hasce pro rei momento tractationes paucioribus iam verbis casus (pag. 146-151) propositos expedire possumus.

Ad 1^m (p. 146). — Male egit Caius tum ut parochus tum ut confessarius, uti patet ex Encycl. «Casti Connubii» et responsis S. Poenitentiariae (supra n. 139 sq.). Interdum saltem fideles de huius vitii gravitate ita instruendi sunt, ut omnes ad quos spectat id probe intelligant. Idem dic de interrogationibus, a confessario regulariter, prudenter utique et caste sed satis clare, ponendis, ubi fundata est huius peccati suspicio. Secus confessarius in hoc peccato connivendo, ipse quoque graviter peccaret (ib.). Praesertim missio paroecialis tempus est valde opportunum populum de hac gravissima Dei lege instruendi ad eamque servandam exhortandi (n. 172, 3°). — Titius generatim quidem recte fecit, modo ne offensio fidelium ex eo oriatur quod prudentiae regulas migraverit. Hoc autem fieri potest, tum nimis frequenter in praedicatione hoc vitium directe insectando — nam etiam indirecte variis modis et haud raro efficacius hoc peccatum impugnatur —, tum utendo verbis minus castigatis et urbanis, tum nimia vehementia miseris his peccatoribus portam misericordiae Dei quasi occludendo.

175. — *Ad* 2^m (p. 147). — Per se non recte egit Sempronius. Est enim Germanus in habitu pessimo recidivus formalis, cui simpliciter dolorem et propositum testanti fides haberi nequit; nam etiamsi confessarium decipere non vult, facile semet ipse decipit et hallucinatur circa firmum propositum quod numquam exsecutus est (cfr. supra n. 151, 3°). Notio illa recidivi, quae dicitur «sensu theologico», sensu neque communi neque theologico recta est (*Opus*, n. 221 sq.). Neque quod quis tempore paschali confitetur, per se tamquam speciale signum verae contritionis haberi potest (supra

n. 62). Secus esset, si Germanus, exhortatione Sempronii valde commotus, verbis cordialibus non dubiis firmius suum propositum declararet; quod non raro occurrit, praecipue apud illos qui nondum diu huic vitio addicti sunt. Tunc statim absolvi poterit (supra n. 152). Attamen, si confessarius moraliter certus est poenitentem dilatum brevi esse rediturum — quod in casu Germani sperare fas est —, generatim multo melius erit ipsi absolutionem differre, ut hic certius suum propositum exsequatur.

176. — *Ad* 3^m (p. 147). — Nostro iudicio Titii agendi ratio probari nequit. Optime quidem illos sponsos monuit de dimittenda illa praxi et prosequendo sanctiore in usu matrimonii fine. Sed quia continentia periodica sine causa relative gravi etiam per longum tempus admissa per se est tantum leviter illicita, et quia in illis coniugibus deerant etiam circumstantiae ob quas grave peccatum fiat (supra n. 160), eis idcirco absolutionem negare, si aliunde dispositi erant, prorsus non licuit (cfr. Resp. S. Poenit., n. 162). Quinimo huiusmodi christianis imperfectis et mundanis beneficium absolutionis, quam petunt, hanc ob causam denegare, eos facile offendere poterit eosque haud raro adducere, ut paulatim sacramentorum usum aliaque religionis officia plane negligant, atque tunc sine freno onanismi crimini se tradant. — Multo igitur melius egit Caius qui, ubi vidit se hos sponsos suis rationibus ad meliora movere non posse, benigne eis absolutionem concessit. Si hi coniuges suavibus eius moribus allecti, post aliquod tempus saepius ad ipsum redeunt, sperare licet fore ut pedetentim eos ad perfectiorem vitam christianam multaque bona opera perducere possit.

177. — *Ad* 4^m (p. 148). — Iure quidem meritoque confessarius graviter dubitat de debita Cornelii dispositione. Si enim Cornelius per complures iam annos semper promisit, se ab usu matrimonii abstenturum esse, sed hoc per paucas dumtaxat hebdomadas fecit, per reliquum anni tempus onanistice vivens, censemus ipsi neque sub conditione absolutionem esse concedendam, nisi nunc specialia melioris propositi signa praebeat. Nam post tot inanes promissiones vix non moraliter certum est, poenitentem sibi fucum facere, eiusque propositum nequaquam fuisse firmum neque absolutum, id est tale ut vere velit numquam amplius peccare. Aliis verbis, videtur esse ex illis onanistis habituatis qui velut pro systemate habent prolis

incrementum omni ratione praevenire; quorum conversio est perdifficilis (supra n. 151). Recogitet igitur confessarius, primo ad dandam absolutionem conditionatam dispositionem saltem positive dubiam requiri, deinde bonum commune privato bono esse praeferendum, adeoque absolutionem saepe esse differendam, ne aliis scandalum oriatur et vitium magis diffundatur.

Verum enim vero, confessarius, antequam ad hanc dilationem perveniat, Cornelio proponat servare continentiam periodicam iuxta novam methodum, de qua supra (n. 156) fuse locuti sumus. Si poenitens serio dicit, sibi videri usum matrimonii per binas fere hebdomadas singulis mensibus sufficere, confessarius hoc medium ei enixe commendare debet; eique etiam statim absolutionem concedere potest, simul paterne eum exhortans ut brevi ad ipsum redeat, suique experimenti rationem reddat. Certe commendando praxim periodicae continentiae, casu quo quis aliter a praxi onanistica averti nequeat, multo plures salvantur animae quam si confessarius prorsus exigat, aut usum matrimonii sine temporis foecundi et sterilis distinctione, aut absolutam ab illius usu abstinentiam. Quum enim plurimis ex hisce coniugibus christianis utrumque moraliter impossibile videatur, aut ab omni confessionis praxi abstinebunt — uti lugenda experientia nimis constat —, aut etiamsi rectum eius usum promittant, eorum propositum persaepe adeo erit infirmum, ut neque sub conditione absolutio prudenter dari possit et, si ab incauto confessario daretur, hic sacramentorum abusus magis ad eorum perniciem vergeret.

Quia ergo hac nostra aetate in omni hominum conditione casus sunt frequentissimi, in quibus iustae dantur rationes, sive oeconomicae sive medicae aliaeve, vitandi novum partum vel prolis augmentum, confessarii continentiam limitatam iuxta hanc novam methodum, caute utique et prudenter, insinuare et commendare non solum possunt, sed saepe etiam debent ad maiora mala privata et communia praecavenda (cfr. supra n. 168, 5°).

178. — *Ad* 5^m (p. 148). — Theoretice ratio Caii verissima est. Practice tamen totalis abstinentia ab usu matrimonii ut plurimum a coniugibus ordinariis expectari nequit, quia, spectata vehementia concupiscentiae, spectata etiam proxima peccandi occasione in qua coniuges assidue versarentur, ad talem abstinentiam opus esset virtute plus quam ordinaria quae in coniugibus communiter non invenitur. Unde si confessarius moraliter certus est, in hoc casu parti-

culari poenitentem se ab usu non esse abstenturum, ius habet eum
obligandi ut rite utatur matrimonio, quippe quod etiam ut remedium
concupiscentiae a Deo institutum est. Male tamen ageret Titius si
omnes poenitentes qui in onanismum lapsi sunt, ad usum matrimonii obligare vellet. Haud raro enim casus occurrunt, in quibus
coniuges vere christiani mutuo consensu et adhibitis mediis necessariis, scilicet oratione, frequenti sacramentorum usu, remotione periculorum etc., continentiam servare possunt et volunt, idque non
solum ex rationibus altioribus, sed etiam ex aliis rationibus iustis,
v. g. oeconomicis. Attamen si poenitens diceret sibi impossibile esse
ab usu matrimonii prorsus abstinere, sub gravi tenetur sequi saltem
praxim continentiae periodicae et rectum matrimonii usum limitare
ad tempus sterile, quando conceptio non est probabilis. Ac propterea
Titius quoque hoc ipsi iniungere potest, imo etiam debet, ut ita
omnia tentet, quae poenitentem a nefando peccato onanismi avertere possint (supra n. 168, 5°)[1]. — Praxis Caii, qui onanistis recidivis
numquam imponit remedium recti usus matrimonii, etiam quando
certus est coniuges eodem esse graviter abusuros, nobis aequo laxior
et valde periculosa videtur nimisque favens maiori semper propagationi nefandi huius criminis etiam inter catholicos. Quam ob rem
etiam Caius ipsis imponat, ut saltem tempore sterili matrimonio iuxta
naturae leges utantur, reliquo vero tempore, si velint, ab eo se abstineant. Si hoc promittere nolunt, absolutione digni non sunt.

179. — *Ad* 6ᵐ (p. 149). — Confessarius, si quacumque ratione
fieri potest, Luciano ad aliquot dies, vel saltem ad aliquot horas
absolutionem differat, donec libellos illos destruxerit et etiam verbis,
quoad facere potuit, scandalum aliquo modo reparaverit. Si Lucianus
redire non potest, dicat saltem confessarius ne altero mane ad S. Communionem accedat nisi prius libellos destruxerit et aliquo saltem
modo aliis quibusdam plenam suam conversionem manifestaverit.
Hoc si poenitens ex corde promittit, confessarius ipsi statim absolutionem concedere poterit. Imo etiam, ut opinamur, si eodem mane
Communionem recipere deberet; quia extraordinaria eius contritio
satis certa cautio est, quod quantocius, saltem desistendo a propagatione, scandalum est reparaturus. Interim varia perseverantiae media
ipsi indicet confessarius.

---

[1] Vide in *Opere* thesim 8ᵃᵐ, cuius argumentatio etiam valet pro onanistis recidivis.

180. — *Ad* 7ᵐ (p. 149). — Non recte egit Titius. Damianus, utpote publicum gerens officium, omnino instrui et moneri debuit, etiamsi esset in ignorantia invincibili, quia publicum dedit scandalum (cfr. supra n. 144, *b*). Saepe talis monitio melius datur iam antequam ad confessionem venit, a parocho eiusve cooperatore, prudenti utique modo et quasi familiariter. Fortasse Damianus induci potest, ne iam suadeat media, quibus in usu matrimonii conceptio impediatur, sed ut potius coniuges doceat matrimonio uti solo tempore sterili iuxta novam methodum continentiae periodicae, et ita periculum novae conceptionis praeveniatur. Sed si poenitens hoc admittere nolit, neque etiam promittere velit, numquam amplius dare consilium onanisticum, absolvi nequit. Secus enim in artis suae exercitio bono communi maxime noceret; nam multi fideles, credentes ipsum utpote ad sacramenta accedentem esse bonum catholicum, in gravissimum errorem circa absolutam onanismi prohibitionem ducerentur; haud raro unus talis medicus sufficeret ad locum quemdam hoc vitio inficiendum. Neque obstat quod medicus sacramenta derelinquet; nam hoc ipsum illa gravi monitione intenditur, scilicet ut medicus aut aliis prava consilia dare cesset, aut a sacramentis se abstineat. Omnium autem maximum damnum esset, si fideles communiter crederent, onanismum in aliquibus vitae adiunctis permitti posse — uti docuerunt Episcopi illi Anglicani (supra n. 134) —; imo maius esset damnum quam quod Damianus, offensus neque amplius sacramenta frequentans, inferre potest. Tunc enim fideles illum iam non ut bonum catholicum habebunt, et sacerdotes eos contra huiusmodi medicum praemonere possunt; id quod certe logice et cum fructu facere non possunt, si ipsi onanismum suadenti absolutio concedatur. — Idem fere casus esset de obstetrice.

181. — *Ad* 8ᵐ (p. 150). — Multifariam peccavit confessarius. Primo quidem quia Florentiam, quam onanistam aliisque dantem scandalum graviter suspicabatur, non ulterius interrogavit (supra n. 140 sq.); tum quia non serio eam specialiter monuit de huius peccati gravitate (n. 145); deinde quia ei non positive iniunxit ut scandalum repararet; denique quia sub conditione absolvit illam, quae moraliter certo disposita non erat, utpote saepius recidiva formalis, neque ulla ratione voluntatis mutationem ostendens sed grave semper scandalum praebens. Est Florentia ex illis mulieribus mundanis quae, ex ignorantia affectata vel crassa et graviter culpabili, catholicam re-

ligionem et praxim potissimum considerant ut pulchrum quemdam
complexum caeremoniarum externarum, ad suae conditionis modum
et formam attinentem; quales mulieres hodie interdum in altiore societate inveniuntur, quae pessimo suo exemplo multas alias christiane
educatas inficiunt et corrumpunt.

Graviter igitur confessarius suo defuit officio; eius indulgentia
erat prudentia carnis et peccati conniventia; imo sua remissiore praxi
et doloso silentio cooperatus est diffusioni pessimi huius criminis.
Ubi agitur de bono communi circa gravissimam Dei legem — uti in
nostro casu — confessarius, ut Ecclesiae minister, suum officium
implere debet, quidquid accidat, etiamsi poenitens idcirco sacramenta
deserat, bona opera relinquat et in aeternum pereat. Secus, ait
Pius XI, « sciat se Supremo Iudici Deo de muneris proditione severam
redditurum esse rationem, sibique dicta existimet Christi verba:
"Caeci sunt et duces caecorum: caecus autem, si caeco ducatum
praestet, ambo in foveam aeternae perditionis cadunt" » (supra n. 139).
Lege verba Dei ad Ezechielem (c. XXXIII, 7-9) supra (n. 171, *nota*).
Confessarius igitur, si animam suam salvare vult, poenitentem de
malitia huius peccati plene instruat, eamque non dure quidem, severe
tamen reprehendat, minando etiam gravissimam Dei vindictam aeternam, ut ita eam salutari timore percellat. Si eam plane mutatam
et vere compunctam crediderit — id quod difficile cum hisce mulieribus mundanis et in onanismo obstinatis continget —, ei benignis
verbis absolutionem differat, usquedum scandalum datum reparaverit et instrumenta praeservativa destruxerit. Si poenitens hoc facere
renuit, eam ne absolvat: signum enim est satis certum eius compun-
ctionem non esse veram, eiusque propositum nimis debile. Forte haec
severa agendi ratio eam ex gravi suo lethargo excitabit, ita ut postea
omnino disposita redeat. Illud saltem obtinebit confessarius, ut Florentia ipso suo accessu ad sacramenta aliis scandalum non praebeat
et sic diffusioni onanismi cooperetur.

182. — *Ad* 9^m (p. 150). — Birgitta filiae suae grave praebuit
scandalum, quod prorsus reparare debet. Praeterea, dando hoc consilium in eoque persistendo, ostendit se nullo modo dispositam esse
ad accipiendam absolutionem. Propria sua onanismi peccata contritione supernaturali et universali non dolet: ea enim iterum commit-
teret, si in eadem conditione ac filia sua versaretur. Confessarius ergo
graviter eam moneat atque quantum potest excitet ad veram con-

tritionem, etiam de scandalo filiae dato. Quam si Birgitta signis indubiis ostendit, confessarius per se eam absolvere potest. Attamen quia graviter timendum est, ne semel absoluta pravum consilium non sit retractura, confessarius eam pro absolutione humanis verbis remittat usquedum scandalum reparaverit; id quod ipsa statim paucisque verbis facere potest. Si poenitens hanc dilationem aegre ferret et probabiliter non rediret, confessarius eam, firme promittentem contrarium consilium filiae daturam, prima vice absolvere posset. Si tamen iam semel ab aliquo confessario absoluta fuerit nec promissis steterit, altera vice ne absolvatur, nisi prius gravi obligationi satisfecerit. Notandum est, multas nostra aetate iuniores uxores, christiane educatas, ad praxim onanismi pervenire, inductas a proximis sui sexus parentibus. Cum hisce ergo utpote scandalum dantibus et formaliter peccato cooperantibus, severe potius agendum est, ne nimia indulgentia vitium propagetur. — Si confessarius a iunioribus coniugibus audit, matrem tale pessimum dare consilium, eas ad animi fortitudinem excitet, neve prorsus sinant se a matre reprehendi quod Dei legem custodiant.

183. — *Ad* 10^m (p. 151). — Casus Bertae nostra aetate ubique fere locorum frequentissimus est, deque eo S. Poenitentiaria pluries iam responsum dedit. Pius XI in eadem Encyclica « Casti Connubii » quae hactenus responsa sunt ita in breve compendium retulit: « Optime etiam novit Sancta Ecclesia, non raro alterum ex coniugibus pati potius quam patrare peccatum, cum ob gravem omnino causam perversionem recti ordinis permittit, quam ipse non vult, eumque ideo sine culpa esse, modo etiam tunc caritatis legem meminerit et alterum a peccando arcere et removere non negligat » (A. A. S., 1930, p. 561). Verba haec ad casus nostri solutionem paucis explicare lubet.

a) SS. Pontifex hic tantum agit de onanismo *nativo* unius coniugis se retrahentis ita ut semen extra vas effundatur. In illo autem casu actus copulae ab initio ex se aptus est ad generationem adeoque licet: « Copula *incepta*, ita sicute S. Alphonsus (VI, 947), per se omnino utrique est licita »; frustratur tantum propter alterius partis malitiam. Non igitur agitur de onanismo *artificiali*, in quo actus copulae iam ab initio et ex se seu ratione sua est intrinsece malus, utpote totus quantus non aptus ad prolem concipiendam. Unde inepte quis ex his verbis: « pati potius quam patrare peccatum » concluderet, coniugem omnes actus pati ac permittere posse, quos alter coniux hac occasione patrare vellet; secus concludendum foret, coniugem etiam actum sodomiticum pati ac permittere posse. Hinc vigilanter dicitur solum: « non raro ». Manet igitur in vigore responsum S. Poenitentiariae 3 Iunii 1916, quo uxori prorsus prohibetur copula cum viro qui utitur instrumento praeservativo, ita ut ad positivam resistentiam teneatur, ad instar virginis oppressae quae solum ob timorem mortis vel mali huic aequivalentis a tali resistentia abstinere posset. Atque idem, nostro iudicio, ob rationem supra adductam valet de marito, si uxor instrumento praeservativo occlusivo (pessario) uteretur. Confessarius igitur prudenter poenitentem de modo onanismum exercendi interroget.

b) Oportet ut Berta pravum mariti actum tantum *patiatur* et *permittat*, quin eum velit seu eidem consentiat. Unde graviter peccaret poenitens, si aliquo modo, verbis aut signis, se actum mariti approbare aut provocare ostenderet, v. g. eum in actu copulae hortando ad prudentiam, querendo etiam alio tempore de numerosa prole pravum mariti actum intendens aut praevidens, etc. Confessarius ergo, si graviter suspicatur poenitentem ita peccasse, eam interrogare, et, si ream repererit, ut veram onanistam iuxta regulas ordinarias tractare debet. Solum desiderium non plures habendi filios per se peccatum non est, neque gaudium ea de re. Caveat tamen Berta, ne gaudium de effectu in gaudium de ipso peccato transeat. Quare confessarius ipsam hortetur, ut huiusmodi desiderii et gaudii sensus repellat, et contrarios potius foveat.

c) Praeterea, ut ait SS. Pontifex, « *gravem* omnino rationem » Berta habeat oportet, ut ita materialiter mariti peccato cooperetur, timens scilicet grave incommodum, sive ex parte mariti, v. g. eius gravem indignationem, eius adulterium, sive ex sua parte, v. g. periculum incontinentiae etc.

d) Denique opus est ut poenitens serios conatus adhibeat, quibus maritum « a peccando arceat et removeat », maxime per salutares *monitiones*. Atque ad hoc uxor sub gravi etiam tenetur, si est spes fructus, idque « ex lege caritatis » erga maritum. Sint idcirco hae monitiones non intempestivae et assiduae, sed opportunae, tempore scilicet apto et modo suavi ac blando, precando et supplicando, rationesque validas addendo. Tunc enim haud raro, praesertim si vir nondum diu huic praxi est assuetus, bonum effectum sortientur, ita ut hic, ne dilectam uxorem nimio moerore affligat, copulam iuxta Dei leges perficiat. Si eius preces frustra prorsus fuerint, illud saltem Berta suavi modo obtinere nitatur, ut maritus, iuxta methodum continentiae periodicae, solo tempore sterili rite matrimonio utatur, reliquo tempore voluntarie se contineat. Huiusmodi uxoris agendi monendique ratio saepe plus efficiet, quam ipsius confessarii monitio. Quapropter confessarius hoc monendi officium Bertae serio inculcare debet, ne ex confessariorum negligentia illud contingat, quod fere solae mulieres ad sacramenta accedant. Iure id monent Episcopi Belgii in Instructione ad Clerum (2 Iunii 1909): « In hoc casu erga ipsam (uxorem) severitate potius quam laxitate agendum, ne eo deveniatur ut, dum viris sacramenta denegantur, mulieres onanismo indulgentes passim ad ea admittantur ».

184. — *Ad* 11ᵐ (p. 151). — Confessarius Florimundo animum addat, eumque excitet ad omnem fiduciam in Deo ponendam, qui, voce Episcopi, eum ad hunc incultum agrum laborandum elegit, adeoque etiam in hoc opere certe adiuvabit. Deinde ipsi proponat ea quae supra (n. 171-173) diximus de remediis contra onanismi vitium adhibendis. Videlicet

a) Ante omnia vitam vere supernaturalem agat. Ipsemet instanter oret, aliosque, imprimis infantes piasque personas, privatim et publice orare faciat pro grege sibi commisso; hasque preces per vitam sobriam et mortificatam Deo magis acceptas reddat. Quotidie meditationem instituat, brevemque lectionem spiritualem, imprimis ex vita sanctorum parochorum, et tertiam partem rosarii recitet; sacrificium Missae devote celebret cum ferventi gratiarum actione. De hoc enim onanismi vitio potissimum valet illud: « Hoc genus demoniorum non eiicitur nisi in ieunio et oratione ».

b) Maximam caritatem et benevolentiam omnibus ostendat, praecipue infirmis et pauperibus, seque integrum pro populo impendat. Quo magis ab ipso aestimatur et amatur, eo libentius eius monita accipientur.

c) Concionando saepe agat de veritatibus aeternis, praesertim etiam de matrimonii christiani dignitate et sublimi fine; laudetque idcirco coniuges, qui multos filios, in aeternum Dei adoratores, procreant.

d) In confessionali prudenter at clare loquatur et, si viri parum confitentur, uxores praesertim rite instruat et moneat, ut per has etiam viri instruantur.

e) Si viri onanismo iam dediti confessum veniunt, quos aliter a peccato avertere nequeat, caute ipsis commendet novam continentiae periodicae methodum. Hac via probabiliter multos, qui adhuc bonam ostendunt voluntatem neque adeo in vitio habituati et obstinati sunt, ad meliorem frugem adducet. Aliquando etiam per uxores prudentes viros hac de re instruere poterit. Si est aliqua spes fructus, cum medicis quoque huius loci amica conversatione de hac methodo loquatur, ut ipsi etiam, data occasione, hanc fidelibus commendent.

f) Post aliquod tempus sacram missionem in sua paroecia habendam curet.

g) Persuasum tamen habeat, conversionem paroeciae opus esse diuturno arduoque labore, et a nova maxime generatione esse expectandam. Quapropter quantocius instituere incipiat congregationem marianam pro puellis, dein suo tempore associationes pro pueris et iuvenibus.

h) Specialem curam habeat, ut nupturientes ad sanctum matrimonium rite praeparet, eosque de licitis et illicitis clare instruat.

i) Paulatim alia etiam media indirecta adhibeat: libellos, conferentias etc., de quibus vide supra (n. 175, 3, 4).

Ne ergo Florimundus animum demittat. Nam si in hisce mediis supernaturalibus et naturalibus utendis perseverat « in omni patientia et doctrina », Deo dante certe paulatim multos zeli sui fructus percipiet, quales, experientia teste, alii quoque parochi, Dei spiritu afflati, perceperunt.

ARTICULUS V.

De iniustitia et avaritia.

185. — Quum divitiae praecipuum sint medium acquirendi alia bona terrena: voluptates, honores, dignitates ceteraque huius vitae oblectamenta et commoda, nostra aetate cum immoderato horum bonorum appetitu creverunt etiam peccata contra VII et X decalogi praeceptum, ita quidem ut multi etiam catholici in habitu seu vitio iniustitiae diu vivant, et idcirco gravissimum aeternae damnationis periculum incurrant. Praeterea alii complures, etsi in acquirendis aut retinendis bonis non graviter peccent contra iustitiam commutativam, nihilominus, sordida ducti avaritia, nimio affectu erga ea quae possident tenentur, nec bona superflua in debitum usum, puta ad sublevandos pauperes aliaque bona opera, impendunt, sed ea prorsus inutiliter accumulant vel in luxum plane irrationalem prodigunt. Hac autem ratione etiam hi facile graviter contra iustitiam socialem peccare possunt. Quapropter pastorum animarum et confessariorum est, fideles efficaciter contra haec vitia praemunire et in ea lapsos ad meliorem frugem reducere.

Pro nostro proposito aliquot tantum casus practicos, qui ad iustitiam sive commutativam sive socialem spectant, praeponere et solvere iuvabit.

Casus propositi

186. — 1° *Restitutio ob pecuniam iniuste possessam.* — Aemilius, vir dives sed avarus, ceterum catholicus qui debitum paschale omnino adimplere vult, ob aliquam actionem certe iniustam, puta fraudem in testamento, proximo magnam pecuniae summam restituere

debet; ad quod tamen ex iure civili cogi nequit. Licet statim solvendo semper par fuerit et etiam nunc sit, sordida tamen ductus avaritia, gravem hanc obligationem per integrum fere annum distulit. Occasione missionis paroecialis Aemilius, aeternae damnationis metu perculsus, peccatum vere dolet, idque apud Titium confitetur, eique sincere promittit se brevi restituturum esse. Nihilominus graviter timet Titius, ne poenitens, quem ob inanes quasdam tergiversationes pecuniae valde addictum esse probe advertit, proposito infidelis fiat. Quapropter suavi modo ipsi iniungit, ut prius illico restituat et dein absolutionem recepturus redeat. — Rectene egit Titius? (Cf. resp. n. 193 sqq.).

2° Herus fabricae non dans salarium iustum.

In quadam civitate Cyrillus, educatione bonus catholicus, magnam habet officinam seu fabricam, in qua multa centena operariorum, qui fere omnes catholici sunt, laborant. Salarium quod ipsis dat sufficit quidem ut ipse operarius solus ex eo honeste vivat, sed minime sufficit ad convenientem sustentationem alicuius familiae, ex uxore certoque infantium numero constantis. Ait enim Cyrillus: pro tali salario contractum inivi cum operariis; si contenti non sunt, alibi laborem quaerant. Ipse interim ingentem quaestum facit, ita ut paucorum annorum spatio perdives factus sit et semper adhuc eius divitiae accrescant. Ut patet, magna existit in illa regione animorum irritatio contra Cyrillum; sed ipse arbitratur, se suum cuique dare, nec quidquam sibi contra iustitiam obiici posse. Ceterum, Cyrillus quotannis praeceptum paschale implet et diebus dominicis Missae sacrificio assistit; contribuit etiam bonis suae paroeciae operibus, et familiis maxime egentibus eleemosynas dare non renuit. Hoc tamen non impedit quin longe maior operariorum pars cum suis familiis, ob salarii tenuitatem, nimis angustam pauperemque vitam ducere cogantur. Interim Cyrillus tempore paschali confessionem instituturus accedit ad Titium. Hic, ultimis temporibus studens quaestioni sociali, persuasum iam habet, salarium familiare operariis ex iustitia deberi, eaque de re urbanis quidem at gravibus verbis monet poenitentem.

De iniustitia et avaritia

Cyrillus fatetur quidem, se maius salarium tribuere posse, sed prorsus negat se ad hoc teneri. Praeter supra dicta principia hanc etiam dat rationem, quod magnis illis quaestibus indiget ad amplificandam semper suam fabricam novis aedificiis novisque machinis, sine quibus concursum cum aliis eiusdem regionis fabricarum heris sustinere non possit. Nihilominus urget Titius ut maiorem mercedem operariis tribuat, et tandem Cyrillum, respondentem se hoc promittere non posse, non absolutum dimittit. In hoc capessendo consilio Titius, uti ait, movetur quoque ratione boni communis seu amovendi scandali: plurimi enim operarii aliique eiusdem regionis accusant clerum culpabilis indulgentiae seu conniventiae erga heros qui, quo maiores semper divitias accumulent, operariis iustam mercedem negant. — Quid de hac casus solutione dicendum? (Cf. resp. n. 196 sq.).

3° *Herus prohibens suis operariis nomen dare associationi catholicae.*

Eugenius, alter in eadem civitate fabricae dominus, item catholicus satis bonus, magnos quoque quaestus facit; suis etiam operariis iustum salarium, communiter familiae ordinariae necessitatibus conveniens, tribuit. Ut autem his lucris quiete frui pergat, suis operariis quoad magnam partem catholicis prohibet nomen dare associationi catholicae, nuper ab optimis quibusdam viris catholicis cum approbatione auctoritatis ecclesiasticae erectae et directae, eo quidem fine ut operarii catholici a societatibus socialisticis avertantur. Quare Eugenius operarios, qui eius prohibitioni obedire renuunt, sine misericordia e sua fabrica dimittit: vult enim, ut ait, dominus manere in sua officina, neque ab operariis legem sibi imponi sinit. — Hunc quoque idem Titius peccati gravis reum esse pronuntiat; et quum poenitens a sua agendi ratione recedere non velit, in confessione eum sine absolutione dimittit. — Quid de hac praxi dicendum? (Cf. resp. n. 198 sq.).

4° *Operarii per operistitium (sciopero, grève, strike) laborem intermittentes.*

In quadam civitate exorta sunt gravia inter heros fabricarum

et operarios litigia, quae, quum neutra pars cedere velit, tandem
desierunt in operistitium fere omnium operariorum qui ad associationem sive catholicam sive socialisticam pertinent. Ut fieri solet,
brevi varia damna sequuntur: odia, violentiae, miseria in familiis etc.
Operarii eos qui adhuc laborare volunt, ut hoc impediant, suo consortio excludunt, moleste sequuntur, verbis vexant etc.; et, quum heri
interea ex vicinis regionibus alios operarios conduxerint qui minore
mercede laborem susciperent, hos quoque variis modis prohibent quominus ad fabricam accedant, cibos ibi emant etc. Ex sua parte heri,
nihil concedentes, minantur exclusionem («lockout») omnium operariorum qui stato die in fabricis praesentes non erunt. Interim multi
operarii catholici ad sacramenta accedere cupiunt. — Quaeritur,
quaenam debeat esse confessariorum et pastorum animarum agendi
ratio in hisce turbulentis adiunctis? (Cf. resp. n. 200 sqq.).

5° *Parochus faciens operationes periculosas in «bursis».*

Simon, parochus, in operationibus bursarum satis versatus, sed
pecuniarum plus aequo cupidus, bona tam propria quam ecclesiae
suae, quo maiores fructus faciant, arbitratu suo collocat in titulis aleatoriis seu speculativis, uti vocant, qui communiter a peritis non tuti
et securi habentur. Titulos qui valore creverunt vendit, emitque alios
qui pretio decreverunt, ut hos iterum vendat quamprimum plus valeant. Atque ita frequenter, imo habitualiter facit. Idem facit cum
magna pecuniae summa, quam suo rogatu Adrianus, eius parochianus, ipsi administrandam commisit sub conditione ut quotannis
fenus 5% accipiat. In his operationibus bursarum Simon in universum,
varia utique fortuna, multum lucratus est. Sed ecce, ex inopinato venit
magna bursarum crisis: permulti tituli, maxime illi speculativi quos
habet Simon adeo pretio cadunt, ut vix tertiam partem pristini valoris
medii retineant, alii adhuc multo minus, ita ut quasi integri interierint. Interim auctoritas ecclesiastica, occasione visitationis canonicae,
hanc magnam imminutionem bonorum ecclesiae detexit; et idem
Adrianus, quum suam summam capitalem repetere velit, expertus est.
Parochus hac de re vehementer animo cruciatur, et theologum quem

dam consulit. — Quaeritur ergo: Quid de hac Simonis agendi ratione dicendum? Quid de eius restituendi obligatione? Quo modo confessarius ipsum tractare debet? (Cf. resp. n. 204 sqq.).

> *Quaeritur* I. Quaenam sunt praecipua nostrae aetatis peccata contra iustitiam?
> II. Quomodo confessarii his peccatis inquinatos tractare debent?
> III. Quae sunt pastorum animarum officia quoad peccata iniustitiae?
> IV. Quomodo casus propositi solvendi sunt?

I. Praecipua peccata huius aetatis contra iustitiam.

187. — Inde a saeculo per commercium et industriam multae novae ortae sunt conditiones sociales et oeconomicae, in quibus plurima peccata contra iustitiam sive commutativam sive legalem ac socialem committi solent. Haec omnia recensere impossibile est; praecipua tantum, quae in praxi frequentius occurrunt, in compendium redigere sufficiat. Neque, ut patet, in hoc brevi compendio omnes necessariae explicationes afferri possunt, utputa conditiones vel restrictiones, quae a peccato iniustitiae aut prorsus aut saltem a gravi culpa excusant; qua de re conferantur auctores Theologiae moralis.

Praecipua itaque peccata sunt quae sequuntur:
1° Aliena bona surripere seu furtum committere.
2° Fraude uti in mensura et pondere, in materiae adulteratione, aut in eius qualitatibus exaggerandis vel vitiis occultandis.
3° Aliena bona non restituere vel diutius restitutionem differre.
4° In possessione dubiae fidei non inquirere debita diligentia circa verum rei dominum.
5° Damna alicui inferre, illataque non resarcire.
6° Facere debita quae probabiliter solvi non poterunt, vel eorum solutionem ultra quam par est differre cum creditoris damno.
7° Non legitime exsequi testamentum, vel non solvere legata, praesertim ad opera pia.

8° Mediis fraudulentis aliquem impedire ab acquirendis bonis ad quae ius habet.

9° Contractui libere et iuste inito non stare, vel mediis fraudulentis eum rescindere.

10° In venditione-emptione uti fraudibus, mendaciis, aliisque mediis quae communiter habentur illicita.

11° Abuti alterius ignorantia ad vendendum ultra pretium summum vel ad emendum infra infimum.

12° Operariis denegare iustam mercedem, quae iuxta Encycl. «Quadragesimo anno» per se videtur esse salarium, uti aiunt, familiare.

13° Non servare vel callide eludere leges a gubernio civili latas ad prospiciendum operariis in morbis, senectute, damnis vitae vel membrorum etc.

14° Si operarii non praestant debitam operam vel laborem, tempus inutiliter terendo etc. cum domini damno.

15° Per operae intermissionem iniustam mercedem extorquere.

16° Proximi necessitate abuti ad exigendum ex mutuo nimiam usuram seu fenus, vel ad deprimendam iustam laboris mercedem.

17° In ludis aliisque contractibus aleatoriis non servare aequalitatem periculi utriusque ludentis, vel uti fraudibus illicitis.

18° Uti monopolio ad res vendendas supra pretium summum, vel conventione cum aliis facta ad emendas infra infimum.

19° Non adhibere diligentiam debitam in administrandis bonis alienis sibi concreditis.

20° Ludendo in «bursa», in commercio aut industria gravi periculo exponere bona aliena vel ecclesiastica, v. g. ea collocando in titulis non tutis et securis, sed aleatoriis seu «speculativis».

21° Aliis consilio commendare titulos alicuius societatis tamquam tutos, quos ipse consulens scit esse parum tutos, sed aleatorios.

22° Pro opera administrationis in aliqua societate (commercii, industriae etc.) pretium sumere, laborem, propriam industriam, consilia longe excedens, cum damno aliorum participantium.

23° Proponere falsam rerum rationem seu «bilanciam»; item spargere falsa nuntia, quibus valor titulorum crescat aut deprimatur.

24° Contra iustitiam saltem socialem et caritatem graviter peccat qui ingentia capitalia, etiamsi singula iuste acquisita sint, cumulat cum boni communis damno; — item qui in communi aliorum

necessitate ex bonis vel reditibus superfluis eleemosynas non dat,
neque ad alia caritatis vel pietatis opera contribuit. Ita ex Encyclica
« Quadragesimo anno ».

II. CONFESSARIORUM CIRCA PECCATA INIUSTITIAE AGENDI RATIO.

188. — Quoniam tria sunt confessarii munia generalia, videlicet
interrogandi, monendi et absolvendi, de singulis ad nostram materiam applicatis agemus.

A) *Interrogatio*. — Generalis regula est, confessarium tum solum interrogare debere, si prudenter iudicat poenitentem in aliqua
materia gravis peccati reum esse. Unde de gravi iniustitia commissa
poenitentes ordinarii, qui satis diligenter conscientiam examinasse
supponuntur, interrogandi non sunt, nisi quis publica fama iniustus
habeatur, vel esset ex eis qui saepe contra iustitiam peccare solent
et parum religiosi sunt raroque confitentur. In confessione tamen
generali necessaria ordinarie quaedam quaestio hac de re ponenda
est, quia prudenter praesumitur in longa vitae parte huiusmodi peccatum fuisse commissum vel oblitum. Modus interrogandi sit semper
comis et urbanus, quo poenitens non offendatur, v. g. num forte
conscientia angatur circa iustitiam, circa bona aliena.

189. — B) *Monitio* vel instructio respicit praesertim ad obligationem restituendi vel resarciendi damnum illatum. Qua in re ante
omnia considerandum est, utrum obligatio dubia sit an certa.

1º Si *dubius* haeret confessarius de hac obligatione, sicut saepe
contingit in casibus implicatis, v. g. contractuum, praescriptionis in
qua etiam leges civiles interveniunt, confessarius ne quid praepropere
decernat, sed decisionem differat, usquedum quaestioni magis stu-
duerit, vel etiam confratrem doctiorem aut legisperitum consuluerit,
petita ad hoc poenitentis licentia, si forte aliquod periculum fran-
gendi sigillum adesse possit. Quodsi poenitens ad eumdem confessarium redire nequiverit, absolvi potest, modo serio promittat se
alium confessarium doctum et prudentem esse consulturum et prae-
stiturum quod hic iniunxerit. — Si post debitam investigationem
obligatio restituendi manet dubia, confessarius eam imponere nequit,
quia lex dubia non obligat. Idem valet, si obligatio est quidem certa,

sed dubitatur de tali quantitate restituenda; quo casu restitutio partis quae est certa, facienda est.

2° Sin autem obligatio est *certa* et poenitens eam statim exsequi potest, confessarius per se eum monere debet ut illam quam primum moraliter fieri potest faciat. Neque confessario fas est poenitenti longiorem dilationem concedere, tum quia retentio rei alienae est ablatio continuata et generatim domino grave damnum infert, tum quia non necessaria restitutionis dilatio ordinarie poenitentem proximo periculo non restituendi exponit. Excusat tamen a restitutione statim facienda impotentia physica aut moralis, quia tunc dominus irrationabiliter restitutionem exigeret. Casus huiusmodi impotentiae vide apud theologos.

Atvero saepe impotentia est merus praetextus differendi vel omittendi restitutionem; vera eius causa est pravus amor boni iniuste possessi seu infirma peccatoris voluntas. Unde confessarius non nimis facile credat poenitenti dicenti se non posse restituere, sed hac de re inquirat, num v. g. ipse non faciat expensas minime necessarias, lautius vivat etc. Si ergo reperit, poenitentem statim restituere posse, rationibus efficacissimis urgeat hanc restitutionem, et praetextas difficultates refutet (cfr. infra n. 192, 2°). Si debitor damnum famae timeat, potest restitutionem facere per confessarium, qui uti poterit tertia persona fide digna quo debita summa creditori perveniat, vel litteris postae commendatis seu registro inscriptis, salvo semper confessionis sigillo.

Dixi: *per se* confessarius monere debet poenitentem. Nam si poenitens de obligatione, etsi in se et obiective certa, versatur in ignorantia invincibili bona fide credens, se aut nihil aut non tantum aut non statim restituere debere, et si faciendae monitionis non speratur fructus, confessarius eam omittat, ipsumque in bona fide relinquat.

190. — C) Quoad *absolutionem* hae sunt regulae. — 1° Si obligatio restituendi tum confessario tum poenitenti est certa, et statim impleri potest, hic vero etiam post exhortationem non ostendit firmum restituendi propositum, absolutio dari nequit, quia deest debita dispositio.

2° Si poenitens *statim* restituere potest et summa restituenda est notabilis, cuius redditio ipsi valde ardua et dura apparet, confessarius, *ordinarie* loquendo, absolutionem iam prima vice differat, usquedum restitutio sit facta. Nam etiamsi poenitens nunc est dispositus, nihilominus, ut experientia constat, propter passionem avaritiae seu vehementem illum affectum ad bonum iniuste possessum, gravissimum est periculum post obtentam absolutionem mutandi propositum, id est differendi semper restitutionem quae statim fieri potest, ergo remanendi in statu peccati mortalis et aeternae damnationis. Peccat ergo confessarius si ipsum statim absolvit, quia absque gravi ratione relinquit ipsum in proximo semper peccandi periculo, a quo eum, absolutionem differendo, eripere potuisset. Ita S. Alphonsus aliique auctores plurimi (cfr. *Opus*, thesis 5ª, et infra n. 193).

Dixi: «*ordinarie loquendo*». Excipitur enim:

a) Si summa reddenda est relative parva, nec obligatio restituendi valde ardua, ita ut de prompta eius exsecutione graviter dubitari nequeat; *b*) si poenitens dolore adeo extraordinario donetur ut propositi exsecutio sit quasi certa — qui casus tamen rarus est; — *c*) si poenitens ad eumdem confessarium redire nequeat, ipsique gravius sit onus redeundi ad eumdem aut confessionem apud alium iterandi quam onus restituendi — qui casus in homine avaro etiam raro occurrit; — *d*) si poenitens ita infirmus est in fide ut graviter timeatur, ne ob hanc dilationem a sacramentis prorsus alienetur (*Opus*, n. 114, 123-128; *Casus I*, n. 43).

3° Si poenitens statim restituere nequit, adeoque restitutio est differenda, modo nunc firmam ostendat voluntatem quamprimum potest restituendi, absolutio concedi potest; sed confessarius prudenter ei imponat, ut firmum propositum saepe renovet et idcirco quotidie aliquam brevem orationem fundat, quo hoc propositum conservet et suo tempore exsequatur. Praeterea iubeat, ut parcius vivat, expensa non necessaria evitet, et saltem per partes paulatim totum restituat.

III. PASTORUM ANIMARUM OFFICIA CIRCA HAEC PECCATA.

191. — Etiam de virtute iustitiae vitioque huic opposito valet illud prophetae: «Labia sacerdotis custodient scientiam, et legem requirent ex ore eius» (*Mal.* II, 7). Sexcenties autem lex et prophetae librique sapientiales commendant hanc virtutem et peccata iniustitiae gravissimis verbis et minis reprobant. Pariter Praecursor Domini, ipseque Christus, novae legis Auctor, in evangelio, et post Illum Apostoli omnes in suis epistolis virtutem iustitiae identidem inculcant

et contra eam peccantes a regno caelorum excludunt aeternaeque
poenae reos esse pronuntiant. Simili zelo Sancti Patres et Ecclesiae
Doctores in suis ad populum exhortationibus vitia avaritiae et iniustitiae ardenter increpant, gravemque obligationem tribuendi eleemosynam imponunt.

Hos secuti, saeculorum decursu Romani Pontifices non solum
varios errores contra iustitiam identidem profligarunt, sed etiam
legem naturalem et divinam pro mutata rerum et temporum conditione magis explicarunt, huiusque transgressiones intrepide vitupera-
runt et condemnarunt. Ita e. g. Benedictus XIV in Const. « Vix pervenit » 1 Nov. 1745 contra usuram, et nostra aetate Leo XIII in
Encycl. « Rerum novarum » ac praesertim Pius XI in Encycl. « Quadragesimo anno ».

Ex hisce necessario consequitur, etiam animarum pastores suis
fidelibus inculcare debere virtutem iustitiae, quae in variis vitae socialis actibus sit servanda, indicare quoque quibus praecipue modis
contra illam legem divinam et naturalem peccari soleat, denique
contra haec iniustitiae peccata indefesso zelo monere, ne eorum rei
in aeternum damnentur. — Praecipua igitur eorum hac in re officia
haec sunt.

192. — 1° In instructione catechistica iam a prima aetate infantibus magnum inspirent horrorem contra omne etiam levissimum
iniustitiae peccatum, utputa pecuniae furtula, memorantes magnos
fures et latrones, ipsumque Iudam Iscariotem a parvis rebus incepisse.
Illud « cuique suum » alte iuvenili eorum menti et cordi infigatur.
Quod alteri proprium est, sit ipsis velut res sacra, utpote a Deo volita
et sancita.

2° Una alterave vice per annum in instructione vel concione
coram populo hanc materiam ex proposito tractent, tum quia in recenti societate frequentia sunt illa peccata, tum etiam ut fideles integram semper vigilemque hac de re conscientiam custodiant et salutari timore erga hoc peccatum detineantur.

Est hoc nostris temporibus eo magis necessarium, quia inter catholicos
quoque haud raro serpunt falsa mundi dicta et principia, ac si in commercio
omnia sint licita quae a lege civili non prohibentur vel non puniuntur, vel
quasi antiqua morum doctrina iam non sit regula nostrae aetatis conditioni
consentanea. Hac occasione ad praxim quoque descendat concionator, indicando quibus potissimum modis a fidelibus contra iustitiam peccetur (cfr.

supra n. 187). Singulariter notet si quae peccata in illa regione vel paroecia magis frequentia sunt. In explicandis autem his peccatis, ut patet, ea solum recenseat quae communiter a theologis certe gravia habentur, ceterum monendo, ut si quis de peccato commisso adhuc anceps haereat, haec dubia sincere confessario exponat. Maxime etiam auditores doceat, in materia iustitiae laesae dolorem de peccato non sufficere, nisi accedat firmum propositum restituendi vel damnum reparandi, iuxta illud tritum: «non remittitur peccatum, nisi restituatur ablatum ». Efficacissimis igitur rationibus orator ad verum dolorem moneat et talem restitutionem quantocius faciendam urgeat; quales rationes sunt: gravitas praecepti Dei, supremi legislatoris et vindicis, iniustitiae turpitudo apud varios populos etiam barbaros et incultos, restitutionis necessitas, remorsus conscientiae in vita et in morte, poenae aeternae in altera vita: « aut restituere aut uri ». Inanes quoque excusationes ac praetextus de non facienda restitutione refutet, et in conclusione fortiter hortetur ad orationem, qua dura saepe restituendi obligatio impleatur.

3° In aliis quoque concionibus, v. g. de veritatibus aeternis, una cum ceteris peccatis, quae ab aeterna beatitudine excludunt, identidem, obiter saltem, expresse nominet etiam peccata iniustitiae, utpote larga ad infernum porta.

4° Saepe etiam, iuxta exemplum Sanctorum Patrum, in concionibus et catechesibus agat de gravi divitum obligatione succurrendi pauperum indigentiis, praesertim nostris crisis oeconomicae temporibus, per eleemosynas aliave misericordiae corporalis opera, itemque de recto moderatoque bonorum suorum superfluorum usu, iuxta praeceptum evangelicum et legem naturalem.

5° Quantum possunt, studeant etiam animarum pastores praevenire aut componere lites, sive inter singulos coram tribunali civili, sive inter dominos seu patronos et operarios collective sumptos, quia hae lites saepe ansam praebent fraudibus et inimicitiis, et quia plerumque damna materialia pro utraque litigantium parte ex iis oriri solent.

6° Pro viribus quoque et pro circumstantiis curent, ut doctrina Ecclesiae, praesertim Encyclicarum Leonis XIII et Pii XI, quippe quae nostris temporibus apprime opportunae sint, inter fideles spargatur et explicetur in conferentiis publicis, diariis, libellis etc., ut ita contraria socialistarum et liberalium doctrina de re sociali et oeconomica redarguatur ac confutetur, et res vitaque publica paulatim iuxta illas sapientissimas normas instituatur.

IV. Casuum solutio.

193. — *Ad* 1ᵐ. *De restitutione statim facienda* (supra p. 201).
Generatim recte egit Titius. Aemilius enim propter suam avaritiam versatur in occasione proxima « in esse » ipsi valde periculosa, in qua ordinarie absolutio est differenda, usquedum occasio tollatur (cfr. supra n. 190). De casu nostro haec habet S. Alphonsus: « Cum poenitens potest statim restituere, regulariter loquendo... confessarius non potest absolvere debitorem, nisi prius restituat... Ratio est, quia cum restitutio sit res valde difficilis ad exsequendum, si poenitens absolveretur antequam satisfaciat, communi experientia quae habetur, relinquitur in eodem non restituendi periculo » (*H. Ap.* X, 105). Et alibi: « Experientia satis compertum est, quod debitores post absolutionem rarissime restituunt: prout concubinarii rarissime concubinas dimittunt. Unde S. Thomas a Villanova recte monuit: *Prius ergo vadat et concubinam a domo pellat, pecuniam alienam restituat...*; et tunc ad confessarium redeat et absolvatur » (*Th. M.*, III, 682). Et in *Praxi*: « Certus factus de gravi poenitentis obligatione, confessarius inspiciat si poenitens valeat restituere, licet cum aliquo incommodo: et eum non absolvat nisi prius restituat, licet ille signa extraordinaria emendationis exhibeat. Bona enim sunt quidam sanguis, qui a venis non eruitur nisi cum magna vi et dolore. Unde, si restitutio non fit ante absolutionem, cum difficultate maxima fiet postea, ut experientia admodum docetur. Potest excipi tantum aliquis poenitens, qui ita meticulosae conscientiae esset, ut de eo non sit dubitandi locus » (n. 43). Idem sensit S. Carolus Borromaeus: « Caveat confessarius, ne illos absolvat qui faciunt contractus nominatim prohibitos aut alioquin manifeste illicitos, nisi prius eos rescindant et debitam satisfactionem praestent » (*Avvert.*, n. 45). Item S. Franciscus Xaverius (cfr. *Opus*, n. 117).

194. — Theologi antiqui satis communiter quidem dicunt, obligatum ad restituendum semel et iterum absolvi posse antequam restituat, si verum dolorem et propositum ostendat (apud S. Alph., *Th. M.*, III, 682). Recta videtur haec solutio, si agitur de poenitente qui non adeo pecuniae adhaereat et valde serio statim restituere promittat, praesertim si summa restituenda est tantum exigua: tunc

enim prudenter promissi exsecutio sperari potest. Hoc igitur sensu
intelligi posse videntur illi antiqui theologi. Atvero, S. Alphonsus
aliique sancti auctores supra adducti hic agunt — uti et casus noster
— de poenitente magno passionis affectu pecuniae adhaerente, sicut
v. gr. concubinarius adhaeret pellici; — id quod generatim accidit,
si quis magnam pecuniae summam iniuste sibi acquisivit et adhuc
possidet. Hoc autem casu, ut ait S. Doctor, « restitutio est res valde
difficilis ad exsequendum », ac propterea eius exsecutio urgenda est
per dilationem desideratae absolutionis. Secus poenitens propter pecuniae semper praesentis affectum proximo proposito infringendi
periculo se exponit, et confessarius, dando statim absolutionem, eum
in hoc proximo peccandi periculo, id est in occasione proxima libera
et continua, vivere sinit; idque forte per annum et amplius cum
maiore semper damnationis periculo. Eadem igitur ratio militat pro
tali iniusto ac pro concubinario. (Cfr. *Casus I*, n. 42 sqq.). — De ex-
ceptionibus ab hac regula faciendis vide supra (n. 190) et *Opus*
(n. 123-128).

195. — Lubet hic verba referre Berardi, qui optime hunc casum solvit:
« Ut plurimum poenitentes, absolutione obtenta, prius quidem solent procra-
stinare, et postea bonam voluntatem omnino deponere; et sic promissionibus
suis deficiunt et nihil exsequuntur. Quinimmo saepe saepius, potius quam re-
stituant, iterum iterumque novis furtis se onerant: quasi absolutionis concessio
non iam ad restituendum, sed ad denuo furandum impulsum eis praebuerit,
iuxta id quod scripsit D. Ambrosius: *Facilitas veniae incentivum tribuit delin-
quendi* [1]. Magnum autem et valde efficacem solent habere impulsum ad restituendum poenitentes, si dilatione absolutionis ad id compellantur, saltem
quando, ut supponimus, statim restituere valeant. Hoc experientia docet, et
est factum quod negari non potest. Ratio est, quia illa dispositio qua a confessionali recedunt cum unica intentione pergendi sine mora, atque, ut ita di-
cam, recto tramite ad restituendum; vivida apprehensio de necessitate restitutionis ipsius, quam vident medium necessarium evasisse ad absolutionem obtinendam; promissio facta confessario non solum restituendi, sed etiam redeundi
ad ipsum quamprimum; denique reflexio quod confessio iam est peracta et
superest solum ut absolutio obtineatur, dum secus apud alium confessarium
ipsam repetere oporteret: haec omnia simul coniuncta efficiunt, ut tentatio pro-
crastinandi aut omittendi restitutionis exsecutionem (cui tentationi poenitentes
absoluti succumbere solent, ut dixi) ne exsurgat quidem, vel si aliquo modo

---

[1] S. Ambrosius (in Psalm. 118, serm. 8, n. 26; Migne, II, 1306) haec dicit de poenitentia canonica. Hoc dictum tamen principium psychologicum generale enuntiat.

exsurgat, illico superetur» (*De Recid.*, n. 136). — Quinimmo in sequenti casu (n. 137) idem Berardi ostendit, bonum dilationis fructum iure etiam sperari posse, licet poenitenti quaedam difficultates sint superandae, v. g. quod non statim sed solum post unam alteramve hebdomadam restituere potest, quod non sine quadam molestia ad eumdem confessarium redire potest, quod forte aliquis miratur eum non statim ad S. Communionem accedere. Sane, talia leviora incommoda dilationi annexa comparari nequeunt cum praegrandi bono quod brevi post certo acquiret, « dum secus in gravissimo aeternae damnationis periculo remaneret ».

196. — Ad 2^m. De salario familiari (p. 202).

Nostro iudicio Titius nimis praeceps fuit in solvendo hoc casu, quippe qui maiorem considerationem postulat.

Per salarium *familiare* illud intelligimus, quod, additis quibusdam parsimoniis ante matrimonium et primis eius annis collectis, sufficit ut operarius adultus mente et corpore sanus consuetam familiam, uxore et tribus quatuorve filiis iunioribus constantem, in ordinariis vitae adiunctis, parce quidem sed decenter ac modo humanae conditioni digno alere et sustentare possit. Etiam in salario familiari dari potest pretium laboris aestimatione communi aut summum aut medium aut infimum. — Iamvero *theoretice* quidem, praesertim post Encycl. «Quadragesimo anno», sustineri potest, vel etiam debet, operarios per se ius habere, saltem ex iustitia sociali, ad salarium familiare. «Primum quidem, inquit Pius XI, merces operario suppeditanda est, quae ad illius *eiusque familiae* sustentationem par sit;... Omni igitur ope enitendum est, ut mercedem paterfamilias percipiat sat amplam, quae communiter domesticis necessitatibus convenienter conveniat» (*A. A. S.*, 1931, p. 200). Certe, si salarium patrisfamilias unicum est sustentandae familiae medium, lex naturae postulat hoc tantum esse ut huic fini respondeat. Ast in rerum *praxi* hoc non semper fieri potest. Unde Summus Pontifex statim subdit: « Quod si in praesentibus rerum adiunctis non semper id praestari poterit, postulat iustitia socialis, ut eae mutationes quamprimum inducantur, quibus cuivis adulto operario eiusmodi salaria firmentur ». Qua de re in contexta oratione fusius loquitur.

Multae igitur circumstantiae perpendendae sunt, quarum praecipuae hae sunt: *a*) Utrum communiter salarium patrisfamilias sit reapse unicum medium sustentandae familiae; — *b*) utrum fabricae seu officinae conditio ea sit ut maius salarium dari possit, an forte res confectae minoris quam par sit vendi debeant, ita ut laborem

diu continuando herus maiorem semper iacturam facere cogatur; —
c) utrum, ob aliorum concursum, necesse non sit fabricam multis
expensis magis extendere et idcirco salaria aliquomodo deprimere,
ne secus, aliorum oppressione, tota res concidat cum magno ipsius
heri damno et cum maiore adhuc operariorum calamitate qui, opere
vacui, dimittendi essent. — Quaestio igitur de iusto salario multis
implicata est difficultatibus, ac christiana moderatorum et operariorum concordia, opitulante etiam gubernio civili, solvatur oportet.
Unde in eadem Encyclica dicitur: « Coniunctis igitur viribus et consiliis enitentur omnes, et opifices et moderatores, rerum difficultates
et obstacula superare eisque in tam salutifero opere auctoritatis publicae sapiens opituletur providentia » (*l. c.*, p. 201).

197. — Quod iam ad casum Cyrilli attinet, quaedam in eo
certa, alia dubia sunt. *Certum* quidem est, Cyrillum, salarium familiare reiicientem, falsis uti principiis: si enim operarii, nullius alius
laboris capaces, necessitate adiguntur suam operam huic fabricae praestare, contractus inter Cyrillum et operarios iam non libere est initus,
ac proinde, si merces seu operae pretium iusta non est sed infra
necessitates familiae, quibus occurrendis merces ab Auctore naturae
est destinata, etiam invalidus est. Applicanda hic est doctrina communis de usura iniusta. Verba ergo Cyrilli non solum durum et
inhumanum produnt animum, sed etiam iustitiae leges offendunt;
imo si re ipsa, uti ait, maius salarium facile praebere potest, ad hoc
sub gravi obligatur. Neque ab eo excusatur quod alia Dei et Ecclesiae
praecepta observat: totam enim Dei legem exsequi oportet.

Sed tamen alia in hoc casu *dubia* sunt. Primum quidem, utrum
Cyrillus re vera, ne ab aliis opprimatur, suam officinam adeo ampli-
ficare debeat, an hoc potius velit ductus immoderato maiores semper
divitias accumulandi appetitu. Deinde, num idcirco salarium infra
iustum deprimere prorsus oporteat. Dubium etiam est, utrum scandalum populi, de quo loquitur Titius, ex silentio et nimia cleri indulgentia oriatur, an potius ex iniustis socialistarum calumniis; item num
singularis Titii severitas quidquam ad tale scandalum tollendum conferre possit. Haec omnia maiore inquisitione indigent, ac proinde con-
corditer inter officinae moderatorem et operarios tractari debent,
adiuvante etiam aliorum prudentum consilio vel arbitratu. Si Cyrillus
paratus est ad accipiendam hanc concordem operam, a iustitiae et
caritatis regulis praeceptam, statim absolvi potest vel etiam debet.

Huiusmodi prudens agendi ratio feliciorem plerumque habebit successum quam intempestiva Titii severitas. Si tamen Cyrillus, immodico pecuniarum appetitu ductus, falsisque suis inhaerens principiis, a priori omnem concordiam obstinate reiicit, a gravi certe peccato contra iustitiam et caritatem excusari nequit, ac propterea merito ei tandem absolutio differtur, nisi ex eius offensione gravius malum pro eius anima vel etiam pro bono communi iure timeatur; quo casu, si bona fides adhuc supponi potest, saltem sub conditione potest absolvi.

198. — *Ad 3ᵐ. De iure operariorum se associandi* (p. 203).
Varia hic sunt consideranda. — Primum quidem certum est, ius esse penes operarios catholicos conveniendi inter se et ineundi associationem, quo iura sua, puta de iusto salario, de tempore laboris, contra iniquas herorum vexationes tueantur. Ita inde a Leone XIII Romani Pontifices, qui idcirco operarios laudant et magnopere hortantur ut hoc iure utantur [1].

Quemadmodum ergo domini inter se convenire possunt, ne iniustis operariorum agitationibus et postulatis damnum patiantur, ita quoque idem ius operariis pro sua parte concedendum est, imo potiore etiam ratione, quia domini hac in re potentiores esse solent quam singuli operarii. Neque quod hactenus herus, in casu Eugenius, suos operarios humane tractavit iustumque dedit salarium, hisce illud ius aufert, quo forte paulo post in aliis rerum personarumque adiunctis uti proderit. Notandum tamen est hoc ius sibi vindicare non posse associationes socialistarum, quippe quae communiter diriguntur a viris impiis, quorum finis potissimus est, posthabita etiam lege iustitiae et caritatis, odium et discordiam inter varias hominum classes seminare et quibuslibet mediis etiam iniustis ordinem naturalem perturbare, ut exaggerata sua postulata consequantur cum magno dominorum et boni communis damno: societas enim seu associatio plurium, cuius finis est pravus, ius exsistendi non habet. — Itaque Eugenius, suos operarios prohibens ne illi associatae catholicae nomen dent, male agit et aperte adversatur directioni a Leone XIII quaestioni sociali inditae. Si eos e sua fabrica excludit ante tempus finiti inter se et operarios contractus, peccat

---

[1] Cfr. praesertim Epist. S. C. Conc. 5 Iunii 1929 ad Episc. Insulensem (*A. A. S.*, 1929, p. 494 sqq.).

contra iustitiam commutativam; si postea, antequam novus contractus ineatur, hanc conditionem exclusionis imponit, peccat saltem contra iustitiam socialem et caritatem, praesertim si operarii alibi laborem non inveniunt, adeoque necessitate coguntur cedendi hoc ius quod ipsa naturae lex illis concedit. Imo operarii catholici hac severa heri agendi ratione facile inducuntur, ut aliis prohibitis socialistarum associationibus nomen dent. Atque ita Eugenius sua obstinatione causa esset damni communis contra religionem, vel forte etiam proprii damni materialis, si factio socialistica, ita potentior effecta, invalesceret; quod quidem in multis regionibus contigisse, recens docet historia.

199. — Ad Titium quod spectat, etiamsi Eugenius obiective graviter peccavit, generatim tamen imprudenter et nimis propere erga eum egisse videtur. Primo quidem, quia in hac re facile bona fides apud fabricae dominum supponi potest, saltem si, antequam novum contractum cum operariis iniit, hanc prohibitionem tulit; quo casu illa absolutionis negatione graviter offendi et sacramenta relinquere poterit, cum gravi utique animae suae damno et forte etiam cum maiore damno boni communis et religionis. Deinde huiusmodi causae non in solo foro sacramentali tractandae sunt, sed etiam in foro externo, quum casus sit publicus omnibusque notus. Quapropter praesertim ad locorum parochos spectat fabricarum heros de suis erga operarios officiis instruere et monere; quod quidem ordinarie melius privatim fit quam publice in concionibus: heri enim, si adhuc boni catholici haberi volunt, hac prudenti et amica agendi ratione facilius sibi persuaderi sinunt. Si nihilominus Eugenius nequaquam cedere velit, sed obstinate in falsa sua opinione perstat cum gravi populi scandalo et magno causae catholicae damno, tunc, perpensis omnibus adiunctis de maiore aut minore malo timendo, et petito, si fieri potest, etiam Ordinarii consilio, certe saepenumero iudicare fas est, Eusebii offensionem, ex absolutionis negatione orituram, tamquam minus malum esse tolerandam, ut maius malum commune pro religione evitetur. Quo casu etiam alii confessarii se huic iudicio submittere debent.

200. — *Ad 4^m. De operistitiis* (p. 203).
Ante omnia haec principia moralia sunt praestituenda:
1° Operistitia sunt *iniusta*: *a*) si per illa salarium exigitur ultra summum pretium laboris; *b*) si ante finitum contractum maius

salarium supra infimum exigitur. Iniusta ergo non sunt: *a*) si salarium esset infra iustum, i. e. familiare, nisi herus ob adiuncta hoc dare nequeat (cfr. supra n. 196 sq.); *b*) si herus alias contractus conditiones non servat; *c*) si tempore contractus finito salarium maius, sed non ultra summum, exigitur, quod herus praebere potest. — Sed etiamsi operistitium in se non est iniustum, possunt tamen iniusta esse media ad finem assequendum adhibita, qualia sunt violentiae, graves minae. Non omnia autem media, ut alii a labore cessent, iniusta dicenda sunt, etiamsi per se sint contra caritatem; sic moralis quaedam coactio excusari potest ob magnum bonum quod per iustum operistitium expectatur.

Operistitia, etsi non in se iniusta, *illicita* tamen sunt: *a*) si per viam compositionis iusta postulata obtineri possunt; *b*) si damna physica vel moralia, quae operistitia secumferre solent: miseria familiarum, publicae seditiones, violentiae etc., maiora praevidentur quam commoda et bona quae ex iis sequentur. — Ex dictis elucet, de obiectiva alicuius determinati operistitii iustitia vel liceitate certo pronuntiare admodum difficile esse; variae enim rationes et adiuncta pro utraque litigantium parte prudenter perpendenda sunt. Unde facile etiam bona fides apud utramque partem existere potest.

2° Eaedem regulae valent quoque pro *exclusione* («lockout»), qua heri operariis iam admissis sive omnibus sive magnae eorum parti laborem negant. Haec *iniusta* est: *a*) si heri ita operarios cogere volunt, ut infra infimum laboris pretium laborent, quando maius dare possunt; *b*) si alias contractu stipulatas conditiones servare nolunt; *c*) si ob leves rationes eos ante finitum contractum dimittunt. *Illicita* erit et contra caritatem: *a*) si heri a priori nullam compositionem cum operariis admittere volunt; *b*) si magna damna pro operariis ex ea consequerentur, quae maioribus commodis pro bono communi non compensarentur.

201. — Praestabilitis his principiis facilius est respondere quaestioni de agendi ratione cleri in illis adiunctis.

1° Quanta possunt cura *animarum pastores* enitantur ut operistitia praeveniantur et si exorta sunt quamprimum cessent. Praegrandia enim sunt damna quae ea comitari vel ex iis sequi solent, non solum materialia in ordine oeconomico pro bono communi et utraque litigantium parte (cessatio industriae et commercii, paupertas, miseria etc.), sed praecipue etiam moralia, maxime in populo: odia classium iuxta principia socialismi, huius erroris propagatio, contemptus cleri et Ecclesiae, violentiae, graves iniuriae et seditiones publicae, alia peccata quae passim ex otio oriuntur, uti luxuria, ebrietas, lectiones prohibitae, oblectamenta oppido periculosa.

2° Exorto semel operistitio maxima in loquendo et agendo prudentia ipsis opus est, ne alterutram partem sive dominorum sive opificum a se alienent. Hinc omnem quam possunt opem impendant ut eos inter se concilient, loquendo privatim cum utriusque partis deputatis. Ad hoc scabrosum opus prae ceteris ab auctoritate ecclesiastica eligatur unus alterve sacerdos peritus, prudentia eminens et utrique parti acceptus. Maxime autem optandum est ut, ad normam Encycl. « Quadragesimo anno », ipsum Gubernium civile leges ferat, quibus utraque litigantium pars arbitrio statuto se submittere debet; id quod in aliquibus nationibus iam feliciter factum est.

202. — 3° Si *dubia* est utriusque causae iustitia, ut saepe fit, praesertim ubi de iusto salario agitur (supra n. 196), caveant sacerdotes, ne sive publice sive privatim se uni parti magis favere videantur, sed moneant ad compositionem, urgendo damna utrique parti inde oritura.

4° Si *certa* et evidens est herorum iniustitia, doctrinam moralem catholicam aptis rationibus pacate et urbane ipsis exponant; item quoad operarios, si operistitium est certe iniustum. Excipe tamen, si bona fides de suae causae iustitia merito supponitur — quod quidem frequenter accidit —, et nullus fructus ex aperta veritatis declaratione speratur. Tunc tamen eos hortentur, ut utrinque aliquid de stricto iure cedant pro bono pacis communis, imo etiam pro bono materiali cuiusvis partis in particulari.

5° In sacra praedicatione hanc materiam ne directe tractent, sed in universum hortentur ad caritatem christianam, ad patientiam in huius vitae miseriis, revocando aeternam vitam usquequaque beatam, ad poenitentiam de peccatis commissis, ad vitanda nova peccata eorumque occasiones proximas, maxime etiam familiaritatem cum Ecclesiae inimicis, ad orationem tam privatam quam publicam, qua ira Dei placetur eiusque auxilium expetatur, ad assistendum quotidie S. Missae aliisque officiis ecclesiasticis, ad frequentanda saepius sacramenta etc.

6° Summam caritatem et benevolentiam maxime operariis exhibeant, visitando familias praesertim pauperum, eos solando et pro

viribus adiuvando. Ut evitent laboris vacui otium, tunc praecipue
omnium malorum fontem, bonos eis libros legendos procurent, eos
invitent ad conferentias populares et utiles v. g. de historia, missionibus, de scientia apologetica, aliisque materiis sacris aut profanis; coagant coetus vel conventus pro excolenda arte propria vel
etiam aliqua arte libera, ut musica, scenica etc. Interim praeprimis
operarios catholicos publice et privatim a familiari consuetudine cum
socialistis et communistis avertant.

203. — 7° Quod demum ad *confessarios* pertinet, hi in sacro
tribunali eadem inculcent monita. Specialiter in operariis bonam
fidem facile supponant, eosque utpote debiliores omni caritate ex-
cipiant et solentur. Si quis odium contra partem adversam accusat,
confessarius hoc generatim ne accipiat ut peccatum mortale: non
enim est adversus personas singulares, sed adversus qualitates totius
herorum classis, quemadmodum fere in bello contingit, ubi certe
odium seu aversio totius gentis inimicae gravis peccati damnari
nequit. Neve facile media adhibita ut alios a laborando impediant
tamquam graviter iniusta prohibeat, v. g. eos moleste sequi etc., tamen ab iis dehortetur et ad moderationem excitet. Alia tamen peccata
mortalia: graves violentias, luxuriam etc. more solito condemnabit.
Praesertim vero eos moneat, ne cum socialistis amicitiam ineant, neve
eorum conventus frequentent. Absolutionem generatim ne differat,
si saltem dubie dispositi sunt, quia in hisce adiunctis turbulentis
facile offenderentur, credentes sacerdotes heris favere, et sic socialistis adhaerentes in fide periclitarentur; qui timor gravis est ratio
dandi absolutionem sub conditione. — Heros autem, si certa et explorata est eorum causae iniustitia et sua pertinacia suaque duritie
publicum praebent scandalum ac bono communi vel Ecclesiae nocent,
confessarius ordinarie edocere et monere debet. Neque enim apud
illos adeo facile bona fides supponi potest; et si publice ad S. Communionem accederent, populus sponte scandalum pateretur et Ecclesiae ministros laxioris indulgentiae erga divites et potentes accu-
saret. Sin autem confessario dubia est herorum causa — uti plerumque erit —, nihil pronuntiet, sed eos ad misericordiam et con-
ciliationem sedulo hortetur, eosque suadeat ut potius in ecclesia ubi
noti non sunt ad S. Eucharistiam accedant.

204. — *Ad* 5ᵐ. *De operationibus periculosis in* « *bursis* » (p. 204).
Theologus haec Simoni respondeat:
I. *Obiective* certe graviter peccavit
  1° Contra legem *ecclesiasticam*, quae clericis prohibet negotiationem: « Prohibentur clerici per se vel per alios negotiationem aut mercaturam exercere sive in propriam sive in aliorum utilitatem » (can. 142). Licet utique bona propria collocare in titulis (sive obligationibus sive actionibus), eosque etiam in alios cum lucro permutare, etiam si hoc saepe fiet, modo haec frequens permutatio ad aequam bonorum administrationem seu oeconomiam utilis vel necessaria sit; sine hac conditione, a. v. ex solo fine lucrum faciendi, fit negotiatio proprie dicta, ab Ecclesia prohibita, saltem si hoc saepius et quasi habitualiter fit, ita ut negotiationem « exerceat », uti canon loquitur. Hoc autem fecit Simon cum bonis suis et alienis.
  2° Praeterea peccavit etiam contra legem *ecclesiasticam* collocando bona ecclesiastica in titulis speculativis, parum tutis et securis. Praecipiunt enim canones haec bona in tuto collocare (can. 1516, § 2; 1547). Et quoad permutationem, quae ad aequam administrationem pertinet, dicit can. 1539, § 2: « Administratores possunt *titulos ad latorem*, quos vocant, commutare in alios titulos *magis aut saltem aeque tutos* ac frugiferos, exclusa qualibet commercii vel negotiationis specie, ac de consensu Ordinarii, dioecesani Consilii administrationis, aliorumque quorum interest ». Graviter ergo etiam idcirco peccavit parochus quod hanc permutationem facere solebat propria auctoritate sine consensu Ordinarii et Consilii, qui certe eius agendi rationem non probassent.
  3° Graviter denique peccavit contra legem *naturalem* et *iustitiam commutativam* collocando bona aliena (ecclesiae et Adriani) in titulis speculativis et aleatoriis: ex iustitia enim stricte dicta tenetur administrator haec bona quantum potest ita prudenter in tuto collocare, ut ea non deliberate gravi vereque probabili periculo exponat.

205. — Ad *subiectivam* Simonis culpam quod attinet, haec dicenda videntur.
  a) Facilius apud eum, in iure parum versatum, supponi potest ignorantia inculpabilis quoad frequentes illas operationes cum *propriis* bonis, quas non habebat negotiationem a canonibus prohibitam.
  b) Difficilius huiusmodi ignorantia praesumi potest quoad illas operationes speculativas cum bonis *alienis*, ecclesiae scilicet et

Adriani, quorum parochus erat tantum administrator. Lex enim naturalis nimis alte clamat, administratori non licere bona aliena exponere gravi periculo quod prudenter praevideri potest. Atqui prudenter id praevidere poterat Simon, si illi tituli a peritis satis communiter pro speculativis et periculosis seu non tutis habebantur. Neque in parocho adeo facile supponitur ignorantia inculpabilis legis Ecclesiae, quae (can. 1539, § 2) pro his permutationibus consensum Ordinarii postulat.

c) Haud raro tamen fieri potest ut haec ignorantia non sit graviter sed leviter tantum culpabilis, v. g. ex naturali alicuius indolis imprudentia et inconsiderantia, ex tarda eius intelligentia aut memoria, ex nimia proprii iudicii fiducia, cuius sibi non satis conscius est, et qua contra aliorum consilia hos titulos non pro adeo speculativis sed pro satis tutis habet etc. Tunc ergo illi actus administrationis, utpote non plene deliberati, sed ex ratione imperfecta et a passione forte plus minusve obcoecata procedentes, a gravi culpa excusari possunt.

206. — II. Ad *restitutionem* quod spectat, recolendae sunt hic regulae de restitutione ob damnificationem iniustam. Unde

1° Certe Simon restituere tenetur *post sententiam iudicis* ecclesiastici vel civilis, quia adest saltem culpa iuridica sive ex prohibitione legis positivae sive etiam ob defectum diligentiae, quam ex lege naturali omnis administrator, ut bonus paterfamilias, pro re aliena custodienda adhibere debet.

2° Ex lege naturali *ante sententiam iudicis*

a) Restituere debet Simon lucra quae permutando titulos fecit, si ea sibi retinuit; quia ex actione administrativa formaliter iniusta factus est ditior.

b) Si illi actus permutationis seu administrationis fuerunt etiam subiective *graviter* culpabiles vel ex ignorantia graviter culpabili positi, debet restituere non solum lucra quae fecit, sed etiam pretium deminutum ipsorum bonorum usque ad valorem medium quem nunc habent illi tituli, qui ante crisim communiter tuti et securi habebantur, etsi hi quoque nunc per crisim aliquid in pretio decreverint. Tantum enim damnum Simon gravi sua culpa theologica bonis alienis efficaciter intulit.

c) Si illi actus permutationis ex conscientia sua erronea non graviter sed *leviter* solum erant culpabiles, adeoque peccata dumtaxat venialia, probabiliter non tenetur pretium deminutum ante sententiam iudicis restituere, quia culpa levis non videtur gravem inducere obligationem restituendi damnum grave.

207. — III. Utrum in casu Simon graviter an leviter sit coram Deo culpabilis, pendet ex variis adiunctis, scilicet non ex solo testimonio suae conscientiae forte nimis laxae, sed etiam ex reliquae eius vitae pietate et fervore, ex diligentia qua alias Dei et Ecclesiae leges suique status officia observat; qua de re iudicare ad prudentem confessarium pertinet. Si confessarius poenitentem de gravi culpa certo damnare nequit, restitutionem ante iudicis sententiam ne urgeat. Prudenter tamen si potest Simonem ad compositionem cum auctoritate ecclesiastica et Adriano faciendam inducere conetur, nisi certus sit eum in impotentia morali restituendi versari.

208. — Atque haec quidem de confessario, qui post illam crisim parochi confessionem audit, nihil antea de illicitis eius operationibus in bursis sciens. Atvero, si agitur de confessario qui iam, *antequam* Simon in has angustias inciderat, aliunde audierat eum huiusmodi operationes committere, profecto eum hac de re in confessione interrogare debebat, eiusque erroneam conscientiam corrigere, eumque sedulo monere de gravi obligatione illas intermittendi et obtemperandi legi Ecclesiae et naturae. Neque confessarius ipsi absolutionem dare poterat, nisi poenitens firme proposuit ab hisce operationibus periculosis prorsus abstinere. Quodsi Simon, iam antea ab aliquo confessore rite monitus, inveterato suo ludendi habitu abreptus, in idem peccatum recidisset, confessarius ordinarie absolutionem ipsi differre deberet, utpote habituato ob occasionem proximam. Caveat igitur confessarius, ne sua debilitate suaque nimia indulgentia quodammodo sit causa, quod Simon in eumdem habitum recidat et quod ita Ecclesia et Adrianus in bonis suis grave damnum patiantur.

INDEX

Pag.

PROOEMIUM v

SECTIO PRIMA
De dispositione requisita ad sacramentum poenitentiae.

ARTICULUS I.
De natura huius dispositionis.

CASUS 1. *De contritione* 1
    I. Contritio eiusque dotes 2
    II. Casuum solutio 3
CASUS 2. *De contritione supernaturali et aestimative summa* . 6
    I. Quandonam habeatur 6
    II. Casus solutio 7
CASUS 3. *Confessio valida, sed informis* 8
    I. Confessio, ut accusatio peccatorum, valida sed informis 9
    II. Confessio informis et invalida propter defectum sufficientis contritionis 10
    III. Casuum solutio 12

ARTICULUS II.
De iudicio confessarii circa poenitentis dispositionem.

Pag.

CASUS PROPOSITUS 15
    I. Quale iudicium requiratur 16
    II. Rationes utriusque partis examinantur . . . 19
    III. Casus solutio 21

ARTICULUS III.
De obligatione disponendi poenitentem.

CASUS PROPOSITUS 22
    I. Obligatio interrogandi poenitentes . . . 22
    II. Obligatio disponendi poenitentem . . . 23
    III. Casus solutio 24

ARTICULUS IV.
De absolutione sub conditione dubie dispositis danda.

CASUS 1. *Varii poenitentes parum aut dubie dispositi* . . 27
    I. Regula de danda absolutione sub conditione . . 29
    II. Casuum solutio 31
CASUS 2. *Absolutio dubie dispositis ob causas leviores data* . 33
    Casuum solutio 33
CASUS 3. *Absolutio sub conditione data moribundis sensibus destitutis* 35
    I. Principium generale 35
    II. Casuum solutio 36

ARTICULUS V.
De signis dispositionis in peccatoribus habituatis et recidivis.

CASUS 1. *De notione habitus et peccatoris habituati* . . 39
    I. Quomodo habitus et passio inter se distinguantur . 39
    II. Casus solutio 41

	Pag.
Casus 2. *De absolutione peccatoris habituati*	42
I. Regulae generales	43
II. Casuum solutio	43
Casus 3. *De absolutione recidivorum disputatio publica* . .	45
I. Status quaestionis exponitur	46
II. Probatio utriusque partis thesis	47
III. Confutatio rationum contra primam partem . .	48
IV. Confutatio rationum contra alteram partem . .	52
V. Disputationis conclusio	54
Casus 4. *De signis extraordinariis seu specialibus* . . .	55
I. Quid significet signum extraordinarium . .	56
II. Praecipua signa extraordinaria . . .	56
III. Casuum solutio	57
Casus 5. *Quoties recidivus formalis absolvi possit* . . .	60
I. Theoria et praxis sententiae S. Alphonsi . .	61
II. Respondetur obiectioni	61
III. Casuum solutio	62

SECTIO ALTERA

De vitiis in particulari.

ARTICULUS I.

De incredulitate aliisque peccatis contra fidem.

Casus propositi. 1° Graviter tentatus contra fidem. — 2° Vir potens liberalismi fautor. — 3° Incredulus animo multum cruciatus. — 4° Operarius socialista et incredulus. — 5° Incredulus, qui publicum scandalum dedit, in mortis periculo 64
    I. Praecipua catholicorum peccata contra fidem . . 67
    II. Praecipui incredulitatis fontes 68
    III. Remedia ab animarum Pastoribus contra incredulitatem adhibenda 70

§ 1. *Doctrina seu instructio in religione catholica*: catechesis, praedicatio ordinaria et extraordinaria . 71
§ 2. *Actio Catholica*: educatio iuventutis, apostolatus preli, associationes catholicae, opera caritatis . 76
IV. Ratio agendi confessarii cum tentatis aut peccantibus contra fidem 78
V. Casuum solutio 80

ARTICULUS II.
De vitio blasphemiae.

CASUS PROPOSITI 93
   I. Natura blasphemiae 94
   II. De consuetudine blasphemandi . . . 95
   III. De blasphemiis popularibus in variis linguis . 96
   IV. Remedia a ministris Ecclesiae contra blasphemias adhibenda 98
   V. Casuum solutio 101

ARTICULUS III.
De vitio pollutionis.

CASUS PROPOSITI. 1° Pollutionarius recidivus. — 2° Puer labi incipiens. — 3° De instructione sexuali. — 4° Graviter peccans ob amicitiam particularem. — 5° Discipulus aliorum corruptor. — 6° De moderatore Congregationis iuvenum 103
   I. De pollutionis malitia 106
   II. Vitii pollutionis causae et effectus . . . 108
   III. Remedia contra vitium pollutionis . . . 111
     § 1. *Remedia communia* 112
     § 2. *Remedia prophylactica seu praeventiva*, ubi latius de instructione sexuali 114
     § 3. *Remedia medicinalia seu curativa* . . 119
   IV. Casuum solutio 124
DIGRESSIO. — *De candidato sacerdotii vitio turpi dedito* . 127

CASUS PROPOSITUS DE PECCATO SOLITARIO	128
I. Principia generalia	129
II. Regulae particulares praesertim quoad circumstantiam aetatis	132
III. Alii casus propositi et soluti	135
§ 1. *Pravae amicitiae particulares*	135
§ 2. *Actus graviter impudici cum complice* . .	136
§ 3. *Actus completus per copulam*	137
§ 4. *Dubium positivum de idoneitate morali post acceptum subdiaconatum aut diaconatum* . .	137
IV. Casus initio propositi ulterior solutio et responsio ad obiecta	139
V. Confirmatio praedictorum ex Encyclica Pii XI « De Sacerdotio Catholico »	144

ARTICULUS IV.

De onanismo coniugali.

CASUS PROPOSITI. 1° Duo parochi diverse populum de onanismo instruentes. — 2° Recidivus formalis. — 3° Sponsi sine ratione continentiam periodicam exercentes. — 4° Onanista dubie dispositus. — 5° Confessarius usum matrimonii praescribens. — 6° Publicus onanismi propagator. — 7° Medicus hanc praxim suadens. — 8° Matrona onanismum commendans, petens sacramenta. — 9° Mater filiae onanismum suadens. — 10° Uxor peccatum patiens et permittens. — 11° Parochus nuper nominatus in paroecia huic vitio dedita 146

I. De huius peccati malitia	152
II. De urgenti illud impugnandi necessitate . .	154
III. De muniis confessarii in impugnando hoc vitio .	156
§ 1. *Quoad interrogationem*	157
§ 2. *Quoad monitionem*	159
§ 3. *Quoad absolutionem*	164
§ 4. *Quoad directionem spiritualem coniugum* .	168

DIGRESSIO. — *De continentia periodica iuxta novissimam methodum* 170
   § 1. *In quo haec methodus consistat* 171
   § 2. *De eius moralitate* 174
   § 3. *De huius methodi periculis et commodis* . . 177
   § 4. *Monita practica circa hanc materiam* . . . 181
  IV. De remediis a parochis aliisque Ecclesiae ministris contra onanismum adhibendis 185
   A) Remedia directa: doctrina et instructio . . . 185
   B) Varia media indirecta 187
  V. Casuum solutio 191

ARTICULUS V.

De iniustitia et avaritia.

CASUS PROPOSITI. 1° Restitutio ob pecuniam iniuste possessam. — 2° Herus fabricae non dans salarium iustum. — 3° Herus prohibens suis operariis nomen dare associationi catholicae. — 4° Operarii per operistitium laborem intermittentes. — 5° Parochus faciens operationes periculosas in « bursis » . . 201
  I. Praecipua huius aetatis peccata contra iustitiam . 205
  II. Confessarii circa peccata iniustitiae agendi ratio . 207
   A) Quoad interrogationem 207
   B) Quoad monitionem 207
   C) Quoad absolutionem 208
  III. Pastorum animarum officia circa haec peccata . 209
  IV. Casuum solutio 212
   Ad I.   De restitutione statim facienda . . . 212
   Ad II. De salario familiari 214
   Ad III. De iure operariorum se associandi . . . 216
   Ad IV. De operistitiis 217
   Ad V. De operationibus bursarum clero prohibitis . 221

EIUSDEM EDITORIS

SIMON-PRADO, C. SS. R.

Praelectiones Biblicae

ad usum scholarum exaratae:

Propaedeutica Biblica sive **Introductio in universam Scripturam** auctore R. P. J. Prado C. SS. R., S. Script. Lect. et P. I. B. ex alumno. Tabulis geographicis et archaeologicis illustrata. In-8 max., editio **tertia** recognita et aucta, **1938**, pag. XVI-424   (*In ristampa*).

Novum Testamentum:

   Vol. I. **Introductio et Commentarius in 4 Jesu Christi Evangelia.** Editio V iterum recognita et aucta, *ut supra*. In-8 max., 1944, pag. XX-996
   L. 90 —

   Vol. II. **Introductio et Commentarius in Actus Apost., Epistolas et Apocalypsim.** Editio V iterum recognita et aucta, *ut supra*. In-8 max., 1941, pag. XXXVI-552   L. 35 —

Vetus Testamentum:

   Vol. I. **De Sacra Veteris Testamenti Historia.** Editio tertia recognita, 1940 *ut supra*. In-8 max., cum tabulis geographicis, pag. XX-546 L. 70 —

   Vol. II. **De Veteris Testamenti Doctrina sive de Libris didacticis V. T.** *ut supra*. In-8 max., editio II, 1940, pag. XVI-276   L. 22 —

   Sub prelo: Evangeliorum Synopsis graeco-latina. — Enchiridion Theologiae biblicae.

...nous les extimons les meilleurs que l'on puisse mettre aux mains des séminaristes. Ils sont remarquablement à point pour les découvertes modernes...
... ils sont d'une clarté qui ne laisse rien à desirer...   *Revue Biblique.*

... manuel claire, méthodique, complet. Chaque traité a l'ampleur qui lui convient...
   Revue de l'Université d'Ottawa.

... tam frequens editionum successio in tam brevi temporis spatio certe non est ultimum huius operis testimonium, quod in optimis S. Scripturae operibus in usum scholarum scriptis merito adnumeratur...   *Commentarium pro Religiosis.*

... el libro revela gran competencia en el autor, mucho dominio, vasta erudicion, excelente tino en la selección de conclusiones y capacitad mas que ordinaria de asimilacion...
   Religion y Cultura.

...il n'existe pas des manuels catholiques plus erudit que celui du P. Prado...
   Etudes Franciscains.

...realizza in sè in modo meraviglioso tutti i requisiti d'un Manuale Biblico ad uso dei Seminari...   *Divus Thomas.*

... un succés mérité! du à leurs qualités d'exposition, d'argumentation précis et de vaste érudition...   *Revue des Sciences.*

L'auteur possède à un degré rare les qualités nécessaires pour ce genre d'ouvrages. La partition est lucide, l'exposition claire, l'argumentation facile, l'érudition étendue. C'est l'ordre didactique qui est suivi; alinéas, divisions et subdivisions, titres en lettres grasses, rien n'est épargné pour aider l'attention.   *Ephemerides Lovanienses.*

EIUSDEM EDITORIS

A SANCTO THOMA IOANNIS, O. P.

CURSUS PHILOSOPHICUS THOMISTICUS

secundum exactam, veram, genuinam Aristotelis et Doctoris Angelici mentem. Nova editio cura et studio R. P. REISER O. S. B., in Collegio Sancti Anselmi de Urbe Philosophiae Professor; 3 vol., in-4 parvo:

Vol. I. **Ars Logica,** seu **De Forma et Materia ratiocinandi.** 1930, charta manu-machina solidissima, pag. XLVIII-840   L. 250 —

Vol. II. **Philosophiae Naturalis,** Pars I: **De Ente Mobili in Communi** — Pars III: **De Ente Mobili Corruptibili.** 1933, charta manu-machina solidissima, pag. XX-888   L. 250 —

Vol. III. **Philosophiae Naturalis,** Pars IV et ult.: De Ente Mobili animato. — Indices totius operis: Index biblicus, Index aristotelicus duplex, Index thomisticus duplex, Index personarum, Index rerum. 1937, charta manu-machina solidissima, pag. XVI-622   L. 250 —

~~~~~~~~~~~~~~~~~~~~~~~~~~~~~~~~~~

P. ANGELUS M. PIROTTA O. P.
S. Theol. Lect., Philosophiae Doctor ac Professor.

SUMMA PHILOSOPHIAE ARISTOTELICO-THOMISTICAE

Vol. I.   Philosophia rationalis. In-8 max., 1931, pag. XII-280   L. 12 60
Vol. II.   **Philosophia naturalis** generalis et specialis. In-8 max., 1936, pag. XXII-820   L. 36 50
Vol. III. **Philosophia metaphysicalis.** - Vol. IV. **Philosophia moralis** (*sub praelo*)

Tipografia della Casa Editrice Marietti — Via Legnano, 23 — Torino.
Finito di stampare il 26-VI-1944.